PENDRAGON

1
Le Marchand de peur

SALUT !
C'EST BOBBY !

Appelle-moi au
08 92 69 09 59

0,34 euros / min

Je te fais gagner
mon téléphone portable
SAGEM

et je te raconte
le début de
ma prochaine aventure.

SAGEM

D. J. MACHALE

PENDRAGON

1
Le Marchand de peur

Traduit de l'américain par Thomas Bauduret

Jeunesse

ÉDITIONS DU
ROCHER
Jean-Paul Bertrand

Titre original : *Pendragon 1. The Merchant of Death.*

La présente édition est publiée en accord avec l'auteur, représenté par Baror International Inc., Armonk, New York, USA.

© D. J. MacHale, 2002.

© Éditions du Rocher, 2003, pour la traduction française.

ISBN 2 268 04777 6.

Journal n° 1

DENDURON

J'espère que tu pourras lire ceci, Mark.

Hé, j'espère que *quelqu'un* pourra me lire, parce que pour l'instant la seule chose qui m'empêche de péter les plombs, c'est de coucher tout ça sur le papier dans l'espoir qu'un jour, quand tout sera terminé, ce journal prouvera que je ne suis pas dingue. Car hier, il s'est passé deux événements qui ont changé ma vie à tout jamais.

Le premier, c'est que j'ai enfin pu embrasser Courtney Chetwynde. Oui, *la* Courtney Chetwynde, celle qui se mord la lèvre inférieure quand elle réfléchit, dont les yeux gris sombre semblent regarder jusqu'au plus profond de l'âme, qui est si belle dans sa tenue de volley-ball et traîne toujours une odeur de rose. Oui, je l'ai embrassée. J'ai attendu longtemps, mais enfin, c'est fait. Yah-houh !

Le second, c'est que je suis passé dans une sorte de trou noir, ce qu'on appelle un « flume », qui m'a projeté à l'autre bout de l'univers, sur une planète nommée Denduron, au beau milieu d'une guerre civile.

Mais revenons-en à Courtney.

Ce n'était pas un vague bisou du genre « bonjour, ça va ? ». Oh non. C'était un baiser, un vrai, les yeux fermés, qui a commencé les lèvres serrées, mais a dégénéré bien vite en une exploration mutuelle qui a duré plusieurs éternités – c'est-à-dire trente secondes environ. Et nous étions vraiment près. *Tout* près. Je la serrais si fort que je pouvais sentir battre son cœur contre ma poitrine. Ou peut-être était-ce le mien. Ou peut-être nos deux cœurs battaient-ils l'un contre l'autre. Je n'en sais rien. En tout cas, c'était géant. J'espère qu'on pourra recommencer. Quoique, pour l'instant, ça semble peu probable.

Ça peut sembler stupide de ne penser qu'aux beaux yeux de Courtney Chetwynde alors que mon vrai problème, c'est que je risque de mourir bientôt. C'est peut-être pour ça qu'elle m'obsède tant. Pour l'instant, le souvenir de ce baiser est tout ce qui me reste pour garder un pied dans la réalité. J'ai peur de le voir se dissiper, car si c'est le cas, j'aurai tout perdu, et si ça se produit… Eh bien, je ne sais pas ce qui pourrait m'arriver, puisque je ne comprends rien à ce qui se passe. Peut-être qu'en racontant mon histoire, je finirai par y trouver une quelconque logique.

Bon, je vais essayer de remettre en ordre les événements qui ont précédé cette page d'écriture. Jusqu'à hier, je vivais la grande vie. Du moins autant que peut le faire un type de quatorze ans tout ce qu'il y a de plus normal. À l'école, j'avais de bonnes notes sans trop me fatiguer ; en sport, j'étais un crack ; mes parents étaient super ; et en général ma petite sœur, Shannon, ne me tapait pas trop sur le système. J'avais de très bons copains, et toi, Mark, tu étais le premier de la liste. J'habitais une grande maison avec assez d'espace pour faire de la musique et tout ce qui me passait par la tête. Mon chien, Marley, était l'épagneul le plus sympa qu'on ait jamais vu ; et je venais d'embrasser Courtney Chetwynde (ai-je déjà mentionné ce petit détail ?). Franchement, que peut-on rêver de mieux ?

En plus, il y avait aussi mon oncle Press.

Tu te souviens de lui ? C'est le gars qui, à chacune de mes fêtes d'anniversaire, m'apportait toujours une surprise. Et ce n'était pas rien ! Il ne se contentait pas de m'offrir un poney, non, il fallait qu'il apporte un *camion* de poneys, de quoi faire un rodéo en miniature. C'est lui qui a transformé ma baraque en labyrinthe avec tous ces faisceaux lasers. Alors ça, c'était le top du top, non ? L'an dernier, il s'amusait à jeter des pizzas. Tu te rappelles ? De temps en temps, il débarquait sans crier gare pour faire un truc incroyable, comme de m'emmener faire un tour dans un avion privé. Oui, il sait piloter. Une autre fois, il m'a donné cet ordinateur dernier cri, si perfectionné qu'il n'était même pas disponible en magasin. Tu vois ma calculette à commande vocale ? Un cadeau de l'oncle Press. Franchement, tout le monde rêve d'avoir un oncle comme lui !

Mais en même temps, l'oncle Press avait toujours eu quelque chose de mystérieux. C'est le frère de ma mère, mais elle ne le tenait pas en grande estime. On aurait même dit qu'elle préférait ne pas parler de lui. Quand j'abordais ce sujet, elle haussait les épaules et disait quelque chose du genre : « Oh, tu sais comment il est, il tient à son indépendance. Ça s'est bien passé à l'école ? » Bref, elle éludait la question.

Je ne sais pas quel métier il faisait, mais il semblait toujours plein aux as. Je me disais qu'il devait travailler pour le gouvernement, un poste de haut niveau, genre chercheur pour la NASA, et qu'il était tenu au secret professionnel. Donc, je ne lui posais pas de questions. Il n'était pas marié, mais parfois, quand il venait nous voir, il était accompagné. Un jour, il nous a ramené cette jeune femme qui ne nous a pas dit un mot. Il nous a dit que c'était une amie, mais j'ai eu l'impression que c'était plutôt sa « petite amie ». Elle devait être africaine ou quelque chose comme ça ; en tout cas, elle avait la peau très foncée. Et elle était très belle. Mais la façon qu'elle avait de rester immobile, à me regarder en souriant, m'a mis mal à l'aise. Pourtant, son attitude n'avait rien de terrible : au contraire, ses yeux étaient d'une douceur incroyable. Peut-être gardait-elle le silence parce qu'elle ne savait pas parler notre langue, tout bêtement. Mais c'était tout de même angoissant.

Je dois dire que l'oncle Press était le type le plus cool que j'aie jamais rencontré. Du moins jusqu'à hier.

Hier soir, plus précisément. Le jour de la demi-finale de basket. Tu sais à quel point l'équipe compte sur moi. Dans toute l'histoire de l'école Stony Brook Junior High, personne n'a jamais marqué autant de points que moi. Ce n'est pas pour me vanter : c'est un simple fait. Donc il aurait été impensable que je n'y participe pas ; ç'aurait été comme de voir Kobe Bryant rater un match des Laker. Bon, d'accord, je ne suis peut-être pas si important, mais ça n'aurait pas été correct. Maman, papa et

Shannon étaient déjà en route vers le gymnase. J'avais encore plein de devoirs et je savais que si je n'étais pas à jour, j'allais me faire remonter les bretelles. Il fallait donc que je les termine avant d'y aller. J'avais juste le temps d'engloutir deux bananes, de donner à manger à Marley, de sauter sur mon vélo et de filer à l'école. Enfin, c'était mon intention. Je ne peux pas m'empêcher de penser que si j'avais fait mes devoirs un peu plus vite ou décidé de ne pas jeter sa balle de tennis à Marley, ou même si j'avais attendu d'être à l'école pour passer aux toilettes, rien de tout cela ne serait arrivé. Mais il est trop tard pour les regrets.

J'ai pris mon sac, suis parti vers la porte, l'ai ouverte en grand, et me suis retrouvé face à… Courtney Chetwynde.

Je me suis figé sur place. Elle aussi. Comme si quelqu'un avait appuyé sur le bouton « pause » pour arrêter la scène. Sauf que mon cerveau, lui, battait la campagne. D'aussi loin que je puisse remonter, j'avais toujours eu un faible pour Courtney. Elle était toujours si… parfaite. Mais pas parfaite au sens « inaccessible ». Elle est belle, intelligente, sportive, pleine d'humour et aime rire. Ce doit être ça le plus important : son sens de l'humour. C'est peut-être bête, mais quelqu'un qui raconte des blagues est quelqu'un qui n'a pas peur de se rendre ridicule, même pour un instant. Et lorsqu'on a tous les atouts dans la vie et que, malgré tout, on est encore capable de faire l'idiot pour amuser la galerie, franchement, que peut-on demander de plus ?

Bien sûr, je n'étais pas le seul à éprouver de tels sentiments envers Courtney. Elle avait tout un tas d'admirateurs. Mais ce soir, elle était là, sur le seuil de *ma* maison. Aussitôt, tous les synapses de mon cerveau sont entrés en éruption pour trouver quelque chose d'intelligent à dire. En cas d'urgence, les premiers mots qu'on prononce peuvent façonner à jamais l'image qu'on se fait de vous. Soit vous montrez que vous maîtrisez à fond et que vous pouvez garder votre sang-froid et votre humour quoi qu'il arrive, soit vous passez pour un crétin qui se laisse démonter pour un rien. C'est ce qui m'a traversé l'esprit en une fraction de seconde, alors que nous étions en mode « pause ». Maintenant, c'était à moi de jouer. Elle était venue jusque chez moi : la balle était dans mon camp. J'ai donc passé mon sac par-dessus mon épaule, me suis adossé tout tranquillement à l'embrasure de la porte, lui ai décoché un sourire et ai dit :

– Yo.

Yo ? Ce n'est même pas un mot ! Personne ne dit « Yo », à moins de vouloir passer pour un rappeur de seconde zone, ce que je n'étais certainement pas. Je m'attendais à ce que son sourire s'efface sous l'effet de la déception, puis qu'elle tourne les talons et s'en aille sans dire un mot. Mais elle s'est contentée de se mordre la lèvre inférieure (signe qu'elle réfléchissait), puis a dit :

– Salut.

Impec. Au débilomètre, « Salut » ne vaut guère mieux que « Yo ». J'étais à nouveau en piste. Il était temps de passer à la vitesse supérieure.

– Quoi de neuf ? ai-je demandé.

Bon, tout compte fait, je n'étais peut-être pas prêt à mettre le turbo. Il valait mieux lui renvoyer la balle. C'est alors que j'ai remarqué quelque chose de bizarre. Courtney semblait nerveuse. Pas folle de peur, non, mais plutôt mal à l'aise. Elle était aussi tendue que moi. C'était bon signe.

– Je sais que tu as ton match et que tu dois y aller, a-t-elle fait avec un petit sourire gêné. Je ne veux pas te mettre en retard.

Quel match ? Ah oui, le match de demi-finale. Un instant, je l'avais oublié.

– Oh, j'ai tout mon temps, ai-je menti. Entre donc.

Je me remettais déjà de ma surprise. Alors qu'elle passait devant moi pour entrer, j'ai respiré une bouffée odorante. J'ai dû faire appel à toute ma volonté pour ne pas inspirer à fond et inhaler ce délicieux parfum de rose. Ç'aurait été idiot, et d'ailleurs, ce n'était pas le moment de se laisser aller, parce qu'à présent Courtney était chez moi, sur mon territoire. J'ai refermé la porte derrière elle, et nous nous sommes retrouvés seuls.

Et maintenant, qu'allais-je faire ? Je n'en avais pas la moindre idée. Courtney s'est tournée vers moi et m'a regardé de ses incroyables yeux gris. Mes genoux ont tremblé. Pourvu qu'elle n'ait rien remarqué !

– Je ne savais pas si je devais vraiment venir te voir, a-t-elle dit d'une voix hésitante.

— Je suis content que tu sois là, ai-je répondu avec un minutage parfait.

La balle restait dans son camp, mais je faisais tout pour la mettre à l'aise. Intérieurement, j'étais sur des charbons ardents.

— Je ne sais pas moi-même pourquoi j'ai tenu à venir maintenant. Peut-être pour te souhaiter bonne chance avant le match. Mais je crois que ce n'est pas tout.

— Vraiment ?

La réponse qui tue.

— Je ne sais comment te le dire, Bobby, mais depuis que nous sommes enfants, j'ai toujours… senti instinctivement qu'il y avait quelque chose de particulier entre nous.

Senti ? C'était bien, du moment qu'elle ne « sentait » pas instinctivement que j'étais un tueur psychopathe ou quelque chose comme ça.

— Oh ? ai-je répondu.

Pas d'implication, pas d'agression. La perfection.

— Bon sang, je me sens si bête !

Elle a détourné les yeux. Je la perdais. Comme je ne voulais pas qu'elle se dégonfle, je l'ai encouragée :

— Courtney, quand je pense à toi, bien des qualificatifs me viennent à l'esprit, mais pas un instant je ne t'ai trouvée bête.

Elle m'a regardé de nouveau et a souri. Nous étions encore dans la course.

— Je ne sais pas comment te le dire, alors je vais vider mon sac une bonne fois pour toutes. Bobby, tu as quelque chose de différent. Je sais que tu es à la fois un intello et un sportif, que tout le monde t'aime bien, et cetera, mais pour moi, ce n'est pas tout. Tu as… une sorte d'aura. Les gens t'aiment. Ils ont confiance en toi. Et tu n'as pas besoin de montrer tes talents, non. Peut-être que ça a l'effet inverse. Tu ne te comportes pas comme si tu étais mieux que tout le monde. Tu n'es qu'un type bien… (Elle a fait une pause avant de lâcher la bombe atomique :) pour qui j'ai le béguin depuis la sixième.

Même dans mes rêves les plus fous, je n'aurais jamais imaginé une telle déclaration. J'en suis resté sans voix. J'ai juste espéré ne pas ouvrir la bouche comme un crétin.

– Je ne sais pas pourquoi je te dis tout ça aujourd'hui, a-t-elle continué. Mais aussi bizarre que ça puisse paraître, j'ai l'impression que si je ne le fais pas maintenant, je n'aurai jamais d'autre occasion. Alors je voulais te dire ce que je ressens... et faire ça.

C'est alors que c'est arrivé. Le baiser. Elle a fait un pas en avant, a hésité un instant pour voir si j'allais l'arrêter (ben voyons, il y avait peu de risques !) et elle m'a embrassé. Je ne vais pas revenir sur les détails, mais je me contenterai de dire que j'étais heureux. C'étaient les trente secondes les plus incroyables de ma vie.

Ou du moins, c'étaient les trente secondes où j'ai eu une vision.

J'avais les yeux fermés, mais je pouvais envisager tout un avenir avec Courtney et ses baisers. Je ne sais s'il est possible d'embrasser et de sourire en même temps, mais en tout cas, c'est ce que j'ai fait. Puis j'ai ouvert les yeux, et ç'a été la fin de tout.

– Salut, Bobby.

L'oncle Press ! Que faisait-il là ? D'où sortait-il ? Je me suis séparé de Courtney si vite qu'elle n'a pas eu le temps de rouvrir les yeux. Même si je ne sais pas pourquoi... Après tout, on ne faisait rien de mal. Ce n'était qu'un baiser. Le baiser du siècle, certes, mais rien de plus. Quand Courtney s'est aperçue de ce qui se passait, elle a semblé extrêmement gênée. Je crois qu'elle aurait bien aimé disparaître dans un trou de souris. Mais moi, je voulais qu'elle soit là, dans mes bras. Elle a reculé vers la porte.

– Je... heu... ferais mieux d'y aller, a-t-elle balbutié.

– Non, reste !

Je ne voulais pas être le seul à me faire sonner les cloches. Mais apparemment, l'oncle Press avait autre chose en tête.

– Oui, tu ferais mieux.

Bref, brutal et sans appel. À ces mots, un signal d'alarme a résonné dans ma tête. Voilà qui ne lui ressemblait guère. L'oncle Press que je connaissais aurait trouvé plutôt amusant de surprendre son neveu en train de rouler un patin à la plus belle fille du monde. En fait, c'est exactement ce qui s'est passé quand il m'a vu embrasser Nancy Kilgore sur le porche arrière. Il s'est contenté d'éclater de rire. J'étais mort de honte, mais lui semblait trouver ça irrésistible. De temps en temps, il me rappelait cet incident histoire de me faire bisquer. Jamais en public, il faut le dire – ce n'était pas par méchanceté. Mais cette fois-ci, tout était différent. Il ne riait pas. Du tout.

– Bonne chance pour ce soir. Je t'applaudirai, a dit Courtney en faisant un pas en arrière… pour se cogner contre la porte.

Aïe. L'oncle Press s'est penché pour lui ouvrir. Elle a acquiescé d'un air gêné en guise de remerciement, puis m'a regardé avec l'ombre d'un sourire rusé. Et elle s'en est allée. L'oncle Press a refermé la porte et s'est tourné vers moi.

– Désolé, Bobby, mais j'ai besoin de ton aide. Il faut que tu viennes avec moi.

Une fois de plus, voilà qui n'était pas dans ses manières. C'était quelqu'un de plutôt cool. Il devait avoir cinquante ans à vue de nez, mais il n'avait rien d'un vieux schnoque. Il n'arrêtait pas de faire l'idiot, comme s'il ne prenait jamais rien au sérieux. Mais ce soir, il était on ne peut plus grave. En fait, il avait même l'air d'avoir… peur.

– Mais… J'ai un match à disputer ! C'est la demi-finale, et je suis déjà en retard.

– Ça ne semblait pas te déranger il y a quelques secondes, a-t-il rétorqué.

Bien vu. Mais j'étais bel et bien en retard, et ce match comptait énormément.

– Maman, p'pa et Shannon sont déjà là-bas. Si je n'y vais pas…

– Ils comprendront. Je ne te demanderais pas de faire une chose pareille si je ne pensais pas que ce qui m'amène est plus important qu'un simple match… ou qu'embrasser cette jolie fille qui vient de partir.

J'étais prêt à me défendre, mais il semblait vraiment déterminé. Bizarre. Puis, comme s'il lisait dans mes pensées, il a dit :

– Bobby, on se connaît depuis toujours. M'as-tu déjà vu dans un tel état ?

Inutile de répondre. Il se passait quelque chose de pas normal.

– Dans ce cas, tu comprendras que c'est vraiment du sérieux, a-t-il ajouté d'un ton définitif.

Je ne savais que dire. En ce moment même, toute une équipe comptait sur moi pour remporter un titre. Sans oublier ma famille, mes amis et une presque-petite-amie qui s'attendaient à me voir faire une entrée triomphale sur le terrain. Mais là, devant moi, se tenait quelqu'un de ma famille et qui avait besoin de moi. Au cours de ma vie, l'oncle Press avait beaucoup fait pour moi sans jamais rien demander en échange. Du moins jusqu'à aujourd'hui. Comment pouvais-je lui refuser mon aide ?

– Tu me promets de tout expliquer à mon entraîneur, à maman, à papa et à Courtney Chetwynde ?

Il a eu un petit sourire, comme dans le temps, et a dit :

– Ils comprendront.

J'ai cherché une autre raison de ne pas le suivre. En vain. J'ai laissé échapper un soupir.

– Bon, d'accord, ai-je dit. Allons-y.

Aussitôt, l'oncle Press a ouvert la porte. J'ai haussé les épaules et fait un pas en avant.

– Tu n'auras pas besoin de ton sac, a-t-il dit.

Je ne sais pas pourquoi, mais son commentaire m'a paru bizarre et même un peu inquiétant.

– Qu'est-ce qui se passe, oncle Press ?

À ce moment-là, s'il m'avait dit la vérité, j'aurais couru jusqu'à ma chambre me cacher sous le lit. Mais il s'est contenté de répondre :

– Tu verras bien.

C'était mon oncle. J'avais confiance en lui. J'ai donc laissé tomber mon sac et me suis à nouveau dirigé vers la porte. Mais il ne m'a pas suivi tout de suite. J'ai regardé en arrière et vu qu'il parcourait des yeux la maison. Peut-être était-ce mon imagination, mais il avait l'air un peu triste, comme s'il regardait ce décor pour la dernière fois. Au bout de quelques secondes, il a dit :

– Tu aimes cet endroit, non ? Et ta famille ?

– Ben... Oui. Bien sûr, ai-je répondu.

Tu parles d'une question idiote !

Il a regardé une fois de plus autour de lui, puis s'est tourné vers moi. Il n'avait plus l'air triste. Plutôt une moue déterminée, celle de quelqu'un qui a mieux à faire ailleurs.

– Allons-y, a-t-il dit.

Il est passé devant moi pour descendre dans la rue. L'oncle Press s'habillait toujours de la même façon : un jean, des bottes et une chemise de travail brun foncé avec par-dessus un long manteau de cuir brun qui lui descendait jusqu'aux genoux et battait au vent lorsqu'il marchait. Je l'avais vu plus d'une fois dans cette tenue, mais Dieu sait pourquoi, ce soir-là, il m'a donné l'impression que, pour lui, le temps s'était arrêté. En d'autres temps, ç'aurait été un cow-boy couvert de poussière entrant en ville, ou un messager de l'armée apportant des documents d'importance vitale. Pas de doute, l'oncle Press était quelqu'un d'unique.

La plus belle moto que j'aie jamais vue était garée devant ma porte. On aurait dit un de ces modèles réduits avec lesquels je jouais il n'y a pas si longtemps. Mais celle-là était très grosse et indéniablement vraie. L'oncle Press savait faire les choses avec classe. Il a tiré le deuxième casque posé sur le siège arrière et me l'a tendu. Nous avons mis chacun le nôtre, puis il a fait démarrer le moteur. À ma grande surprise, il ne faisait pas beaucoup de bruit. Je m'attendais à un grondement à vous remuer les tripes, façon Harley. Mais cette moto était presque silencieuse. On aurait dit une fusée prête à décoller. J'ai sauté sur le siège arrière. Il s'est tourné vers moi :

– Prêt ?

– Non, ai-je répondu honnêtement.

– Très bien. Le contraire m'aurait étonné.

Alors il a passé la première, a tourné la poignée de gaz, et nous nous sommes éloignés de cette paisible rue de banlieue que j'habitais depuis quatorze ans… et que j'espérais bien revoir un jour.

SECONDE TERRE

… Que j'espérais bien revoir un jour.

Mark Dimond leva les yeux de la liasse de parchemins qu'il parcourait et inspira profondément. Son cœur battait la chamade. Tout ce qu'il venait de lire semblait écrit de la main de Bobby Pendragon, son meilleur ami, mais ce qu'il racontait était impossible. Et pourtant, c'était là, noir sur blanc. Il regarda à nouveau ses inscriptions, et ne vit que des gribouillis frénétiques. C'était bien l'écriture de Bobby en grandes dégoulinures d'encre noire sur une sorte de parchemin jauni démodé. Celui-ci semblait bien réel, mais tout ce qui était dit sur ces pages était aussi réaliste que ces rêves que l'on fait quand on a la fièvre.

Mark était en sécurité, enfermé dans le deuxième cabinet à partir de la porte des toilettes pour garçons au troisième étage de l'école Stony Brook Junior High. Ces toilettes étaient rarement utilisées, car elles se trouvaient tout au bout du bâtiment, près de la section artistique, loin des sentiers battus. Il s'y rendait souvent, à chaque fois qu'il voulait réfléchir tranquillement. Il lui arrivait même d'utiliser ces toilettes pour leur fonction d'origine, mais en général, elles lui servaient surtout de refuge. À ses pieds, il y avait un tas de pelures de carottes. Il n'avait cessé d'en manger tout en lisant. Mark avait lu quelque part que les carottes étaient bonnes pour la vue. Mais cela faisait des mois qu'il s'en bourrait consciencieusement, et il devait toujours porter des lunettes. Ses efforts ne lui avaient rapporté que des dents jaunies.

Mark savait qu'il n'était pas un total ringard, mais il ne se mélangeait pas non plus avec les caïds de l'école. Bobby était son seul contact dans le monde des « intégrés ». Ils avaient grandi ensemble et étaient aussi proches que deux amis puissent l'être. Mais alors que Bobby devenait de plus en plus populaire, Mark avait du mal à sortir de l'enfance. Il lisait toujours des BD, posait des figurines de super-héros sur son bureau et s'habillait de façon… disons, fonctionnelle. Pourtant, Bobby s'en fichait. Mark le faisait rire. Et réfléchir, aussi. Ils pouvaient passer des heures à débattre de sujets aussi divers que les articles de la Constitution ou des mérites comparés de Pamela Anderson avant et après son opération esthétique.

La plupart des amis de Bobby, ou du moins les plus sportifs du lot, se payaient la tête de Mark, mais jamais devant Bobby. Ils étaient bêtes, mais pas à ce point. Quiconque se frottait à Mark risquait d'encourir la colère de Bobby, et personne ne voulait s'attirer ses foudres. Mais maintenant, Bobby était vraiment mal barré. Mark en avait la preuve, là, sous ses yeux. Pourtant, il refusait de croire ce que ce manuscrit lui racontait. En temps normal, il aurait pris cela pour une plaisanterie. Pourtant, certains détails lui donnaient à penser que ce n'était pas qu'une blague. Il s'adossa au mur de briques et revit mentalement ce qui s'était passé le soir d'avant.

Mark laissait toujours une veilleuse allumée pour dormir. Il avait peur du noir. C'était son secret. Même Bobby l'ignorait. Parfois, Mark se disait que le remède était pire que le mal, car la faible clarté de la veilleuse jetait des zones d'ombre dans toute la pièce. Comme ce blouson noir accroché au dos de la porte, qui ressemblait à la Faucheuse incarnée. Plus d'une fois, il avait eu cette vision déplaisante. De plus, sans ses lunettes, Mark ne voyait pas grand-chose au-delà de son lit. Mais il préférait encore se réveiller en sursaut de temps en temps plutôt que d'être plongé dans les ténèbres.

Cette nuit-là, c'est ce qui était arrivé, une fois de plus. Il était allongé sur son lit, dérivant entre la veille et le sommeil. Il avait ouvert un œil et, dans son état de stupeur, avait cru voir une silhouette au pied de son lit. Son esprit tenta de lui dire qu'il s'agissait juste de l'ombre jetée par une voiture qui passait dans la rue, mais son instinct lui conseilla de se réveiller. À toute vitesse. Une décharge d'adrénaline le parcourut, et son cerveau fut aussitôt sur le qui-vive. Il scruta l'intrus de ses yeux myopes afin de confirmer qu'il s'agissait juste d'un sac à dos. Rien à faire. Il n'arrivait pas à identifier l'ombre. Il farfouilla donc sur sa table de nuit, renversa une tasse pleine de crayons et son Gameboy, mais réussit à attraper ses lunettes. Lorsqu'il put les chausser, il regarda à l'autre bout de son lit… et se figea de terreur.

Là, éclairée par la douce clarté de la lune filtrant par la fenêtre, se tenait une femme. Elle était grande, avec une peau foncée. Elle portait une sorte de robe multicolore au pan drapé sur l'une de ses épaules, dévoilant un bras bardé de muscles noueux. On aurait dit une reine africaine, belle et majestueuse. Mark battit des pieds pour s'écarter de l'apparition. Il s'adossa au mur dans l'espoir futile de pouvoir passer au travers pour retomber dans la pièce d'à côté.

La femme se contenta de poser un doigt sur ses lèvres et de faire : « Chhht ! » Mark se figea, paralysé par la terreur. Il plongea son regard dans les yeux de la femme, et il se passa quelque chose d'étrange. Tout à coup, il n'eut plus si peur. Avec le recul, il se demanda si elle ne l'avait pas hypnotisé ou enchanté, car sa terreur se dissipa comme par magie. Les yeux de la femme étaient doux et amicaux, et lui disaient qu'il n'avait rien à redouter.

– *Shaaa zaa shuu saaa*, fit-elle doucement.

Sa voix agréable et rassurante évoquait une brise chaude caressant des feuilles, mais il ne comprenait rien à ce qu'elle disait. La femme vint alors s'asseoir sur le lit, à côté de lui. Pourtant, il ne chercha pas à reculer. Curieusement, tout cela semblait… normal. Une petite bourse était accrochée à une lanière passée autour de son cou. Elle l'ouvrit et en tira un anneau. On aurait dit un de ces bijoux aux armes de leur collège que portent certains étudiants. Il était de couleur argentée avec une pierre d'un gris ardoise montée en son centre. Il y avait une sorte d'inscription gravée sur la pierre, mais elle était rédigée dans une langue telle que Mark n'en avait jamais vu.

– C'est un cadeau de Bobby, dit-elle d'une voix douce.

Bobby ? Bobby Pendragon ? Mark ne comprenait rien à ce qui lui arrivait, mais il ne s'attendait certainement pas à ce que cette étrange femme qui venait d'apparaître dans sa chambre au beau milieu de la nuit lui cite le nom de son meilleur ami.

– Qui êtes-vous ? D'où connaissez-vous Bobby ?

Elle prit gentiment sa main et glissa l'anneau à son doigt. Il était à sa taille. Il regarda l'étrange bijou, puis la femme.

– Pourquoi ? Qu'est-ce que c'est ?

Elle posa un doigt léger sur ses lèvres pour le faire taire. Aussitôt, ses paupières se firent lourdes. Il était parfaitement réveillé, et soudain il se sentait fatigué au point de s'endormir sur-le-champ. Il se sentit glisser. En un instant, il plongea dans un profond sommeil.

Mark se réveilla le lendemain à 6 h 15, comme à son habitude, au hurlement de son réveil. Sa première pensée fut pour se dire qu'il avait horreur des réveils. La seconde, qu'il avait fait un rêve vraiment bizarre. Il eut un petit rire : il ferait mieux de ne plus forcer sur les légumes crus avant d'aller se coucher. Puis il tendit la main pour couper la sonnerie… c'est alors qu'il le vit, là, à son doigt.

C'était l'anneau que la femme lui avait donné. Mark s'assit sur son lit et fixa la pierre grise et ces drôles d'inscriptions. Le bijou était bien réel. Il pouvait sentir sa texture, son poids. Ce n'était pas un rêve. Que se passait-il ?

Il s'habilla à la hâte et s'en alla sans rien dire à ses parents. Une seule personne pouvait lui donner des explications : Bobby Pendragon. Mais ce qui s'était passé hier soir le mettait mal à l'aise. C'était le jour du match de basket-ball qui devait les qualifier pour la demi-finale… et Bobby n'était pas venu. Ses parents, sa sœur, tout le monde était là, sauf Bobby. À la première mi-temps, il alla demander aux Pendragon où était Bobby, mais ils étaient déjà partis. Bizarre, vraiment bizarre.

Et Stony Brook perdit le match. Ce fut un massacre. Tous les joueurs chuchotaient entre eux. Ils voulaient savoir ce qu'était devenue leur vedette. Lorsque Mark rentra à la maison, il appela chez Bobby, mais personne ne répondit. Il conclut qu'il le verrait à l'école le lendemain et qu'alors Bobby lui raconterait tout. Puis il s'endormit et reçut une étrange visite nocturne. Maintenant, il ne se contenterait pas de demander à Bobby pourquoi il n'était pas sur le terrain.

Lorsqu'il entra dans le bâtiment de l'école, ledit match était le sujet de conversation numéro un.

– Hé, Dimond ? Où il est ton pote, le crack du stade ?

– Il a tout fait foirer !

– T'as intérêt à t'expliquer, Dimond !

– Qu'est-ce qui s'est passé ?

Tout le monde lui criait après pour lui parler de Bobby. Ce qui ne pouvait signifier qu'une chose : Bobby n'était pas encore arrivé. Bien sûr, Mark n'avait pas de réponse à leur donner. Il haussa les épaules et continua de marcher. Il passa devant le casier de Bobby, mais celui-ci n'était pas là. Il ne trouva que d'autres gamins furieux qui l'attendaient de pied ferme.

– Il s'est dégonflé, hein ?

– Il n'a pas supporté la pression !

Mark les évita et se dirigea vers la salle de classe de Bobby. Il n'était pas là non plus. Où était-il passé ? Cela devenait inquiétant.

C'est alors que la chose se produisit. Tout d'abord, ce fut juste un léger tic nerveux, mais il prit bien vite de l'ampleur. C'était l'anneau. Il s'était mis en mouvement. On aurait dit qu'il se resserrait pour se dilater à nouveau, encore et encore.

– Dimond ! Hé, Dimond ! Où est-il ?

Une nouvelle grappe d'enfants se rapprochait. Comme Mark ne savait que faire, il enserra l'anneau de son autre main et se mit à courir. Il fonça sur les gamins et se fraya maladroitement un chemin au milieu des corps. Certains, plus âgés, le repoussèrent, et il faillit s'étaler de tout son long, mais il réussit à conserver son équilibre. La cloche se mit à sonner et tous coururent vers leurs salles de classe, mais Mark ne s'arrêta qu'une fois dans sa propre « forteresse de solitude » – les toilettes du troisième étage.

Il continua vers le centre de la pièce, puis tendit le bras et regarda sa main comme si elle lui était étrangère. L'anneau continuait de pulser comme un cœur. Puis la pierre gris sombre se mit à scintiller. Il n'y avait pas un instant, ce n'était qu'une masse solide couleur ardoise ; maintenant, elle luisait comme un diamant. Des rayons de lumière jaillirent de l'anneau pour illuminer la pièce.

Mark n'en pouvait plus. Il arracha cet étrange bijou et le jeta contre le mur. L'anneau heurta la cloison, rebondit et s'immobilisa au centre de la pièce. Les rayons de lumière continuaient de danser le long des murs et du plafond. On aurait dit que la pièce était un ciel rempli d'étoiles aussi belles qu'éblouissantes.

Puis, sous ses yeux émerveillés, le cercle se mit à croître. Il finit par acquérir la taille d'un frisbee, et au cœur de ce cercle d'un diamètre désormais incroyablement grand, un trou noir s'ouvrit sur le plancher. L'anneau avait ouvert un portail donnant sur… quelque chose. Et Mark put entendre une étrange mélodie qui s'échappait de ce portail. Non, pas vraiment une mélodie, plutôt une série de notes agréables à l'oreille… et de plus en plus fortes.

Mark recula, cherchant à s'éloigner de cet anneau diabolique, bien qu'il ne sache trop s'il devait s'enfuir ou admirer le spectacle. Il était à la fois fasciné et terrifié. Les notes qui s'échappaient du portail se firent si sonores qu'il dut se boucher les oreilles. Quoi qu'il arrive, il ne voulait pas y être mêlé. Il tourna les talons et courut vers la porte. Il allait l'ouvrir en grand lorsque…

Tout cessa d'un coup. La musique se tut brutalement, comme si on avait tiré sur la prise électrique. Les jeux de lumières s'arrêtè-rent, eux aussi. Seul le cœur de Mark continua de battre la chamade. Il retira sa main de la porte et se retourna vers les toilettes. Il ne vit que l'anneau qui gisait sur le sol, à l'endroit même où il l'avait jeté. Il avait repris sa taille normale et la pierre avait retrouvé sa couleur gris ardoise originelle.

Mais il y avait aussi autre chose sur le sol, juste à côté de l'anneau. Un rouleau de papier, un parchemin jaunâtre roulé et scellé avec un cordon de cuir. Quel que soit le phénomène déclenché par l'anneau, il avait déposé ce parchemin, là, sur le carrelage des toilettes.

Mark s'approcha prudemment, se pencha et ramassa l'objet d'une main moite. C'était bien un papier roulé. Rien de bien méchant. Mais bizarre, indéniablement bizarre. Il tira sur le cordon de cuir qui enserrait le parchemin et le déroula. Il y avait quatre feuilles, toutes couvertes d'une écriture frénétique. Mark lut la première ligne de la première feuille et eut l'impression de recevoir une décharge électrique. Il ne pouvait plus respirer, ni même penser. C'était une lettre, et elle *lui* était adressée.

Elle commençait par : *J'espère que tu pourras lire ceci, Mark.*

Journal n° 1
(suite)

DENDURON

Je ne pouvais pas demander grand-chose à l'oncle Press, pas tant que j'étais assis à l'arrière d'une moto qui fonçait à toute allure. Entre le rugissement du moteur, le souffle du vent et le fait que nous portions chacun un casque dernier cri, impossible de tenir une conversation. Donc, je n'avais que mon imagination pour deviner où nous allions et ce que nous y ferions.

Au moins une chose était claire : nous sortions de la ville. Je vivais dans une banlieue de New York, un endroit calme, paisible, *ennuyeux*. J'étais allé quelques fois dans le centre avec mes parents, principalement pour des événements particuliers comme la parade de Noël ou les fêtes de Radio City. Sans oublier ce jour où toi et moi, Mark, avons pris le train de banlieue pour aller voir un James Bond au cinéma. Tu te souviens ? À part ça, pour moi, la grande ville restait un mystère.

D'un autre côté, il ne fallait pas être un chauffeur de taxi pour comprendre que l'oncle Press se dirigeait vers un quartier qu'on pouvait qualifier de « zone ». Ce New York-là, je ne le connaissais que par le journal télévisé et, en général, c'était pour mentionner un crime particulièrement sordide. Nous avons passé la voie express traversant le Bronx ; à partir de là, nous étions en plein territoire miné. Partout s'élevaient des immeubles décrépis, et les rues étaient désertes. Le quartier semblait inhabité, et pourtant j'avais l'étrange sensation que des yeux avides nous regardaient passer depuis les fenêtres aveugles des bâtiments en ruine. Et bien sûr, il faisait nuit noire.

Avais-je la frousse ? Eh bien, étant donné que j'avais envie de vomir et que je me cramponnais si fort à l'oncle Press que je m'attendais à ce qu'une de ses côtes se casse, on peut dire que oui, j'avais la frousse. L'oncle Press s'est dirigé vers un de ces vieux kiosques démodés flanquant l'entrée d'une station de métro. La moto a rebondi sur le trottoir, puis il a coupé le moteur. Le silence est retombé d'un bloc. Bon, ça faisait une demi-heure que j'étais à l'arrière de cette moto, et après ça, même un concert techno ne serait qu'un murmure. Mais tout était si calme qu'on se serait cru dans une ville fantôme.

— Nous sommes arrivés, a-t-il annoncé avant de descendre de moto.

J'ai fait de même et ai retiré mon casque avec joie. Enfin, je retrouvais l'usage de mes oreilles. L'oncle Press a laissé son propre casque sur la moto et s'est dirigé vers l'entrée de métro.

— Hé là, un instant ! ai-je demandé, surpris. On va laisser la moto et les casques, comme ça ?

Je n'arrivais pas à y croire. Il avait même oublié la clé de contact dans son logement. Je ne suis pas un expert en criminologie, mais je savais que si nous laissions la moto et le reste sur place, tout disparaîtrait en un clin d'œil.

— Nous n'en avons plus besoin, a-t-il répondu en descendant les marches.

— On va prendre le métro ? ai-je demandé. On pourrait continuer à moto, non ?

— Là où nous nous rendons, elle ne servira à rien, a-t-il fait d'un ton tout naturel.

Il a tourné les talons et descendu quelques marches. Mais je ne lui ai pas emboîté le pas. Je ne bougerais pas d'un poil tant qu'il n'aurait pas répondu à mes questions. L'oncle Press a dû sentir que je ne le suivais pas. Il s'est arrêté et m'a regardé.

— Quoi ? a-t-il demandé avec une trace d'agacement dans la voix.

— Je viens de rater le match le plus important de toute ma vie, mon équipe doit vouloir me faire la peau, tu m'emmènes dans le quartier le plus pourri de tout New York et tu veux que je te suive dans le métro ? Mince, j'ai quand même le droit de savoir ce qui se passe !

Ça avait assez duré ! Soit il répondait à mes questions, soit je le plantais là. Enfin, dans ce cas de figure, je ne sais pas trop où j'aurais pu aller, surtout tout seul. Mais je ne risquais pas grand-chose. Après tout, c'était mon oncle.

L'oncle Press s'est radouci. Un instant, j'ai retrouvé le brave type que j'avais connu toute ma vie.

— Tu as raison, Bobby. Je t'ai demandé de me faire confiance, mais il y a des limites. Pourtant, si je prenais le temps de tout t'expliquer, nous risquerions d'arriver trop tard.

— Trop tard pour quoi ?

— Un groupe de personnes a des ennuis. Ils comptent sur moi, et je pense que tu peux m'aider à les sortir de ce mauvais pas.

J'étais à la fois flatté et décontenancé.

— Vraiment ? Quel genre d'ennuis ?

— Je pourrais t'expliquer, mais ça prendrait des heures. Il vaut mieux que tu voies par toi-même.

Que pouvais-je bien faire ? Même si j'optais pour la fuite, je ne savais comment sortir d'ici. Et j'avais devant moi cet homme, mon oncle préféré, qui me regardait droit dans les yeux et me disait qu'il avait besoin de moi. Je n'avais pas vraiment le choix. J'ai donc décidé de lui dire ce qui, par-dessus tout, me faisait hésiter.

— J'ai peur.

— Je sais. Mais je t'en prie, Bobby, tu dois me croire. Je ferai tout ce qui est en mon pouvoir pour qu'il ne t'arrive rien de fâcheux.

Il parlait avec une telle sincérité que j'en fus rassuré… Enfin, presque.

— Et qu'est-ce qui se passera si tu perds le contrôle des événements ?

L'oncle Press a souri et répondu :

— Ça ne risque pas d'arriver, du moins pas avant longtemps. Alors ? Tu es avec moi ?

On raconte que, juste avant qu'on meure, toute notre vie défile devant nos yeux. Mais curieusement, je n'ai rien vu de tel. Je ne pensais plus au match, ni à ma famille. Ni même à Courtney Chetwynde. Il n'y avait plus que moi et l'oncle Press. Ici et maintenant. J'y ai vu un bon présage. Ainsi, j'ai pris mon courage à deux mains :

– Allons-y, Alonzo.

L'oncle Press a éclaté d'un rire tel que je n'en avais pas entendu depuis longtemps, puis il a tourné les talons et dévalé l'escalier. En le voyant disparaître dans le trou noir de la bouche de métro, je me suis dit que j'étais complètement idiot de le suivre là-dedans, puis j'ai fait de mon mieux pour refouler cette idée. Une fois au bas des marches, j'ai vu l'oncle Press se tenir devant une cloison de balsa couverte de graffiti qui bloquait l'entrée. La station était désaffectée et, à en juger d'après l'état du bois, elle l'était depuis un bon bout de temps.

– Eh bien, on a un problème. On ne passe pas, hein ? ai-je lancé d'un ton désinvolte.

L'oncle Press s'est tourné vers moi et m'a dit avec toute la sincérité d'un grand maître Zen dispensant ses perles de sagesse :

– Il n'y a pas de problèmes, uniquement des défis.

– Alors si le défi du jour consiste à prendre le métro dans une station désaffectée, j'appellerais plutôt ça un problème, ai-je remarqué.

Mais l'oncle Press ne s'est pas laissé démonter. D'un air tout naturel, il a tendu la main vers la cloison, s'est emparé de l'une des planches et a tiré dessus. Il n'a même pas eu l'air de forcer, et aussitôt, quatre grandes planches se sont détachées d'un coup, ouvrant la voie vers la station plongée dans les ténèbres.

– Qui t'a dit que nous allions prendre le métro ? a-t-il déclaré avec un sourire rusé.

Toujours avec une facilité déconcertante, il a balancé les planches sur les marches et est passé par l'ouverture. Je n'aurais jamais cru qu'il puisse être si fort. Et je n'aurais jamais pensé qu'un jour j'allais m'introduire dans une station de métro désaffectée, de nuit, au milieu de la pire zone de la ville.

J'étais à deux doigts de tourner les talons, remonter l'escalier et prendre un cours accéléré de conduite moto. Mais je me suis retenu. De toute façon, on avait sans doute déjà volé la moto en question. Il ne me restait plus qu'à le suivre.

La station semblait désaffectée depuis un bon bout de temps. La seule lumière était celle des réverbères filtrant à travers les grilles du trottoir. Leur douce clarté dessinait des barres noires sur les murs, mais laissait le reste de la station dans l'ombre. Au bout d'un moment, mes yeux ont fini par s'accoutumer, et j'ai découvert un vrai monument historique. En son temps, cette station avait dû être très fréquentée. J'ai entrevu des murs ornés de mosaïques qui, jadis, devaient être très belles, mais étaient désormais constellées de fissures crasseuses évoquant une immense toile d'araignée. Le sol était jonché de papiers gras, les bancs étaient retournés et le verre des guichets était fracassé. En un mot comme en cent, c'était un spectacle pitoyable.

Mais alors que je me tenais au sommet des marches, la station en ruine a donné des signes de vie. D'abord, il n'y a eu qu'un grondement étouffé, puis il n'a cessé de s'amplifier. La station était désaffectée, mais, apparemment, les métros y passaient toujours. J'ai vu briller des phares dans l'ouverture du tunnel, éclairant les parois et les rails. Puis la rame est arrivée – à toute allure. Comme elle n'avait pas de raisons de faire un arrêt sur ce quai, elle a continué son chemin à pleine vitesse, en partance vers Dieu sait où. Un instant, je me suis imaginé la station telle qu'elle devait être à son heure de gloire. Mais cette vision a disparu tout aussi vite, et la rame avec elle. En un instant, le silence est retombé, et la station est redevenue calme comme la mort. Il n'est resté que les morceaux de papier tour-billonnants dans le sillage de la rame pour prouver qu'elle était bien passée.

J'ai regardé l'oncle Press pour voir si, comme moi, il appré-ciait cette relique de l'histoire oubliée de New York. La réponse était non. Ses yeux étaient alertes et concentrés. Il ne cessait de scruter la station déserte, comme s'il cherchait... quoi ? Je n'en savais rien. Mais j'ai senti qu'il venait d'entrer en niveau d'alerte 2. Il était sur le qui-vive, ce qui n'augurait rien de bon, du moins à mon avis.

– Quoi ? Qu'est-ce qu'il y a ? ai-je demandé, pas très inspiré.

Il a grimpé les marches quatre à quatre. Je l'ai suivi de près.

– Écoute, Bobby, a-t-il débité très vite, comme s'il n'avait pas beaucoup de temps devant lui. S'il m'arrive quoi que ce soit, je veux que tu saches ce que tu dois faire.

– S'il t'arrive quelque chose ? Comment ça ?

– Tout ira bien du moment que tu sais ce que tu dois faire, a-t-il insisté. Nous ne sommes pas venus jusqu'ici pour prendre le métro, mais parce que c'est là que se trouve le passage.

– Le passage ? Quel passage ?

– Tout au bout du quai, il y a un escalier qui descend sur la voie. Si tu marches une vingtaine de mètres dans le couloir, tu verras une porte dans le mur, avec un dessin ressemblant à une étoile sur le panneau.

Tout allait un peu trop vite à mon goût. L'oncle Press a continué de marcher d'un pas vif vers l'autre bout du quai. J'ai dû contourner des colonnes et des poubelles renversées pour rester à sa hauteur.

– Tu as compris ? a-t-il demandé.

– Oui. L'escalier, la porte, l'étoile. Pourquoi est-ce qu'on…

– La porte est le passage. Si, pour une raison ou pour une autre, je ne suis pas avec toi, ouvre la porte, entre et dis : « Denduron. »

– Denda-quoi ?

– Den-du-ron. Répète !

– Denduron. Voilà. Qu'est-ce que c'est, une sorte de mot de passe ?

– Il nous mènera là où nous devons aller.

On ne fait pas plus mystérieux, non ? Pourquoi ne pas carrément dire une bêtise du genre « abracadabra » ? J'ai commencé à croire que tout ceci n'était qu'une mauvaise blague.

– Pourquoi me dis-tu ça ? ai-je demandé, mal à l'aise. On y va ensemble, non ?

– C'est ce qui est prévu, mais si…

– Eh, vous, là-bas !

Mince. Nous n'étions pas seuls. Nous nous sommes immobilisés et retournés pour voir… un agent de police. Nous étions pris la main dans le sac. Mais pour quel délit ? Violation de propriété, sans doute.

– Vous pouvez me dire ce que vous faites là en bas ?

Le policier avait l'air sûr de lui – même un peu trop à mon goût. C'était un type bien mis, avec un uniforme kaki propret, un gros badge et un revolver encore plus gros. Au moins, l'arme était toujours dans son étui. Même s'il nous emmenait au poste, j'étais presque soulagé de le voir. À vrai dire, l'oncle Press commençait à me fiche la frousse. Je ne pensais pas qu'il avait pété les plombs, mais cette histoire devenait de plus en plus délirante. Peut-être que, maintenant que ce flic était là, il serait bien forcé de s'expliquer. J'ai regardé l'oncle Press en attendant sa réponse. Ce que j'ai vu ne m'a guère rassuré. Il fixait le policier comme s'il cherchait à lui faire baisser les yeux le premier. Je pouvais sentir tourner les rouages de son cerveau. Mais que pouvait-il calculer ? Un moyen d'évasion ? Pourvu que non. Ce revolver passé à la taille du flic ne me disait rien qui vaille. Il y a eu un long silence, comme avant un duel, puis *quelqu'un d'autre* s'est mêlé à la fête.

– Vous ne pouvez pas me laisser tranquille ?

Nous avons tous regardé un coin d'ombre où il n'y avait qu'un amas d'ordures. Du moins à première vue, car lorsque l'amas a remué, j'ai vu qu'il s'agissait d'un SDF. Objection : il avait bien un domicile fixe, et nous venions l'y déranger. C'était un grand type assez baraqué, mais d'un âge impossible à déterminer : je n'ai vu qu'une masse de cheveux et de haillons. Et il ne sentait pas vraiment la rose. Il s'est relevé et a marché vers nous d'un pas traînant. Lorsqu'il s'est adressé à nous, ç'a été d'une voix pâteuse digne d'un cinglé.

– La paix ! Tout ce que je veux, c'est la paix ! Du calme ! a-t-il vociféré.

L'oncle Press ne s'est pas démonté. Son regard est passé du policier au clochard pendant que son cerveau tournait à toute allure.

– Vous deux, vous feriez mieux de venir avec moi, a dit le policier, ignorant le nouvel arrivant.

Je me suis tourné vers l'oncle Press. Il n'a pas bougé d'un poil. Le SDF ne cessait de se rapprocher.

– Ici, c'est *mon* château ! Je veux que vous…

– Quoi ? a demandé l'oncle Press. Qu'attendez-vous de nous ?

Incroyable mais vrai, il essayait de parlementer avec ce cinglé ! Soudain, la plate-forme s'est mise à vibrer. Une autre rame approchait.

– Je veux que vous vous en alliez ! Laissez-moi tranquille !

Je ne sais pas pourquoi, mais cette déclaration a fait sourire l'oncle Press. Je n'y comprenais plus rien. Quoi qu'il ait voulu savoir, il venait d'en avoir la réponse. Il s'est détourné du clochard pour s'adresser au policier.

– Vous ne connaissez pas ce territoire, hein ? lui a-t-il demandé.

Hein ? Que voulait-il dire par là ? Derrière nous, les phares du métro ont commencé à illuminer la station. Dans quelques secondes, la rame serait là.

Le SDF s'est mis à agiter les bras pour appuyer ses propos.

– Toi, là ! a-t-il crié au policier. Oui, c'est à toi que je parle ! Va-t'en de mon château !

J'ai redouté que l'homme ne devienne agressif et force l'agent à tirer son arme. Mais le policier s'est contenté de rester là, à dévisager l'oncle Press. On aurait dit un duel entre deux pistoleros où chacun attendait que l'autre cligne des yeux. Puis le policier a eu un petit sourire :

– Qu'est-ce qui vous a mis sur la voie ?

– L'uniforme. Les agents de ce territoire sont vêtus de bleu et non de kaki, a répondu l'oncle Press.

Ce n'était pas un flic ? Alors qui était-ce ? Le métro a klaxonné et le grincement des roues métalliques s'est rapproché.

– Mais je suis flatté que vous soyez venu en personne, a repris l'oncle Press, très calme.

Il connaissait ce type ! Le SDF ne cessait de se rapprocher du policier – ou qui qu'il soit.

– Ça suffit ! Ça suffit ! Allez-vous-en, ou j'vais…

Soudain, le flic a tourné la tête pour dévisager le clochard. Son regard était si glacial qu'il m'a donné le frisson. Son intensité a comme pétrifié le SDF. Le vieux bonhomme, figé sur place, s'est mis à trembler de tous ses membres. Je n'avais jamais rien vu de tel.

Le métro a fait beugler son klaxon. La rame était presque entrée dans la station.

Le SDF avait l'air de vouloir s'enfuir le plus loin possible, mais il était comme cloué sur place par le regard du policier. Puis il s'est passé quelque chose que je n'oublierai jamais aussi long-temps que je vivrai, même si je voudrais pouvoir l'effacer de ma mémoire. Le clochard a ouvert la bouche et poussé un terrifiant cri d'angoisse. Puis il s'est mis à courir. Mais pas pour s'enfuir : au contraire, il est parti vers les rails ! La rame est alors entrée dans la station, ses contours brouillés par la vitesse, et il a foncé droit vers elle.

– Non ! ai-je crié. Arrêtez !

Mais en vain. Il a continué de courir… pour sauter juste devant la rame !

Je me suis détourné à la dernière seconde, mais ça ne m'a pas empêché de tout entendre. Il y a eu un choc mou, écœurant, et son cri s'est interrompu brutalement. La rame ne s'est même pas arrêtée. Je présume que personne ne s'était rendu compte de ce qui s'était passé. Mais moi si, et j'en étais tout retourné. J'avais envie de vomir. Je me suis tourné vers l'oncle Press. Il avait l'air de souffrir. Mais il a aussitôt repris contenance et s'est tourné vers le flic, qui arborait un petit sourire satisfait.

– C'était vraiment un coup bas, Saint Dane, a sifflé l'oncle Press entre ses dents serrées.

Saint Dane. C'était la première fois que j'entendais ce nom. Et, aussi déprimant que cela puisse paraître, j'ai eu l'impression que ce ne serait pas la dernière.

Le policier, Saint Dane, a pris un air innocent. Il a haussé négligemment les épaules.

– Je voulais juste donner à ce garçon un avant-goût de ce qui l'attendait.

Alors ça, ça ne m'a pas plu du tout.

Puis Saint Dane s'est mis à… se transformer. Je n'en croyais pas mes yeux, et pourtant c'était bien vrai. Son visage, ses vête-ments, tout en lui était différent. Sous mon regard éberlué, il est devenu quelqu'un d'autre. Ses cheveux raides se sont allongés jusqu'à descendre sur ses épaules. Lui-même a grandi jusqu'à dépasser largement les deux mètres. Sa peau a blêmi pour devenir cadavérique. Son uniforme kaki de policier est devenu un costume noir de coupe vaguement orientale. Mais tout cela n'était rien à côté de ses yeux. D'un bleu glacier, ils brûlaient d'une intensité maléfique, témoignant d'une volonté assez forte pour pousser quelqu'un à se jeter sous les roues d'une rame de métro.

Cependant, il y avait au moins une chose qui n'avait pas changé. Il avait toujours son revolver. Et, à ma grande surprise, l'oncle Press était lui aussi armé. Avec une aisance qui m'a fait comprendre que ce n'était pas la première fois qu'il faisait ça, il a plongé la main sous son manteau et en a tiré un pistolet automatique. À son tour, Saint Dane a sorti son arme. Je suis resté là, figé sur place. Tu connaît l'expression « comme un lapin pétrifié dans le halo des phares d'une voiture » ? Eh bien, c'était exactement ça. Pas moyen de bouger. Puis je me suis retrouvé assis par terre. L'oncle Press m'avait poussé derrière un banc de bois. Il nous protégerait de Saint Dane, mais pour combien de temps ?

L'oncle Press m'a regardé et, d'une voix un peu trop calme étant donné la situation, a dit un seul mot :

– Va-t'en.

– Mais qu'est-ce…

– *Va-t'en !*

Puis il s'est dressé par-dessus le banc et a ouvert le feu. Je suis resté le temps de voir Saint Dane se cacher derrière un pilier. L'oncle Press était un bon tireur : ses balles ont labouré les carreaux du pilier dans un déluge de morceaux de plâtre. Ses intentions étaient évidentes : il me couvrait afin que je puisse m'enfuir. Mais où voulait-il que j'aille ?

– Bobby, la porte !

Bien sûr ! La porte frappée d'une étoile et son mot magique ! Pigé. Je commençais à ramper dans sa direction lorsque l'oncle Press m'a lancé :

– Et fais attention aux quigs !

Hein ? Qu'est-ce que c'est un quig ? Bang ! Une balle a fracassé un carreau tout près de ma tête. Maintenant, Saint Dane avait choisi de riposter. Mais c'était sur moi qu'il tirait ! Je ne me le suis pas fait dire deux fois. Je me suis mis à courir. Derrière moi, les détonations des revolvers ont résonné dans la station vide. Le vacarme était assourdissant. Je suis passé à côté d'un pilier et *bang !* une balle a pulvérisé un autre carreau, assez près pour que des éclats me picotent la nuque. Je suis arrivé à l'autre bout du quai et, comme l'avait décrit l'oncle Press, ai vu les marches permettant d'accéder aux quais. Je me suis arrêté un bref instant en me disant qu'il fallait être fou pour s'aventurer dans un tunnel de métro. Mais l'alternative était bien pire. Je préférais encore affronter une rame que ce Saint Dane, qui qu'il soit. J'ai inspiré profondément avant de descendre les marches.

Une fois en bas, la fusillade m'a paru bien éloignée. J'entendais un coup de feu de temps en temps, mais dans l'instant je me souciais plus de ce qui se trouvait devant moi que derrière. Un moment, je me suis dit que je devrais revenir en arrière pour prêter main forte à l'oncle Press, mais je me voyais mal m'interposer au beau milieu d'une fusillade. Autant suivre ses instructions. Je n'avais plus qu'à espérer qu'il puisse s'en sortir tout seul.

Il faisait noir dans le tunnel. J'ai dû avancer à tâtons, les mains sur le mur graisseux, pour ne pas marcher involontairement sur les rails. J'avais entendu parler de ce fameux « troisième rail » électrifié où les rames puisaient leur énergie. Si quelqu'un avait le malheur de marcher dessus, il finissait grillé comme un poulet. Donc, je suis resté le plus près possible du mur. D'après l'oncle Press, la porte se trouvait à une vingtaine de mètres du quai. J'ai visualisé un terrain de football afin de mieux évaluer la distance. Sans grand succès. Je n'avais qu'à continuer mon chemin jusqu'à ce que je tombe sur cette mystérieuse porte. Mais j'avais surtout peur de la rater et de…

Grrrrrr.

Un bruit sourd a résonné derrière moi. Qu'est-ce que c'était ? Une rame ? Une surchauffe du troisième rail ? Mais ce n'était ni l'un ni l'autre, car j'ai à nouveau entendu ce même bruit, mais venant d'une autre direction.

Grrrrrr.

On aurait dit un grognement. À ma connaissance, les rats ne grognent pas, donc ce n'était pas ça. Tant mieux. J'ai horreur des rats. J'ai regardé lentement autour de moi et, dans la pénombre, vu quelque chose qui a failli me coller une crise cardiaque. De l'autre côté des rails, une paire d'yeux me regardaient fixement. Ils étaient assez près du sol et reflétaient la lumière d'une étrange façon : ils semblaient jeter des éclairs, jaunes. Ils étaient jaunes. C'était un animal quelconque. Et si c'était un de ces « quigs » dont l'oncle Press m'avait dit de me méfier ? Ou peut-être n'était-ce qu'un chien sauvage. En tout cas, il était gros et avait amené quelques amis, parce que j'ai vu apparaître plusieurs autres paires d'yeux. Il y avait là toute une meute de bêtes sauvages, et, à les entendre gronder, elles n'étaient pas gentilles du tout. Gloubs ! J'ai décidé de ne pas faire le moindre geste qui puisse sembler menaçant. J'allais progresser très lentement jusqu'à la porte, en prenant bien garde de…

GRRRRRR !

Trop tard ! Toute la meute de chiens, de quigs ou de je ne sais quoi a bondi pour me foncer dessus ! Soudain, je n'ai plus eu si peur du troisième rail. J'ai tourné les talons et me suis mis à courir. Ils devaient être une douzaine. Je pouvais entendre claquer leurs mâchoires et crisser leurs griffes sur les rails alors qu'ils se bousculaient pour m'attraper… et je préférais ne pas savoir ce qui se passerait s'ils parvenaient à leurs fins. J'ai vaguement pensé qu'ils marcheraient peut-être sur le troisième rail et se feraient électrocuter, mais je n'ai pas eu cette chance. Mon seul espoir était de trouver cette porte. Il faisait si noir que je n'ai cessé de trébucher sur des pierres, des débris, des traverses et tout ce qui gisait là par terre. Mais j'ai continué ma course aveugle. Je n'avais pas le choix. Si je tombais, je finirais en pâtée pour chiens.

Puis je l'ai vue, comme un noyé aperçoit une bouée. La seule lumière provenait de vieilles ampoules crasseuses alignées au-dessus des rails, mais elle m'a permis de distinguer la porte. Elle était là, légèrement en retrait par rapport au tunnel, et une étoile était gravée dans le bois. C'était bien elle ! Je me suis précipité sur la porte… pour m'apercevoir qu'il n'y avait pas de poignée. Pas moyen de l'ouvrir !

J'ai regardé en arrière : la meute était presque sur moi. Ce n'était plus qu'une question de secondes. Je me suis adossé à la porte et ai poussé de toutes mes forces… et elle s'est ouverte ! Vers l'intérieur et non l'extérieur ! Je suis tombé de l'autre côté et me suis relevé d'un bond pour fermer le battant au moment même où – *blang ! blang ! blang !* – les bêtes féroces se jetaient contre le bois. Je me suis adossé à la porte dans l'espoir insensé de les contenir, mais elles étaient trop fortes. Je les ai entendues griffer furieusement le panneau. Je ne pourrais pas les retenir bien longtemps.

Bon, Mark, pour l'instant, mon récit doit s'arrêter là, car ce qui s'est passé ensuite s'est révélé bien plus important que ces bêtes assoiffées de sang. Je sais, c'est dur à avaler, mais crois-moi sur parole. Comme tu t'en doutes, les chiens sauvages ou les quigs, enfin les bestioles ne m'ont pas dévoré. Sinon, je ne serais pas en train d'écrire ces lignes. En fait, ce qui s'est passé *après* cet épisode est la clé de tout ce cauchemar. Aussi bizarre et effrayant que puisse être tout ce qui était arrivé jusque-là, rien ne pouvait me préparer à ce qui m'attendait de l'autre côté de cette porte.

Tout en essayant d'empêcher les bêtes d'entrer, j'ai jeté un coup d'œil à l'espace dans lequel je venais d'entrer. J'ai vu un long tunnel sombre. Il n'était pas très haut, deux mètres à peine. Les murs mal dégrossis étaient faits de pierre d'un gris ardoise. Il n'avait pas l'air d'avoir été foré par une machine. À examiner ses parois, on aurait dit qu'on l'avait creusé à la main, avec des poinçons et des marteaux. Pas moyen de distinguer son extrémité, qui se perdait dans les ténèbres. Pour autant que je sache, il pouvait se prolonger à l'infini.

Je ne savais que faire. Si j'essayais de courir jusqu'à l'autre bout du tunnel, à peine aurais-je abandonné la porte que ces bêtes féroces seraient sur moi pour m'écharper. Ce n'était pas une bonne idée. Je me suis alors souvenu de ce que m'avait dit l'oncle Press. Un mot. Je devais entrer et dire ce mot qui, d'après lui, nous mènerait là où nous devions aller. Mais qu'était-ce ? Dennison ? Destruction ? Démission ? Je ne comprenais pas comment un mot supposé magique pouvait me tirer d'affaire, mais je n'avais pas le choix.

C'est alors que je m'en suis souvenu. Denduron. Pour moi, ça ne voulait rien dire, mais si ce drôle de nom me tirait d'affaire, je le chérirais éternellement. Je me suis adossé à la porte, planté fermement sur mes pieds, ai scruté les profondeurs ténébreuses du tunnel et crié :

– *Denduron !*

Aussitôt, les bêtes ont cessé de griffer la porte. Je n'ai pas entendu de bruit de fuite : elles n'étaient pas allées se faire pendre ailleurs, elles avaient juste… cessé d'être là. J'ai pris le risque de m'éloigner de la porte. Elle n'a pas bougé. Bon, il n'y avait plus de danger de ce côté. Par contre, il restait toujours le tunnel.

D'abord, il n'y a eu qu'un bourdonnement sourd, mais il n'a pas cessé de s'amplifier. Sous mes yeux éberlués, les murs du tunnel se sont mis à onduler. On aurait dit un immense tube flexible et organique. Puis leur texture elle-même s'est modifiée. Les murs rugueux étaient d'un gris ardoise, mais ils sont devenus transparents ! On aurait dit du cristal, ou du diamant. Et l'ensemble était tout illuminé, comme si la lumière provenait des murs eux-mêmes.

C'était vraiment une vision étonnante. Si étonnante que je n'ai même pas pris le temps de me demander ce que signifiait tout ça. C'est alors que j'ai entendu la musique. Rien à voir avec un air reconnaissable ; ce n'était qu'une succession de notes mélodiques, mais jouées dans le plus parfait désordre. L'effet en était presque hypnotique. La mélodie chaotique s'est faite de plus en plus sonore alors qu'elles se rapprochait de moi.

Une étrange sensation m'a fait reprendre mes esprits. J'étais là, à l'entrée du tunnel, et j'ai senti comme un picotement dans tout mon corps. Ce n'était pas désagréable – étrange, tout au plus. Le picotement s'est amplifié, puis je me suis senti comme entraîné. C'était une drôle de sensation, mais je ne pouvais pas m'y tromper. D'abord, je n'y ai vu que du feu, puis j'ai compris peu à peu que cette force m'entraînait dans le tunnel ! Une gigantesque main invisible s'était emparée de moi et me déplaçait comme un pion ! J'ai essayé de reculer, mais la pression s'est accentuée. Là, j'ai commencé à paniquer. Je me suis retourné et ai tenté de m'accrocher à quelque chose, n'importe quoi. Je suis tombé sur le ventre et ai griffé désespérément le sol, en vain. J'étais aspiré dans cet horrible tunnel et ne pouvais rien y faire.

Voilà ; c'est là que tout bascule, le moment où ma vie a changé à jamais. Ce qui a suivi a remis en question tout ce que j'avais jamais cru, tout ce que je pensais savoir, tout ce qui était ma réalité.

Mark, j'ai été aspiré dans un terrier de lapin. Et je me suis retrouvé en chemin vers le Pays des Merveilles.

SECONDE TERRE

Il fallait absolument que Mark sorte de ces toilettes. Il avait l'impression que le cabinet se refermait sur lui. Il voulut sauter du siège, mais l'une des attaches de son sac à dos s'était accrochée à la poignée de la chasse d'eau, et il ne réussit qu'à retomber en arrière dans un bruit de Niagara en miniature. Il se libéra de son sac, y fourra le parchemin, puis chercha le loquet pour sortir enfin de ce piège. Il était si troublé qu'il n'arrivait même pas à tourner le bouton. Enfin, il y parvint et repoussa la porte…

Andy Mitchell était là, adossé au mur, à fumer une cigarette d'un air parfaitement naturel.

— Eh bien, Dimond, ça fait un bon bout de temps que tu es là-dedans. Tu t'en es sorti ?

Et il eut un sourire bête, comme s'il venait de prononcer une réplique bourrée d'humour.

Mark se figea, comme s'il l'avait surpris en train de faire quelque chose de mal.

— T-t-tout va bien.

Lorsque Mark était énervé, il se mettait à bégayer. Un peu. Rien de bien grave, juste un symptôme dû au stress.

D'un doigt expert, Mitchell jeta sa cigarette à travers la salle. Elle atterrit dans un des urinoirs. Droit au but. Habituellement, Mark aurait trouvé cela dégoûtant, mais il avait autre chose en tête.

— C'est bon, dit Mitchell. Tu peux bien faire ce que tu veux là-dedans. Ça ne me regarde pas. Qu'y a-t-il dans ce paquet ?

Mark serra le sac contre sa poitrine comme s'il contenait un document inestimable. Ce qui était le cas. Son esprit se mit à tourner à toute allure. Quelle réponse Mitchell accepterait-il sans poser de questions ? La réponse était évidente.

– D-des numéros de *Playboy*.

Mitchell eut un sourire malicieux.

– Espèce de vicelard. Fais voir.

Il tendit la main, mais Mark retira le sac et recula vers la porte.

– D-d-désolé. Je suis en retard.

Avant que Mitchell ait pu réagir, il tourna les talons et quitta la salle. Il ne savait pas où il allait, mais il continua de courir. Le récit qu'il venait de lire lui trottait dans la tête. Ce n'était qu'une fiction, n'est-ce pas ? Le genre d'histoire qu'on voyait au cinéma ou qu'on lisait dans les albums de bandes dessinées. Tout était sorti de l'imagination des scénaristes. Rien à voir avec la réalité.

Il aurait certainement conclu qu'il s'agissait d'une fiction s'il n'y avait pas eu cette étrange visite de la nuit précédente. Et l'anneau qui, une fois à terre, avait fait apparaître ces pages. Deux faits on ne peut plus réels. Il n'y avait pas d'explication logique pour ce qui s'était passé, donc il fallait renoncer à tous les critères habituels de normalité. Il devait aller trouver Bobby. Mais si son histoire était vraie, en ce moment, Bobby n'était pas libre pour répondre à ses questions.

Il était 9 h 30. Mark et Bobby auraient dû être en cours de géométrie. Bien sûr, Mark n'y était pas, puisqu'il n'avait cessé de courir comme un malade dans les couloirs vides de Stony Brook Junior High. Et pour l'instant, la géométrie avait perdu tout intérêt. Mais il se dirigea néanmoins vers la salle de classe dans l'espoir d'y trouver Bobby, assis à son bureau.

Mark s'approcha d'un pas las. Il inspira profondément et regarda à l'intérieur… mais la place de Bobby était vide. Ce qui ne présageait rien de bon. Mark ne savait plus que faire. Il devait parler de tout ça à quelqu'un, mais qui ? Et plus important encore, il fallait que quelqu'un lui confirme qu'il n'était pas complètement cinglé. C'est alors que la solution lui apparut. Une seule personne pouvait corroborer une partie de cette histoire : Courtney Chetwynde.

En général, à Stony Brook, les cours de sport n'étaient pas mixtes : filles et garçons étaient séparés, à l'exception des séances de gymnastique où il fallait se partager les appareils. Le reste du temps, une cloison amovible séparait le côté filles du côté garçons. Néanmoins, il y avait une autre exception à la règle.

En l'occurrence, Courtney Chetwynde. Dans les sports d'équipe, elle ne jouait pas avec les féminines. Elle était si grande et si forte qu'elle était beaucoup trop avantagée par rapport aux autres filles. Donc, bien qu'une telle mesure aille à l'encontre des règlements de l'école et de la région, Courtney était autorisée à faire partie des équipes masculines. Cela dit, personne ne s'en plaignait. Les filles étaient trop contentes de ne pas se faire rétamer à chaque match. Après avoir fait ses preuves auprès des garçons, ce qui lui prit bien trente bonnes secondes, ils l'accueillirent avec joie. Mais ils ne lui faisaient pas de cadeaux non plus. En fait, la plupart des gars avaient peur d'elle. Lorsque Courtney était sur le terrain, il valait mieux mettre le turbo.

Et son domaine, c'était le volley-ball.

Blam ! Courtney bondit au-dessus du filet et balança la balle sur la tête de son malheureux adversaire. Le type en resta tout étourdi. Elle retomba gracieusement sur ses pieds avant même que la balle n'ait touché terre.

– Le point est pour nous, dit-elle en souriant.

Courtney était sans pitié. C'était à son tour de servir, et la balle rebondit dans sa direction.

– Allez, C. C. !

– Vas-y !

– Balle de match !

Les services de Courtney étaient mortels, et tout le monde s'attendait à ce qu'elle plante le dernier clou dans le cercueil de l'équipe adverse. Mais alors qu'elle se dirigeait vers sa place, une silhouette attira son attention. Celle de Mark Dimond. Ce petit bonhomme lui faisait des signes frénétiques depuis la porte de la salle. Lorsqu'il constata qu'elle l'avait vu, il lui fit signe de venir le retrouver. Elle leva un doigt comme pour dire : « Attends une seconde », mais Mark redoubla d'agitation. Il ne voulait pas en démordre.

Inquiète, elle fronça les sourcils et lança la balle à un de ses coéquipiers.

– Tiens, à toi le service, dit-elle avant de se diriger vers Mark.

– Quoi ? fit l'autre joueur interloqué. C'est la balle de match !

– Je sais. Alors assure.

Les joueurs la regardèrent un instant, sous le choc, puis haussèrent les épaules et reprirent la partie. Ils n'auraient jamais voulu l'admettre, mais ceux de l'autre équipe eurent un soupir collectif de soulagement.

Courtney se dirigea droit vers la porte et l'ouvrit en grand. Mark l'attendait dans le couloir désert.

– J'espère que ça en vaut la peine, dit-elle, impatiente.

Mark traînait des pieds d'un air nerveux, oscillant de gauche à droite. Elle le regarda un instant, puis dit :

– Tu as envie de faire pipi ?

– N-non. Je… Je… C'est à propos de Bobby.

Elle fronça à nouveau les sourcils.

– Où est-il ? Pourquoi n'était-il pas sur le terrain hier soir ?

Il hésita, comme s'il ne voulait pas poser la question qui lui brûlait les lèvres. Mais il reprit le dessus :

– Est-ce que… hier soir… vous ne vous seriez pas embrassés devant sa porte ?

Courtney le dévisagea. Elle n'arrivait pas à en croire à ses oreilles. Puis elle explosa :

– Alors c'est pour ça que tu m'as entraînée ici ? Il a raté le match le plus important de l'année et… Un instant… Bobby t'as raconté ce qui s'était passé entre nous ? Il me le paiera !

– C-C-Courtney… Attends… Ce n'est pas ça…

Mark tenta d'interrompre sa tirade, mais elle était trop furieuse pour s'arrêter en si bon chemin.

– Je ne sais pas pour qui il se prend, mais il ne peut pas raconter quelque chose d'aussi personnel à…

– Arrête ! cria Mark.

Elle obéit, surprise de le voir faire preuve d'une telle audace. Voilà qui ne lui ressemblait guère. Tous deux se regardèrent sans trop savoir ce qui allait suivre.

Mark avait réussi à attirer son attention ; c'était à lui de jouer. Il parla d'une voix lente et réfléchie. Il ne voulait pas bafouiller et n'avait pas droit à l'erreur. Il ramena ses lunettes sur son nez et dit :

– Je pense qu'il est arrivé quelque chose à Bobby. Et que ce qui s'est passé entre vous deux y joue un rôle. Je... je m'excuse, ne le prends pas mal, mais il faut que je sache. Est-ce que vous vous êtes embrassés devant sa porte hier soir ?

Courtney le toisa. Il était plutôt du genre timide, et poser une question aussi indiscrète ne lui ressemblait pas du tout. De toute évidence, ce qui se passait n'avait rien à voir avec les vantardises habituelles des mecs lorsqu'ils parlaient de leurs succès féminins. Dans ses yeux, elle pouvait lire un sentiment bien différent. Mark avait peur.

– Oui. On s'est embrassés. Où est-il ?

– Je... je ne sais pas, répondit-il d'un air abattu. J'espère le retrouver chez lui. Tu veux bien venir avec moi ?

Leurs regards se croisèrent longuement. Courtney tentait de lire les pensées de Mark, qui espérait qu'elle le suivrait afin de soulager quelque peu le poids qui pesait sur ses épaules. Peut-être que, lorsqu'il lui aurait tout dit, elle pourrait l'aider à y comprendre quelque chose.

Elle passa devant lui et dit tout simplement :

– Allons-y.

Maintenant, Courtney avait un but. Elle voulait s'entretenir avec Bobby. Et si, pour cela, elle devait se rendre chez lui, eh bien d'accord. Mark, lui, était soulagé d'avoir une alliée, mais comment pouvait-il lui expliquer ce qu'il savait ? Et d'abord, le croirait-elle ? Mais pour l'instant, il se contenterait d'avoir quelqu'un à qui parler.

La famille Pendragon habitait une impasse paisible située non loin de l'école. Il était midi, l'heure du déjeuner. Courtney et Mark se dirent qu'ils pourraient sans doute aller chez Bobby, tirer la situation au clair et retourner à l'école avant qu'on ne remarque leur absence. Alors qu'ils marchaient d'un pas vif sur le trottoir, Mark dut se presser pour rester à hauteur de Courtney, qui avançait à grandes enjambées. Il aurait bien voulu lui parler de sa visiteuse de la nuit dernière, de l'anneau et du parchemin rédigé par Bobby, mais il redoutait qu'elle le prenne pour un malade mental. Il devait faire très attention à ce qu'il disait.

– Tu connais Press, l'oncle de Bobby ? demanda-t-il.

– Oui.

– Heu, tu ne l'aurais pas vu hier soir, par hasard ?

– Malheureusement si. Il nous a surpris en pleine action.

Mark en resta pantois. Peu lui importaient qu'ils se soient embrassés ou que l'oncle de Bobby les ait pris la main dans le sac. Mais sa réponse confirmait plus ou moins le récit qu'il avait lu sur le parchemin. Et ce qui le terrifiait tant, c'était que si une partie de l'histoire était vraie, cela signifiait que *tout* s'était bien passé tel que Bobby l'avait décrit. À cette simple idée, son estomac se soulevait.

Maintenant, ils n'étaient plus très loin de chez Bobby. Mark espérait pouvoir l'y trouver afin de clarifier toute cette histoire. Il espérait que, lorsqu'il tendrait ce parchemin à Bobby, celui-ci éclaterait de rire. Il lui dirait qu'il n'y avait rien de vrai dans tout cela et qu'il n'aurait jamais pensé une seconde qu'il puisse prendre au sérieux un tel fatras. C'était une blague, un pastiche, comme « La guerre des mondes » d'Orson Welles, cette émission de radio qui avait fait croire à ses auditeurs que les Martiens avaient débarqué. Mark ne demandait pas mieux, mais ce qu'ils virent douchèrent tous leurs espoirs.

Le 2, Linden Place. C'était l'adresse de Bobby. Mark y était allé un nombre incalculable de fois. Depuis le jardin d'enfants, Bobby et lui jouaient tour à tour chez l'un ou chez l'autre. Pour Mark, c'était une seconde maison, et Mme Pendragon le considérait comme son second fils. Du coup, il pouvait s'attendre à tout, sauf au spectacle qui allait se présenter à lui. Courtney et Mark empruntèrent le trottoir qui menait à la clôture entourant le jardin de Bobby… et s'arrêtèrent net. Tous deux regardèrent le 2, Linden Place, muets de stupéfaction.

– Oh mon Dieu ! réussit à dire Courtney.

Mark ne put même pas émettre un mot.

Le 2, Linden Place n'était plus là. C'était tout ce qu'on pouvait en dire. Tous deux restèrent plantés là, les yeux écarquillés, à regarder un terrain vague. Il n'y avait rien qui puisse suggérer qu'on y avait un jour édifié une maison. Il n'y avait pas un morceau de bois, pas une brique, pas même une touffe d'herbe.

Mark regarda le grand érable où, il y avait des années, M. Pendragon avait accroché un pneu à une corde afin de faire une balançoire. L'arbre était là, mais pas le pneu ni la corde. Même la branche, dont l'écorce avait été érodée au fil des ans par le frottement, était comme neuve. Pas la moindre trace. Rien.

Courtney fut la première à briser le silence.

– Ce n'est pas la bonne adresse.

– Si, c'est la bonne, répondit Mark.

Mais elle n'était pas d'accord. Elle partit à grandes enjambées furieuses sur le terrain désert.

– Mais j'étais là pas plus tard qu'hier soir ! Il y avait l'allée de la maison ici même ! Et la porte était là ! Et Bobby et moi étions… (Elle ne finit pas sa phrase. Elle se tourna vers Mark d'un air angoissé.) Que s'est-il passé ?

C'était le bon moment, si l'on peut dire. Certes, ce terrain désolé confirmait ses pires craintes, même s'il n'avait pas la moindre idée de ce qui avait bien pu se passer. Mais tout ce qu'il avait lu sur ce manuscrit signé Bobby, eh bien, tout devait être vrai. Il avait plus de questions que de réponses à lui proposer, mais il avait tout de même une petite idée, aussi bizarre soit-elle. Et il aurait bien voulu tout raconter à Courtney. Il avait trop de mal à le garder pour lui. Il fouilla dans son sac à dos et en tira les parchemins jaunis.

– Il faut que tu lises ça, dit-il. C'est Bobby qui l'a écrit.

Il tendit les papiers à Courtney qui les regarda, puis leva les yeux sur lui. Elle prit la liasse à contrecœur et s'assit, là, sur son sac à dos posé à même le sol, au beau milieu du terrain vague du 2, Linden Place, tout près de l'endroit où Bobby et elle avaient échangé leur premier baiser.

Elle baissa les yeux et se mit à lire.

Journal n° 1
(suite)

DENDURON

J'ai bien cru que c'était la fin. Je n'avais plus qu'à attendre que la douleur s'empare de moi. Viendrait-elle brutalement, sauvagement ? Ou allait-elle commencer par mes pieds pour monter jusqu'à ma tête en un éclair chauffé à blanc avant que les ténèbres se referment sur moi ?

J'ai espéré qu'au moins tout serait vite terminé. Mais non. En fait, la douleur n'est pas venue. Je ne suis pas mort. Au contraire, j'ai constaté que j'étais en train de glisser dans ce tunnel sinueux. J'avais l'impression d'être dans le toboggan d'un parc d'attractions. Encore qu'en général ceux-ci soient plus violents. Maintenant que tout est fini, avec le recul, je trouve que ce voyage était plutôt agréable. Mais sur le moment, crois-moi, j'étais mort de trouille !

Lorsque j'ai compris que je n'allais pas finir dans une immense poubelle, j'ai ouvert les yeux et regardé autour de moi tout en continuant de filer à toute allure.

Comme je l'ai déjà écrit, les parois du tunnel étaient rugueuses, comme faites de roche mal dégrossie. Mais elles étaient aussi translucides comme du cristal. Le plus bizarre, c'est que cette descente se déroulait en douceur. Je fonçais les pieds en avant, comme dans une attraction de foire, mais ne sentais pas les aspérités de ce tunnel. Et d'ailleurs, bien qu'il ne cesse de sinuer, je ne me heurtais pas non plus aux parois comme dans un toboggan aquatique. On aurait dit un tapis volant qui m'emmenait à un endroit bien précis.

Et j'ai aussi entendu des bruits. Des notes prolongées, comme le vibrato d'un diapason. Mais toutes différentes. Et très belles. Un peu comme celles que j'avais entendues lorsque le tunnel s'était animé, mais plus espacées. C'est une des raisons pour lesquelles je croyais foncer à toute allure : j'allais plus vite que ces notes. Elles venaient d'un point situé très haut au-dessus et passaient sur moi pour disparaître aussitôt. Drôle de sensation.

J'ai regardé en arrière. Aussi loin que je puisse voir, il n'y avait rien d'autre que ce tunnel de cristal. Je me suis tourné vers l'avant, mais c'était du pareil au même. Au-delà de mes pieds, il n'y avait rien, qu'un tunnel qui ne cessait de sinuer à l'infini.

Au bout d'un moment, j'ai fini par m'y faire, en quelque sorte. De toute façon, à quoi bon lutter ? Je ne pouvais rien faire du tout. Et c'est là que j'ai découvert un truc vraiment bizarre (enfin, encore plus que tout ce qui m'était arrivé jusque-là). Je pouvais voir de l'autre côté des parois de cristal. Et il faisait noir là derrière. Ça m'a paru logique : après tout, j'étais sous terre. Mais quand j'y ai regardé de plus près, je me suis aperçu que ces ténèbres n'étaient pas si uniformes. Des milliers, des millions d'étoiles piquetaient cette trame noire.

Je sais : c'est dingue, non ? J'ai commencé mon voyage dans un métro, donc sous terre, et n'ai cessé de m'enfoncer au plus profond du sol : comment aurais-je pu voir des étoiles ? Et pourtant, ça y ressemblait fort. De toute façon, toute cette histoire était insensée ; pourquoi en serait-il autrement ?

Je serais bien incapable d'évaluer combien de temps a duré ma chute. Trois minutes ? Trois mois ? Il y avait longtemps que j'avais perdu tout sens de la relativité. Je préférais m'abandonner totalement, suivre l'expérience jusqu'au bout, et peu importait combien de temps elle durerait et où elle me mènerait.

C'est alors que j'ai entendu quelque chose de différent. Ce n'était pas une de ces notes étirées qui m'avaient servi de guide durant ce drôle de voyage. Ce bruit-là semblait, heu… solide. Comme du fer heurtant la roche. Comme si j'arrivais en bout de course. J'ai regardé entre mes pieds, et c'est alors que je l'ai vue. La fin du tunnel. Il se terminait dans les ténèbres, et je n'allais pas tarder à y plonger. Tout autour de moi, les murs du flume se sont mis à changer. Le cristal transparent s'est modifié pour redevenir la roche gris ardoise que j'avais vue à l'entrée du métro.

J'ai eu un nouvel accès de panique. Si je me retrouvais au centre de la Terre, n'y avait-il pas un noyau de lave en fusion là en bas ? Ce vol magique n'était-il que le prélude à une mort atroce ? En tout cas, quoi qu'il arrive, il ne me restait plus que quelques secondes avant la fin. J'ai donc fait la seule chose qui puisse m'y préparer : j'ai fermé les yeux.

Mais je n'ai pas été réduit en cendres. J'ai ressenti les mêmes picotements qu'à l'entrée du tunnel. Puis un déluge de musique s'est abattu sur moi. Toutes ces notes mélodieuses que j'avais entendues en cours de route semblaient s'être rassemblées, comme au tout début de mon voyage. J'ai eu l'impression qu'un poids immense pesait sur ma poitrine. Puis, tout à coup, je me suis retrouvé debout. Les notes ont décru pour finalement disparaître. Le tapis volant m'avait déposé en douceur à l'endroit prévu.

Drôle de sensation que de devoir à nouveau supporter mon propre poids après être resté aussi longtemps en apesanteur. J'avais l'impression d'être un astronaute de retour de l'espace qui a besoin de se réhabituer à la gravité terrestre. J'ai ouvert les yeux, regardé en arrière et vu le tunnel. C'était la copie conforme de l'ouverture que j'avais empruntée dans le métro. Grise, sombre et s'étendant jusqu'à disparaître dans le néant.

Au moins, j'étais arrivé en un seul morceau. Mais où ? Dans une autre station de métro ? En Chine, peut-être ? Je me suis retourné pour regarder autour de moi, et j'ai constaté que je me trouvais à l'entrée d'une sorte de caverne. Maintenant que j'avais repris mes esprits, j'ai réalisé que j'avais froid. Le bruit que j'avais entendu durant la dernière ligne droite de mon voyage était le hurlement du vent. Je ne savais toujours pas où j'étais, mais je n'étais plus sous terre.

J'ai fait quelques pas mal assurés pour entrer dans la caverne. Alors que je m'aventurais dans cet espace beaucoup plus vaste, j'ai remarqué une étoile gravée dans la roche au niveau de mes yeux. C'était la copie exacte de celle qui ornait la porte du métro. Bizarre !

Puis j'ai repéré une ouverture à l'autre bout de la caverne. Il s'en échappait une lumière si vive que, à côté, le reste de ce vaste espace semblait plongé dans le noir absolu. Soudain, je me suis dit que j'étais resté bien trop longtemps dans les ténèbres, et ce sentiment a éclipsé toute pensée rationnelle.

Je voulais sortir d'ici, et cette lumière me montrait le chemin : je suis donc parti dans cette direction sur des jambes flageolantes. En m'approchant, j'ai constaté qu'elle m'indiquait bel et bien la sortie. Mais aussi que le soleil brillait. Combien de temps étais-je resté dans ce trou ? Toute la nuit ? Ou était-il midi en Chine ? J'ai dû couvrir mes yeux, qui n'étaient plus habitués à une telle clarté. J'ai fait un pas à l'extérieur, et le froid m'a heurté de plein fouet. Comme je ne portais qu'un sweat par-dessus mon tee-shirt, le vent m'a aussitôt transpercé. Bon sang, il faisait un froid de canard ! J'ai fait quelques pas et ai baissé les yeux. Le sol était couvert de neige ! Voilà d'où venait la lumière : le soleil se reflétait sur cette étendue immaculée. Comme je savais que mes yeux ne tarderaient pas à s'accoutumer à cette clarté éblouissante, j'ai attendu plutôt que de retourner dans la caverne pour me réchauffer. Je voulais savoir où j'étais.

Au bout de quelques secondes, j'ai retiré lentement, prudemment mes mains de mes yeux. Mes pupilles s'étaient suffisamment contractées pour me permettre d'y voir clair. Mais je m'attendais à tout, sauf au spectacle qui s'est dévoilé devant moi.

J'étais au sommet d'une montagne ! Et pas une de ces petites collines du Vermont où nous allions skier, non : celle-ci évoquait plutôt l'Everest ! Bon, d'accord, peut-être pas tout à fait, mais j'ai eu l'impression d'être au sommet du monde. De vastes étendues immaculées s'étendaient à perte de vue. Loin en contrebas, presque hors de vue, j'ai repéré l'endroit où la neige laissait la place à une vallée verdoyante. La descente risquait d'être longue et dangereuse.

Une question me trottait dans la tête : « Bon sang de bois, où suis-je donc tombé ? » Bonne question, mais encore aurait-il fallu que j'aie quelqu'un à qui la poser. J'ai donc fait demi-tour pour regagner la caverne. Au moins, j'y serais à l'abri en attendant de décider ce qu'il convenait de faire. Mais au moment de me retourner, j'ai vu de drôles de petites pointes rocheuses de soixante centimètres de haut perçant la couche de neige à quelques mètres de l'entrée de la caverne. Comme des stalagmites. Ou des stalactites. Je n'ai jamais pu me rappeler la différence. Elles montaient vers le ciel et se terminaient en pointes acérées. Je n'avais pas la moindre idée de ce que c'était, mais j'ai eu l'étrange impression qu'il s'agissait de tombes. Je me suis débarrassé de cette pensée morbide avant de retourner dans la caverne en foulant la neige poudreuse.

C'est alors que j'ai vu quelque chose d'encore plus bizarre. Le soleil se levait au-dessus des rochers formant l'entrée de la caverne. Et pourtant, j'avais dû me protéger les yeux du soleil qui brillait dans la direction opposée ! Comment était-ce possible ? J'ai regardé derrière moi et constaté qu'en effet il n'y avait pas deux soleils, mais *trois* ! Je te le jure, Mark, il y avait trois soleils, chacun occupant un coin de ciel ! J'ai cligné des yeux en pensant que je voyais double ou quelque chose comme ça, mais rien n'y a fait. Ces globes lumineux sont restés là où ils étaient. Mon esprit était comme paralysé. Je ne savais pas quoi penser, mais au moins une chose était sûre : je n'étais pas en Chine.

Je suis resté là, tout seul au sommet de cette montagne, à fixer ces trois soleils brillants pendant que la neige détrempait lentement mes baskets. Je n'ai pas honte de l'admettre, j'aurais voulu revoir ma maman. J'aurais voulu me retrouver devant la télé, à me disputer la télécommande avec Shannon. J'aurais voulu aider papa à laver la voiture. J'aurais voulu jouer à un jeu vidéo avec toi. Soudain, tout ce qui composait ma vie quotidienne, et qui me semblait aller de soi, était bien loin. J'avais envie de rentrer chez moi, mais je ne pouvais rien faire, juste rester planté là et pleurer. C'est vrai. Je me suis mis à pleurer comme un bébé.

Puis j'ai encore entendu ce son provenant de l'intérieur de la caverne – le même méli-mélo musical qui m'avait attiré dans le tunnel et projeté ici. Quelqu'un d'autre était en chemin. L'oncle Press ! C'était forcément lui ! J'ai couru dans la caverne, fou de joie à l'idée de ne plus être seul. Mais alors, une autre idée m'a traversé l'esprit. Et si ce n'était pas l'oncle Press ? Si c'était ce type, ce Saint Dane ? La dernière fois que j'avais eu le plaisir de croiser son chemin, il nous avait tiré dessus. Et crois-moi, quand on se retrouve pris au beau milieu d'une fusillade, ça n'a rien à voir avec ce que montrent les films ou même les jeux vidéo. C'est la réalité et c'est terrifiant. Je pouvais encore sentir la piqûre de l'éclat de béton qui m'avait frappé au bas de la nuque.

Comme je ne savais que faire, je me suis arrêté au milieu de la caverne et ai attendu de voir qui allait sortir du tunnel. L'oncle Press, ou Saint Dane ? Ou peut-être un de ces chiens féroces qui voulaient me dévorer. Ce serait le pompon, non ? Alors, qui allait surgir de là ? Ami ou ennemi ?

– Bobby ?

C'était l'oncle Press ! Il est sorti du conduit avec son long manteau battant contre ses jambes. J'aurais pu l'embrasser. D'ailleurs, c'est ce que j'ai fait. J'ai couru vers lui comme un gamin. Si nous avions été dans un film, la scène se serait déroulée au ralenti. Je l'ai entouré de mes bras, fou de joie et de gratitude. Je n'étais plus seul, et l'homme que j'appréciais le plus au monde n'avait pas été abattu par ce malade nommé Saint Dane. Il était sain et sauf.

Ce sentiment a duré quelque chose comme, mettons, trois secondes. Maintenant que j'étais certain de ne pas mourir dans un avenir des plus immédiats, je pouvais reprendre la mesure de ma situation. Si j'étais là, c'était à cause d'une personne et une seule : l'oncle Press. Quelqu'un qui avait toute ma confiance. Quelqu'un que j'aimais. Quelqu'un qui était venu me chercher chez moi et avait déjà failli me faire tuer au moins huit fois.

Je l'ai repoussé avec assez de force pour le faire tomber. C'était ce que je voulais : qu'il sente à quel point j'étais en colère contre lui. Mais comme j'avais déjà pu le constater, l'oncle Press était robuste. Autant chercher à abattre un mur. Tout ce que j'ai réussi à faire, c'est perdre l'équilibre et tomber sur les fesses.

– Bon sang, qu'est-ce qui se passe ici ? ai-je crié en me relevant d'un bond histoire de ne pas avoir l'air trop idiot.

– Bobby, je sais que tout ça est déconcertant…

– Déconcertant ? Tu veux rire ? (Je me suis dirigé d'un pas furieux vers l'entrée du tunnel et ai hurlé :) Denduron. *Denduron !*

J'aurais dit n'importe quoi pour me sortir de ce cauchemar. Mais il ne s'est rien passé.

— Nous *sommes* sur Denduron, a-t-il affirmé comme si cela expliquait tout. Nous sommes déjà arrivés.

— Bon. Dans ce cas... (Je me suis tourné vers le tunnel et ai hurlé :) La Terre ! New York ! Chez moi ! *Home sweet home !*

À bout de souffle, je me suis mis à courir dans le tunnel dans l'espoir que les notes magiques me ramèneraient chez moi. Mais en vain : la pierre est restée inerte. Je me suis tourné vers l'oncle Press.

— Je me fiche pas mal de ce que ça signifie, ai-je dit du ton le plus autoritaire possible. Et peu m'importe où on est. Tout ce que je veux, c'est rentrer chez moi ! Et tu vas m'y ramener ! Chez moi !

Il s'est contenté de me regarder. Je devais lui faire comprendre à quel point j'étais furieux. J'ai pensé qu'il devait être en train de préparer un petit discours rassurant. Mais malheureusement, même s'il était le plus grand diplomate au monde, il n'y avait pas moyen de me faire avaler la pilule :

— Bobby, a-t-il énoncé, tu ne peux pas rentrer chez toi. Pour l'instant, c'est *ici* chez toi.

Pan ! Dans les dents. Je me suis reculé, abasourdi. Je ne savais que faire. Je ne savais que penser. J'avais envie de pleurer. J'avais envie de le frapper. J'avais envie de me battre avec lui. Je voulais me réveiller et découvrir que tout ça n'était qu'un horrible cauchemar.

L'oncle Press n'a rien dit, rien du tout. Il est resté là, à me dévisager en attendant que j'aie repris mes esprits. Mais avec toutes les informations qu'on venait de fourrer de force dans mon pauvre petit cortex, tout ce que j'ai pu émettre – ou plutôt piailler –, c'est une question si simple qu'elle tenait en un seul mot :

— Pourquoi ?

— Je te l'ai dit. Ici, sur Denduron, on a besoin de ton aide.

Il a parlé lentement, comme s'il s'adressait à un petit garçon, ce qui n'a fait qu'accroître ma colère.

— Mais je ne connais pas ces gens-là ! ai-je crié. Je me fiche pas mal d'eux, tout comme ils se fichent de moi. Tout ce qui m'importe, c'est de rentrer à la maison. Ce n'est pourtant pas si difficile à comprendre !

– Oh, je comprends très bien, a-t-il répondu fermement. Mais c'est hors de question.

– Pourquoi ? Pourquoi ces gens ont-ils tant besoin de moi ? Et d'ailleurs où est-on ? Où est ce… Denduron ?

– C'est assez difficile à expliquer.

– Tu peux toujours essayer.

Je commençais à en avoir marre de tous ces mystères.

L'oncle Press s'est assis sur un rocher. J'y ai vu un bon signe. Il allait m'aider à comprendre toute cette histoire de fous.

– Nous sommes très loin de la Terre, mais pas sur une autre planète, pas au sens où tu l'entends. C'est un territoire, tout comme la Terre.

– Territoire, planète, quelle différence ? Ce ne sont que des mots.

– Non. Si nous trouvions un vaisseau spatial et foncions vers la Terre, elle ne serait pas là où nous l'attendons. Du moins, ce ne serait pas celle que nous connaissons. Quand on voyage par les flumes…

– Les flumes ? ai-je répété.

– C'est comme ça que tu es arrivé ici. En passant par un flume. Quand tu te rends d'un territoire à l'autre, tu ne te contentes pas de passer d'un endroit à un autre. Tu voyages dans l'espace et le temps. C'est dur à comprendre, je sais, mais tu vas y arriver.

Je n'étais pas sûr de vouloir comprendre. Parfois, l'ignorance est un don. J'ai regardé l'oncle Press et, pour la première fois, j'ai compris qu'il n'était pas celui que je croyais. J'ai toujours su qu'il gardait sa part de mystère, mais maintenant il était beaucoup plus insondable que je n'aurais pu l'imaginer.

– Qui es-tu ? ai-je demandé. Tu n'es pas un homme comme les autres.

Il a souri et baissé les yeux. J'ai senti qu'il aurait bien du mal à répondre.

– Je suis ton oncle, Bobby. Mais je suis aussi un « Voyageur ». Tout comme toi.

Un *Voyageur*. Encore un nouveau mot. Sauf que je ne voulais pas être un « Voyageur ». Je me contentais fort bien d'être Bobby Pendragon, arrière centre de l'équipe de basket de Stony Brook. Mais tout cela semblait bien loin à présent.

– Donc, si on n'est plus sur Terre, pourquoi cette planète y ressemble-t-elle tant ? Enfin, l'air est respirable, la gravité est normale, il y a de la neige et tout ça !

– Tous les territoires ressemblent à la Terre, a-t-il répondu. Avec quelques différences, c'est tout.

– Comme ces trois soleils ?

– Bon exemple.

– Et ces drôles de pierres jaunes qui dépassent de la neige.

Soudain, l'oncle Press s'est crispé.

– Où ça ? Là dehors ? Combien y en a-t-il ?

– Heu, je ne sais pas. Dix, douze, par là.

Il s'est relevé d'un bond et a retiré son manteau.

– Allons-y !

Il a jeté son manteau à terre et couru vers l'autre bout de la caverne, là où gisaient déjà quelques branches séchées. Il s'est mis à les repousser.

– Qu'y a-t-il ? ai-je fait, intrigué et quelque peu inquiet.

Il s'est tourné et a posé un doigt sur ses lèvres pour me faire taire. Puis, tout en tirant sur les branches, il m'a parlé à voix basse, comme s'il craignait qu'on l'entende.

– Les quigs, dit-il.

Aïe. Les quigs. Ça, c'était un mot que je connaissais. Et que je n'aimais pas du tout.

– Ce ne sont pas des quigs, non ? ai-je demandé, plein d'espoir. Ils ressemblent à des chiens.

– Tout dépend du territoire, a-t-il chuchoté. Sur la Seconde Terre, ils ressemblent à des chiens. Mais pas ici.

– Alors… que sont-ils ? ai-je demandé, même si je n'étais pas sûr de vouloir entendre la réponse.

– Des bêtes sauvages propres à chaque territoire. Saint Dane se sert d'eux pour empêcher les Voyageurs d'accéder aux flumes.

Encore ce nom. Saint Dane. Je me doutais bien que, d'une façon ou d'une autre, il réapparaîtrait dans cette histoire. Mais comment pouvait-il « se servir » d'animaux aussi féroces ? Avant que j'aie pu lui poser la question, l'oncle Press a retiré les dernières branches, dévoilant un amas de peaux et de fourrures. Puis il a retiré sa chemise.

— Nous ne pouvons porter des vêtements de la Seconde Terre dans ce territoire. Enfile ça, a-t-il dit en me tendant un bout de cuir pas très ragoûtant.

— Tu veux rire ? ai-je répondu, incrédule.

— Ne discute pas. Ces peaux te tiendront chaud.

— Mais…

— Il n'y a pas de mais. Dépêche-toi ! a-t-il insisté en un murmure théâtral.

Il avait l'air d'avoir vraiment peur des quigs. Donc, j'avais tout intérêt à en faire autant. J'ai commencé à me déshabiller.

— Même mes sous-vêtements ? ai-je demandé, redoutant sa réponse.

— Personne ne porte de caleçon sur Denduron.

C'était bien ce que je craignais. Ça ne serait pas une partie de plaisir. J'ai suivi ses instructions et me suis habillé tout de cuir et de fourrure. Il y avait aussi des bottes de cuir relativement confortables, ce qui était un avantage, car sur Denduron on ne portait pas non plus de chaussettes de sport. Alors que la pile de vêtements diminuait, quelque chose d'autre est apparu en dessous. J'ai ramassé la dernière fourrure pour dévoiler une luge à deux places ! Elle évoquait celles qu'on voit en Alaska et qui sont tirées par des chiens, sauf que celle-ci n'avait rien de moderne. Les skis n'étaient que des lamelles de bois, les flancs faits de branches et les sièges d'une sorte de rotin ; quant au mécanisme de direction, ce n'était qu'une immense paire de cornes, comme un trophée accroché au mur. On aurait dit un engin sorti du dessin animé *Les Pierrafeu*. Mais il y avait autre chose qui me déplaisait.

Accrochées à chacun de ses flancs, il y avait de longues lances d'allure menaçante. La hampe était taillée dans des branches sans écorce, et la lame de métal forgée au marteau semblait acérée comme un rasoir. À l'autre bout, on avait ajouté quelques plumes en guise d'empennage. L'ensemble avait certes l'air primitif, mais aussi dangereux à souhait, accrochées qu'elles étaient de chaque côté de la luge comme des missiles préhistoriques prêts au lancement.

— Et ton revolver ? ai-je demandé, plein d'espoir. Tu ne peux pas tirer sur les quigs ?

— Dans ce territoire, il n'y a pas d'armes à feu. (Un instant, il a interrompu ce qu'il faisait et m'a regardé droit dans les yeux.) On ne peut se servir d'autre chose que ce que le territoire peut nous proposer. Ne l'oublie pas : c'est très important. D'accord ?

— Oui, ben, si tu le dis.

Puis il a m'a fourré quelque chose entre les mains. C'était un petit objet couvert de gravures accroché à une lanière de cuir. On aurait dit...

— C'est un sifflet, a-t-il dit, comme s'il lisait mes pensées. Garde-le toujours à portée de la main.

Pourquoi ? voulais-je lui demander. Mais, à ce stade, ça n'avait plus grande importance. J'ai juste espéré que l'oncle Press serait aussi doué avec une lance qu'au tir au pistolet, parce que si on tombait sur un os, ce n'est pas un sifflet qui nous tirerait d'affaire. Mais j'ai suivi ses ordres et l'ai passé autour de mon cou.

— Tu es prêt ? m'a-t-il demandé.

— Non, ai-je répondu, comme d'habitude.

Pourtant, à vrai dire, j'étais prêt. J'avais l'impression d'être un homme des cavernes, mais ces vêtements peu conventionnels ne me déplaisaient pas. Sous la direction de l'oncle Press, je les ai ajustés avec des lanières de cuir là où ils étaient trop grands. En fait, ces peaux étaient plutôt confortables, même si j'aurais bien voulu garder mon caleçon. Je risquais d'avoir de sacrées rougeurs à l'entrejambes, et je doutais qu'on puisse trouver du talc sur Denduron.

L'oncle Press a tiré le traîneau vers la lumière et l'entrée de la caverne. Je me suis empressé de lui donner un coup de main.

— Une fois que nous serons sur la neige, m'a-t-il conseillé, dépêche-toi de sauter sur la luge et installe-toi à l'arrière. Je me charge de la piloter. Si nous avons de la chance, nous serons loin lorsque les quigs se réveilleront.

Je n'ai pu m'empêcher de poser la question de circonstance :

– Et sinon ?

– Inutile d'espérer pouvoir les distancer. Notre seule chance est d'en harponner un.

– « Harponner » ? Qu'est-ce que tu veux dire par là ?

Il n'a pas répondu.

Nous étions arrivés à la sortie de la caverne. L'oncle Press m'a regardé.

– Je suis sincèrement désolé de t'avoir entraîné dans cette aventure, Bobby. Tout ce que je peux dire, c'est que tu ne tarderas pas à comprendre pourquoi j'ai agi de la sorte.

Il y avait tant de conviction dans sa voix que je l'ai cru. Sauf que j'avais peur de le croire. Parce que, s'il disait vrai, je n'avais pas d'autre choix que d'attendre ce qui allait arriver. Et à en juger d'après ce qui s'était produit jusque-là, ce ne serait pas une partie de plaisir.

– J'espère que tu sais conduire cet engin, ai-je remarqué.

– Cramponne-toi, a-t-il répondu.

Ben voyons ! Il croyait peut-être que j'allais agiter les mains comme sur des montagnes russes.

Nous avons tiré le traîneau jusqu'à l'extérieur de la caverne. Mes yeux ont à nouveau mis quelques secondes à s'accoutumer à la lumière, mais lorsque j'ai pu y voir clair, mon regard s'est posé sur ces drôles de crêtes jaunes sortant de la couche d'un blanc immaculé. Malgré les craintes de l'oncle Press, je ne voyais pas quel danger elles pouvaient présenter. Il m'a fait signe de monter, puis il est passé à l'arrière et a poussé un grand coup. Pour un bobsleigh préhistorique, ce machin était plutôt rapide. Devant nous s'étendait le champ de crêtes jaunes. J'en ai compté douze éparpillées sur plusieurs mètres. Nous nous en sommes approchés sans faire de bruit. J'ai regardé l'oncle Press. Il m'a cligné de l'œil et a posé un doigt sur ses lèvres pour me rappeler de garder le silence. Nous nous sommes vite retrouvés au beau milieu des arêtes. L'oncle Press a guidé le traîneau de main de maître pour les éviter. C'est alors que nous avons commencé à prendre de la vitesse. La pente était de plus en plus raide. J'ai regardé droit devant moi et, tout à coup, j'ai cessé d'avoir peur des quigs. Nous allions dévaler les pentes d'une montagne escarpée, rocailleuse, enneigée et inégale. Et notre moyen de transport n'était qu'un assemblage de bouts de bois retenus par quelques lanières de cuir. À côté de cela, de petites bestioles d'une soixantaine de centimètres n'avaient rien de si terrible.

Enfin, c'est ce que je croyais.

Nous allions sortir du champ de crêtes jaunes quand la neige s'est mise à trembler devant nous. Il ne restait plus qu'une seule arête à passer. Mais là, sous nos yeux, la couche blanche s'est fendue et la pointe jaune s'est élevée vers le ciel. Sauf qu'elle n'était pas faite de pierre. C'était une crête osseuse, et elle jaillissait du dos de la bête la plus hideuse que j'aie jamais vue. Le quig s'est extirpé de la neige, dévoilant tout son corps. On aurait dit un immense grizzly au pelage d'un gris sale. Mais il avait une tête gigantesque avec des défenses dignes d'un sanglier, en haut comme en bas, acérées comme des rasoirs. Et ses pattes aussi étaient surdimensionnées, avec des griffes grosses comme les touches d'un piano – des touches pointues. Ses yeux m'ont rappelé ceux des chiens dans le métro. Jaunes, brûlants de colère et braqués sur nous.

L'oncle Press a manœuvré le traîneau pour contourner le quig et s'est mis à courir tout en poussant afin de gagner de la vitesse.

– Prends les lances ! a-t-il crié.

Je n'arrivais pas à détacher mon regard de la bête. Elle s'est dressée sur ses pattes de derrière et a poussé un rugissement terrifiant, à réveiller les morts. Ou du moins les autres quigs. Et c'est exactement ce qui s'est produit. Derrière nous, la neige s'est mise à trembler autour des autres crêtes jaunes. Les quigs sortaient de leur sommeil.

– Bobby !

L'oncle Press a bondi sur le traîneau au moment où j'ai repris mes esprits. Nous gagnions de la vitesse en rebondissant sur la neige et j'avais du mal à garder mon équilibre. Je me suis penché le plus possible pour décrocher une des lances.

– Dépêche-toi ! ai-je entendu derrière moi.

Sa voix était calme, mais ferme. Je me suis retourné pour voir une douzaine de quigs qui s'ébrouaient pour chasser la neige.

Je n'aurais jamais dû faire ça. Au moment où j'avais presque détaché une lance, le traîneau a heurté une bosse. Avant que j'aie pu comprendre ce qui se passait, la lance s'est décrochée ! J'ai essayé de la rattraper, mais trop tard. Elle a fini dans la neige, hors de portée. Impossible de la récupérer.

– L'autre ! Vite ! a crié l'oncle Press.

J'ai plongé de l'autre côté du traîneau pour récupérer la seconde lance. Je l'ai fermement empoignée d'une main pendant que je défaisais la lanière de l'autre. Mais pas question de perdre aussi celle-là. J'ai enfin réussi à délier le tout et à décrocher l'arme.

– Je la tiens ! ai-je crié.

Je suis retombé en arrière en tendant l'arme pour que l'oncle Press puisse la saisir. Après la lui avoir passée, je me suis mis à genoux et ai regardé une fois de plus en arrière. Horrifié, j'ai constaté que les quigs chargeaient. Une masse de bêtes féroces en furie se précipitait droit sur nous. Je ne voyais pas trop ce qu'une seule lance pouvait faire contre une telle meute.

– Prends le guidon ! a crié l'oncle Press. Garde le cap !

Je suis passé à l'avant et me suis agrippé aux deux cornes. Le traîneau répondait à la moindre inflexion. Je ne sais pas qui avait construit cet engin, mais il savait ce qu'il faisait. Et pourtant, l'oncle Press avait raison : nous n'allions pas encore assez vite pour semer les quigs. Ils ne cessaient de se rapprocher.

Le premier avait une longueur d'avance sur les autres et était déjà bien trop près à mon goût. Je jetais sans arrêt des coups d'œil derrière moi pour voir ce qui se passait. L'oncle Press était impressionnant. Il se dressait sur le traîneau, lance en main, me tournant le dos. Mais je commençais à m'habituer à le voir agir de la sorte. Venant de lui, plus rien ne pouvait me surprendre. Il est resté là, à attendre le monstre, tel le capitaine Achab face à Moby Dick.

– Viens, grondait-il comme pour le tenter. Allez, encore un peu plus près.

Le quig ne demandait pas mieux. Il était presque sur nous. Il a bondi, assoiffé de sang, avide de refermer ses mâchoires sur l'oncle Press.

– Le sifflet ! a crié l'oncle Press. Souffle dedans ! Vite !

Le sifflet ? Qu'est-ce qu'un coup de sifflet pourrait bien changer à la situation ? Mais ce n'était pas le moment de discuter. J'ai gardé une main sur les cornes et, de l'autre, ai cherché l'objet accroché à mon cou. La bête avait presque atteint l'oncle Press. J'ai fini par m'emparer du sifflet. J'ai passé la cordelette au-dessus de mon cou pour porter l'objet à mes lèvres et ai soufflé dedans.

Pas un bruit. Ce devait être un de ces sifflets à chiens, en apparence silencieux, mais qui émettent des fréquences si aiguës que seuls les animaux peuvent les percevoir. En tout cas, le quig l'avait entendu. Et il n'avait pas l'air d'apprécier. Il a ouvert sa gueule hideuse et poussé un autre rugissement qui m'a hérissé le poil. C'était un cri de douleur, comme si le sifflement lui transperçait le crâne.

C'est alors que l'oncle Press a attaqué. Il a jeté la lance comme un javelot olympique. Le missile a filé vers le quig et l'a frappé en plein dans sa gueule béante ! La bête a émis un cri étranglé lorsque la lance s'est plantée dans sa gorge. Elle s'est arrêtée net et est tombée sur le flanc dans un jaillissement de neige. Du sang a jailli de sa bouche en une fontaine écarlate.

C'était un spectacle assez écœurant. Mais ce n'était rien à côté de ce qui allait suivre. Les autres quigs ont rattrapé le premier et, plutôt que de continuer la poursuite, se sont rabattus sur leur semblable. C'était une vision dantesque et sanglante, comme des requins en pleine curée. Encore maintenant, je peux entendre le bruit de leurs mâchoires plongeant dans sa chair pour le mettre en pièces et le craquement de ses os. J'espère ne plus jamais rien entendre de tel. Pire encore, le quig était toujours vivant. Il a poussé des cris de douleur particulièrement atroces. Heureusement, ils n'ont pas duré longtemps.

J'ai jeté un dernier coup d'œil en arrière et l'ai aussitôt regretté. Car à ce moment, l'un des quigs a levé les yeux vers nous, et j'ai vu que sa gueule, ses crocs étaient maculés du sang de sa proie. À présent, je comprenais ce que voulait dire l'oncle Press en parlant d'en « harponner » un.

– Attention ! a-t-il crié.

Je me suis vite retourné pour constater que nous étions à deux doigts de nous fracasser contre un rocher de la taille d'une voiture. J'ai tiré brutalement sur les cornes. Le traîneau a pivoté, mais il est parti en glissade et l'arrière a heurté le rocher. Nous sommes repartis aussitôt, mais le choc avait été si rude qu'il avait projeté l'oncle Press sur le fond de notre engin. J'ai failli en faire autant, mais me suis cramponné aux cornes comme si ma vie en dépendait. Il aurait fallu bien plus qu'une petite bosse pour me faire lâcher prise. Le problème, c'est qu'en me cramponnant aux cornes, j'avais lâché le sifflet. Si les quigs s'en prenaient encore à nous, nous serions mal barrés. Plus de lances et plus de sifflet. Pourquoi n'avais-je pas laissé la lanière autour de mon cou ?

Maintenant, nous foncions à toute allure. La pente était encore plus escarpée. Nous n'étions plus très loin des arbres. Jusque-là, je n'avais eu qu'à diriger le traîneau sur la neige et à éviter quelques rochers. Maintenant, nous allions aborder une forêt.

– Je le tiens ! a crié l'oncle Press.

Il s'était frayé un chemin jusqu'à l'avant du traîneau, et je ne demandais qu'à lui laisser la place.

– J'imagine qu'il n'y a pas de freins ? ai-je demandé.

– Tu rêves, m'a-t-il répondu.

Mauvaise réponse. Ce n'était pas une piste de ski bien lisse. Loin de là. Nous foncions tout droit vers les arbres. Notre seule chance de nous arrêter était de heurter quelque chose de solide. Mais le choc risquait d'être rude.

– À droite ! Penche-toi à droite ! a crié l'oncle Press.

J'ai obéi sur-le-champ, et il nous a fait éviter un premier arbre.

– Suis-moi ! Regarde où nous allons ! À gauche !

On se serait crus de retour sur la selle de sa moto, quand nous devions nous pencher pour négocier chaque tournant. Mais sa moto, elle, était équipée de freins, et nous ne roulions pas dans un champ de mines hérissés d'arbres. Là, c'était terrifiant. On filait sur un bobsleigh bringuebalant dans un amas de pins aux troncs durs comme de la pierre.

Nous avons frôlé plusieurs arbres. À chaque fois, il s'en est fallu de quelques centimètres – à gauche, à droite, encore à droite. Nous allions trop vite pour qu'il puisse me dire de quel côté je devais me pencher. Il me fallait regarder en avant pour anticiper chaque mouvement. Des branches nous fouettaient le visage. Nous étions si près des arbres que je pouvais les entendre siffler à mes oreilles. Plus nous progressions, plus la forêt devenait dense.

— Il y a une clairière droit devant ! a-t-il crié. Quand on y sera, je vais virer sur la droite. J'espère qu'on ne va pas se retourner.

Oui, je l'espérais aussi. Et que nous n'allions pas partir en tonneaux et finir contre un arbre ! Cependant, je n'avais pas d'idée de rechange à lui proposer.

— Quand je tournerai, penche-toi vers la droite ! a-t-il hurlé. Nous y sommes presque !

J'ai regardé droit devant et vu une étendue blanche au milieu des arbres. Ce devait être la clairière. Mais il restait encore pas mal de troncs à éviter avant d'y parvenir, et nous filions toujours à toute allure. Gauche, gauche, droite. Encore quelques virages avant d'aborder la clairière.

— On va y arriver ! me suis-je écrié.

C'était trop beau. Notre ski gauche a heurté une racine cachée par la neige qui nous a fait dévier vers la droite, mais nous avons tout de même continué notre chemin, sur un seul ski, et en roue libre. Il ne restait plus que quelques arbres entre nous et la clairière quand on s'est crashés. Le traîneau a heurté un arbre. La collision a été d'une violence incroyable. Elle m'a secoué de fond en comble. Mais je suis resté sur le traîneau. Par contre, l'oncle Press n'a pas eu cette chance. Il a été éjecté.

Et j'ai continué mon chemin. Le traîneau a tournoyé, puis est retombé sur son ski droit, mais j'étais à l'arrière, bien loin du guidon. J'étais presque arrivé et, un instant, j'ai vraiment cru que j'atteindrais la clairière. Mais le traîneau a sauté une corniche et s'est envolé ! C'était le moment ou jamais d'abandonner le navire. L'engin est parti d'un côté et moi de l'autre. Un instant, j'ai sillonné les airs, puis je suis retombé. Sans douceur. La couche de neige n'était plus si épaisse et n'a pas fait grand-chose pour amortir ma chute. Le choc m'a coupé le souffle et ma tête a heurté le sol. Le monde est devenu une masse tourbillonnante entièrement blanche. Je ne pouvais plus respirer, je ne pouvais plus penser. Mais au moins j'avais réussi à m'arrêter.

Je ne pourrais dire combien de temps je suis resté là, à dériver entre l'inconscience et l'éveil. Puis je me souviens avoir entendu quelque chose de bizarre. Un bruit étouffé par la distance, mais qui n'a cessé de se rapprocher. En un moment de terreur pure, je me suis dit que les quigs avaient terminé leur plat de résistance et venaient chercher leur dessert, mais ce bruit ne ressemblait pas à leurs pas lourds. Plutôt à des chevaux au galop. Plusieurs chevaux.

Puis j'ai entendu l'oncle Press qui m'appelait.

– Bobby, Bobby, si tu m'entends, reste où tu es ! Ne bouge pas ! Les Milagos te trouveront. Ils t'aideront.

Que voulait-il dire ? Qui étaient donc ces Milagos ? Il fallait que je voie ce qui se passait. J'ai roulé sur le côté – ce qui, au passage, m'a fait un mal de chien. Je devais m'être froissé deux ou trois côtes. Mais je ne me suis pas relevé. D'ailleurs, même si je l'avais voulu, je ne sais pas si j'en aurais été capable. Ma tête était douloureuse et je me sentais tout étourdi. J'ai tout de même rampé sur la neige dans la direction de la voix de l'oncle Press. J'ai atteint un petit promontoire, sans doute celui qui m'avait fait verser, et l'ai péniblement grimpé sur le ventre. J'ai regardé par-dessus le sommet.

À mon grand soulagement, j'ai vu l'oncle Press debout à l'autre bout de la clairière, non loin de moi. Il n'avait rien. À seconde vue, il semblait même s'en tirer mieux que moi.

À droite de la clairière, tout au bout, j'ai vu les chevaux que j'avais entendus, qui se dirigeaient droit sur lui. Et ces chevaux n'étaient pas sans cavaliers. J'en ai compté quatre. On aurait dit des chevaliers du Moyen Âge : ils étaient revêtus d'armures et de casques de cuir noir, lourd et épais. Même leurs chevaux portaient le même genre de protection. Ils se ressemblaient tous, comme s'il s'agissait d'un genre d'uniforme. J'ai aussi remarqué qu'ils portaient des épées. On aurait dit les chevaliers de la Table ronde.

Alors qu'ils l'encerclaient, l'oncle Press leur a adressé un grand sourire.

– Salut ! a-t-il lancé d'un ton amical. Comment allez-vous par cette belle journée ?

Nous n'étions plus aux États-Unis. Nous n'étions même plus sur Terre. Alors pourquoi s'imaginait-il que ces types comprenaient notre langue ?

– *Buto ! Buto aga forden !* a crié l'un des chevaliers d'une voix rogue.

J'avais raison. Ils ne parlaient pas notre langue.

– Non ! a répondu l'oncle Press. Je chasse le lapin. Pour nourrir ma famille.

– *Soba bord fiou !* a aboyé un autre chevalier.

Bizarre. Ils parlaient une langue bizarre et l'oncle Press répondait dans la nôtre, et pourtant ils semblaient se comprendre à la perfection. Moi, par contre, je n'y pigeais rien – ce qui commençait à devenir une habitude.

Le premier chevalier a tendu le doigt vers l'oncle Press et s'est mis à hurler :

– *Buto ! Buto aga forden ca dar !*

Il n'avait pas l'air amical. Quoi que « *Buto* » veuille dire, je ne pense pas que ce soit un compliment. L'oncle Press a levé les bras et haussé les épaules innocemment comme s'il ne voyait pas ce qu'il voulait dire.

– Non ! a-t-il dit, tout sourire. Pourquoi voudrais-je espionner Kagan ? Je suis un mineur. Ma seule préoccupation est de nourrir ma famille.

Espionner ? Un mineur ? Kagan ? Ma tête me faisait de plus en plus mal.

C'est alors que tout a tourné au vinaigre. Le premier chevalier a décroché un fouet d'allure peu engageante de sa selle et en a décoché un coup à l'oncle Press ! Clac ! Il s'est enroulé autour de son bras. L'oncle Press a poussé un petit cri de douleur. Le chevalier a tiré un bon coup, le faisant tomber à genoux.

J'ai tenté de me relever pour voler à son secours, mais une pointe de douleur m'a transpercé le flanc et coupé le souffle. La tête me tournait. J'étais sur le point de tomber dans les pommes. Mais j'ai gardé mes yeux rivés sur l'oncle Press. Deux des autres chevaliers ont tiré des cordes de leurs selles et l'ont pris au lasso comme un poulain. Puis ils ont éperonné leurs chevaux et sont partis, en le traînant derrière eux.

C'est la dernière chose que j'ai vue – ces cavaliers noirs ricanants tirant mon oncle sur la neige. Et au moment même où ils disparaissaient dans les bois, j'ai sombré. J'étais pris de vertiges étourdissants. J'allais tourner de l'œil d'un instant à l'autre. La dernière chose à laquelle j'ai pensé, c'est qu'il y avait quelques heures à peine je me trouvais dans ma cuisine, à jouer à la balle avec Marley. Et j'espérais que quelqu'un penserait à la sortir.

Puis tout est devenu blanc et j'ai glissé dans un puits sans fond.

Fin du premier journal

SECONDE TERRE

Au 2, Linden Place, Mark Dimond faisait les cent pas tandis que Courtney Chetwynde, assise sur son sac à dos, lisait les parchemins. Il aurait bien aimé qu'elle se dépêche. Il aurait voulu qu'elle lève les yeux et lui dise que tout irait bien. Il espérait qu'elle trouverait quelque part la preuve que ce récit démentiel ne pouvait être vrai. Mais plus que tout, il aurait voulu se retourner et voir que la maison de Bobby se dressait là où elle aurait dû.

Courtney prit tout son temps pour déchiffrer le manuscrit. Puis elle leva les yeux et regarda Mark avec une drôle d'expression.

– Où as-tu trouvé ça ? demanda-t-elle d'une voix neutre.

Mark tira de sa poche l'anneau pourvu d'une pierre grise. Après ce qui s'était passé dans les toilettes, il ne risquait pas de le passer à nouveau à son doigt.

– C'est ce machin qui l'a apporté, dit-il en lui montrant l'anneau. On aurait dit qu'il était… ben, vivant. Il en est sorti tout un jeu de lumières, puis il a grandi, a ouvert cet espèce de trou, il y a eu un drôle de bruit et, soudain, ces feuilles… sont apparues, comme ça.

Courtney regarda l'anneau, puis revint aux parchemins. Mark pouvait presque entendre tourner les rouages de son cerveau alors qu'elle tentait de trouver une conclusion logique à tout ce qu'il venait de lui dire. Finalement, elle se leva et jeta les feuilles de parchemin par-dessus son épaule comme un vieux journal.

– Oh, arrête, fit-elle d'un ton méprisant.

– Hé ! s'écria Mark.

Il se mit à courir après les feuillets. Il dut se dépêcher, car une légère brise s'était levée et les éparpillait.

– Non, mais pour qui vous me prenez ? aboya-t-elle. Pour la dernière des andouilles ?

– Non ! Ce n'est p-p-pas…

Mark s'était remis à bégayer.

– Tu n'as qu'à dire à Bobby Pendragon que je ne marche pas dans ses plans foireux ! Qu'il trouve quelqu'un d'assez crédule pour croire ses mauvaises vannes !

– Mais…

– Et je suis censée faire quoi maintenant ? Trembler dans mes chaussettes et aller raconter à tout le monde que Bobby a raté le match d'hier soir parce qu'il s'est fait catapulter dans une autre dimension ? Qu'il y a affronté des monstres cannibales et qu'il risque aussi d'être absent pour le prochain match, à moins qu'il réussisse à sauver son oncle d'une bande de chevaliers noirs ?

– B-b-ben, en gros… oui.

– Oh, arrête ! s'écria-t-elle. C'est là que Bobby me saute dessus en criant « surprise ! ». Et je n'aurai plus qu'à aller habiter à l'autre bout du monde, parce que personne ne me laissera oublier que j'ai avalé le bobard le plus débile qu'on ait jamais inventé. Non, merci !

Sur ce, elle prit son sac et partit à grandes enjambées furieuses.

– Courtney ! Arrête-toi ! cria-t-il.

Elle se tourna vers lui et le toisa d'un regard plein de mépris. Et lorsque Courtney Chetwynde vous regardait comme ça, vous n'aviez plus qu'à trouver un trou de souris où vous cacher. Mark dut faire un immense effort de volonté pour continuer. Mais quand il parla, ce fut sans bafouiller et avec la plus grande sincérité.

– Moi aussi, j'ai du mal à y croire. Mais ce n'est pas une plaisanterie. Je ne sais pas si tout ce qui est écrit sur ce parchemin est vrai, mais j'ai vu de mes yeux vu bien des choses que je ne peux pas expliquer. Je te le jure. Et ça me suffit à croire qu'il est arrivé quelque chose à Bobby, quelque chose d'invraisemblable.

Courtney resta plantée là, sans rien dire. Commençait-elle à le croire ? Ou attendait-elle qu'il ait fini pour lui dire, une fois de plus, qu'il pouvait arrêter de la prendre pour une crêpe ?

Il profita de l'occasion et continua :

— Je sais que c'est dur à avaler. Mais si ce n'est qu'une vaste plaisanterie, dis-moi où est passée la maison de Bobby ?

Elle regarda l'emplacement vide. Il se demanda à quoi elle pensait. Se souvenait-elle qu'hier soir elle était venue ici même, était entrée dans une maison qui n'était plus là et avait embrassé Bobby Pendragon ?

— J'ai peur, Courtney, ajouta-t-il. Je veux savoir ce qui s'est passé, mais je ne crois pas pouvoir découvrir la vérité tout seul.

Elle le regarda encore un moment, comme si elle tentait de lire ses pensées. Puis elle passa devant lui pour aller au centre du terrain vague. Elle fit un tour complet sur elle-même comme pour ne pas perdre une miette du spectacle. Sauf qu'il n'y avait rien à voir. Rien ne permettait de dire qu'une famille de quatre personnes, plus un chien, habitait ces lieux il n'y avait pas douze heures. Courtney était le genre de personne à toujours dominer les événements. Que ce soit un match de volley-ball ou une dispute avec ses parents, elle trouvait toujours moyen de maîtriser la situation et de la tourner à son avantage. Mais là, tout était différent. Elle ne pouvait pas prendre l'avantage, car elle ne connaissait pas la règle du jeu. Du moins pas encore.

— D'accord, fit-elle d'un ton pensif. Inutile d'essayer de tout comprendre d'un seul coup : il y a de quoi devenir cinglé. C'est… trop pour un seul homme, ou une seule femme. (Elle s'adressait à Mark et, en même temps, semblait parler toute seule.) Je ne sais pas ce qu'est un quig, un Voyageur ou une plume…

— Un flume, corrigea-t-il.

— Peu importe, rétorqua-t-elle. Pour moi, c'est tout aussi fantastique. Mais cette maison… a disparu sans laisser de traces, et ça, c'est on ne peut plus réel. Si on peut découvrir ce qu'elle est devenue, peut-être qu'on trouvera une piste susceptible de nous mener à Bobby.

Pour la première fois depuis une éternité, Mark sourit. Maintenant, il disposait d'une alliée, et qui était capable de prendre la situation en main.

— Par où on commence ? demanda-t-il.

Courtney regagna la rue à grandes enjambées pleines de détermination. Maintenant, elle avait un but, une mission à accomplir.

– On doit trouver ses parents. Ils ne peuvent pas avoir disparu, eux aussi.

– Excellent ! s'écria Mark, et il la suivit.

Soudain, elle s'arrêta net, virevolta et se retrouva nez à nez avec lui. Elle lui planta un doigt dans la poitrine :

– Et je te préviens, Dimond. Si toute cette histoire est vraiment une blague, je te jure que tu le regretteras jusqu'à la fin de tes jours !

Mark avala sa salive.

– C'est noté.

Elle repartit en direction de la rue. Il la suivit tout en fourrant le parchemin dans son sac à dos. Alors qu'il allait aborder le trottoir, il jeta un dernier regard au terrain vague où s'était tenue la maison de son meilleur ami. Il ne comprenait que trop l'incrédulité de Courtney. Lui-même savait qu'une partie du récit était vraie, et pourtant il avait du mal à y croire. Du moins la partie concernant Courtney était vraie. Ça, c'était le plus facile à vérifier. Tout le reste était… invraisemblable. En plus, un mystère restait entier : Bobby n'avait jamais parlé de la disparition de sa maison. Si tout s'était bien passé comme il l'avait décrit, lorsque l'oncle Press et lui étaient partis en moto, la demeure familiale était toujours là. Quelle que soit la cause de sa disparition, cela s'était produit après leur départ, ce qui voulait dire que Bobby n'était pas au courant. Curieusement, Mark y voyait une raison d'espérer. Courtney avait raison. S'ils arrivaient à découvrir où était passée cette maison, peut-être pourraient-ils mieux comprendre ce qu'était devenu Bobby.

Mais une autre idée ne cessait de le tarauder, une idée qu'il n'avait pas envie de partager avec Courtney – du moins pas encore. Elle était liée à l'anneau et au fait que Bobby avait choisi de lui envoyer ce récit à lui. Pourquoi ? ne cessait-il de se demander. Si tout ce que racontait Bobby était vrai, s'il était vraiment embringué dans une aventure incroyable, pourquoi avait-il pris le temps d'écrire tout ce qui lui était arrivé et de le lui envoyer ? Bon, d'accord, il était son meilleur ami, et Bobby espérait qu'un jour ses carnets prouveraient qu'il n'avait pas tout inventé. Mark sentait qu'il devait absolument savoir ce qui lui était arrivé.

Pour l'instant, il se contentait d'un ou deux indices. Il finirait par comprendre ce qui était arrivé à son meilleur ami. Le point de départ le plus logique serait de retrouver les parents de Bobby et leur demander ce qu'était devenue leur maison. Avec cette idée plutôt réconfortante en tête, Mark tourna le dos au terrain vague et courut pour rattraper Courtney. Tous deux étaient sûrs de trouver bien vite la réponse à leurs questions, puis ils récupéreraient Bobby. La vie reprendrait alors son cours normal et, le lendemain, ils pourraient aller en cours comme si de rien n'était.

Bien sûr, ils se trompaient dans les grandes largeurs.

Leur enquête les mena d'abord chez Mark. En effet, ils avaient conclu qu'il serait plus facile de chercher les parents de Bobby au téléphone plutôt que d'arpenter la ville à bicyclette, ou en bus. Mark vivait dans une allée à moins d'un kilomètre de chez Bobby. Ou plutôt, de l'endroit où avait été la maison de Bobby. Bien sûr, lorsqu'il était sorti de l'école ce matin-là, Mark n'aurait jamais cru que l'extraordinaire Courtney Chetwynde viendrait dans sa chambre l'après-midi même. C'était aussi peu probable que... eh bien, de voir son meilleur ami projeté dans un autre univers.

– Attends-moi là, ordonna Mark.

Il se précipita dans sa chambre et ferma la porte au nez de Courtney. Celle-ci leva les yeux au ciel, mais respecta son désir de solitude.

Il jeta un coup d'œil à sa chambre et crut défaillir. Il ne savait pas ce qui était le plus gênant : les slips et les chaussettes sales éparpillés un peu partout, les posters représentant des super-héros de dessins animés qu'il n'avait pas eu le courage de retirer, les pin-up en bikini qu'il venait d'accrocher ou l'odeur rance qui semblait imprégner cette vision d'horreur. Mark passa en mode turbo. Il ouvrit une fenêtre en grand, ramassa une brassée de tee-shirts et en fourra un maximum derrière l'oreiller de son lit défait.

Puis la porte s'ouvrit, et Courtney entra au pas de charge.

– Écoute, j'ai deux frères aînés. Je crois que j'ai vu tout ce qu'il…

Elle jeta un coup d'œil à la pièce et s'arrêta net. Mark resta figé sur place avec en mains un paquet de chaussettes grises qui avaient été blanches dans une vie antérieure. Elle inspira profondément et réfréna une nausée.

– Je me trompais. Je *croyais* avoir tout vu. Qui est mort dans cette pièce ?

– D-d-désolé, répondit-il, malade de gêne. J-j-j'ai oublié d'aérer.

– Tu devrais faire venir une équipe de décontamination, oui. Ouvre une autre fenêtre, où je tombe raide.

Mark jeta ses chaussettes par la fenêtre ouverte et s'empressa d'ouvrir l'autre. Courtney étudia la pièce et s'arrêta devant deux posters. L'un représentait un super-héros multicolore tiré d'un dessin animé japonais, l'autre une beauté vêtue d'un string léopard allongée sur une plage tropicale.

– On dirait que ta puberté entre en conflit avec les dernières bribes de ton enfance, remarqua-t-elle.

Mark alla se planter devant les posters pour les cacher de son corps.

– Pourrait-on s'occuper de ce qui est vraiment important ? demanda-t-il poliment.

Courtney ne se le fit pas dire deux fois. Ce n'était pas le moment d'ulcérer Mark. Elle s'assit à son bureau pendant qu'il rangeait les pièces d'une maquette d'avion F-117 en cours d'assemblage.

– Passe-moi l'annuaire, fit-elle, sérieuse comme un pape.

Il alla en chercher un dans son placard. Elle trouva un bloc-notes et ouvrit un tiroir pour y chercher un stylo. Grave erreur.

– Ah ! annonça-t-elle. Voilà déjà un mystère de résolu.

– Lequel ? demanda Mark, plein d'espoir.

Elle sortit du tiroir un morceau de quelque chose de jaune, mou et tout à fait répugnant.

– Je sais pourquoi ta chambre sent la vieille godasse, dit-elle en brandissant le morceau de fromage verdâtre comme s'il était contaminé – ce qu'il était probablement.

– Hé, s'exclama-t-il, et moi qui l'ai cherché partout !

Elle, leva les yeux au ciel et s'empara de l'annuaire que Mark venait de trouver. Elle comptait appeler les parents de Bobby à leur travail. M. Pendragon était rédacteur au journal du coin et Mme Pendragon assistante bibliothécaire. Elle trouva les deux numéros et appela chacun d'eux. Malheureusement, elle obtint deux fois la même réponse inquiétante. Le père et la mère de Bobby ne s'étaient pas présentés à leur travail et n'avaient pas téléphoné pour expliquer leur absence. Voilà qui ne présageait rien de bon. Ensuite, elle passa à l'école de Glenville, où Shannon, la sœur de Bobby, était en sixième. Elle obtint une fois de plus la même réponse : Shannon n'était pas venue en cours. Après cette ultime réponse, Courtney reposa lentement le combiné et regarda Mark.

– Ils sont tous absents, dit-elle sans détour.

Mark s'empressa de prendre le téléphone et composer un numéro.

– Qui appelles-tu ? demanda-t-elle.

– Bobby. Sur son téléphone personnel.

Ce qu'il fit, mais il n'obtint qu'un message enregistré l'informant que ce numéro n'était pas attribué.

– C'est impossible s'écria-t-il en reposant violemment le combiné. Je l'ai appelé pas plus tard qu'hier ! Une famille entière ne peut pas disparaître comme ça, sans laisser de traces !

Prise d'une inspiration, Courtney s'empara de l'annuaire et le feuilleta. Une fois à la lettre « P », elle chercha le nom de « Pendragon ». Mais elle eut beau parcourir plusieurs fois la colonne, elle dut bien se rendre à l'évidence :

– Ils n'y sont plus. Leur nom n'est plus dans l'annuaire.

Mark s'empara de l'annuaire et vérifia par lui-même. Elle avait raison : le nom de « Pendragon » n'y figurait pas.

– Est-ce qu'ils sont sur liste rouge ? demanda Courtney.

Plus que tout, cette découverte semblait mettre Mark mal à l'aise.

– Non. Et il y a autre chose. Il y a un an, Bobby est moi avons cherché son numéro dans ce même annuaire. Pour rigoler, j'ai rayé le « g » pour le mettre un « c » par-dessus. Oui, je sais, ce n'est pas très malin, mais tant pis. Et maintenant, il n'y a plus rien ! Personne ne l'a effacé, c'est c-c-comme… s'il n'avait jamais été là !

Cette histoire les dépassait. Toute une famille avait disparu. Il n'y avait plus qu'une chose à faire : prévenir la police. Mais comme ils n'avaient pas envie de le faire par téléphone, tous deux se dirigèrent vers le poste de police de Stony Brook.

Cette petite ville du Connecticut n'était pas vraiment une plaque tournante du crime. La police de Stony Brook devait parfois s'occuper d'une attaque à main armée ou d'une bagarre, mais les agents passaient le plus clair de leur temps à contrôler le trafic et s'assurer que les chiens ne fassent pas leurs besoins n'importe où.

Lorsque Courtney et Mark entrèrent dans le commissariat, ils ne savaient pas trop ce qu'ils allaient dire. Ils décidèrent de s'en tenir aux faits : Bobby et sa famille étaient introuvables et leur maison avait disparu. Il valait mieux s'abstenir de parler de l'anneau, du parchemin et de l'histoire fantastique censée être écrite de la main de Bobby. Ce serait un peu excessif, du moins pour un début. Ils s'adressèrent au policier assis derrière son guichet, le sergent D'Angelo. Comme Mark était trop nerveux, Courtney se chargea des explications. Elle lui dit que Bobby ne s'était pas présenté au gymnase hier soir alors qu'ils jouaient un match important et qu'il n'était pas venu en cours ce matin. Elle continua en racontant qu'ils s'étaient rendus chez les Pendragon pour constater que leur maison n'était plus là et que les membres de sa famille étaient introuvables. Le sergent D'Angelo écouta tout ce qu'elle lui dit en prenant des notes sur un formulaire. Courtney eut l'impression qu'il ne croyait pas un mot de ce qu'elle lui racontait, mais qu'il se contentait de faire son travail. Lorsqu'il eut rempli le formulaire, il se leva et s'installa devant son ordinateur. Il cliqua sur sa souris et regarda l'écran tout en leur jetant parfois un coup d'œil. Pourquoi cette grimace ? Finalement, il se leva et revint devant eux. Il fronça les sourcils :

– Écoutez, les enfants, je ne sais pas à quoi vous jouez, mais vous me faites perdre mon temps et gaspiller l'argent des contribuables.

Mark et Courtney ouvrirent de grands yeux.

– Que voulez-vous dire ? demanda cette dernière. Vous ne m'avez pas écoutée ? Une famille entière a disparu. Voilà qui devrait attirer l'attention de la police de Stony Brook, non ? Vous êtes là pour ça ?

Le sergent D'Angelo ne se laissa pas démonter.

– Les Pendragon, hein ? Au 2, Linden Place ?

– C'est b-bien ça, répondit Mark.

– Je viens de parcourir le registre de la ville, fit le sergent. Il n'y a personne de ce nom à Stony Brook. Il n'y a pas non plus de maison au 2, Linden Place. Il n'y a *jamais* eu de maison au 2, Linden Place ! Donc, il n'y a que deux explications. Soit vous nous faites une mauvaise blague, soit vous parlez d'une famille de spectres, et la police de Stony Brook ne se livre pas à la chasse aux fantômes.

Sur ce, il froissa le formulaire qu'il venait de remplir et le jeta dans la corbeille à papiers. Courtney était livide. Elle semblait prête à bondir par-dessus ce guichet, prendre ce flic obtus par le col et l'entraîner à leur école, là où tout le monde connaissait Bobby. Et elle l'aurait peut-être fait si quelque chose ne l'avait pas arrêtée.

L'anneau, toujours dans la poche de Mark, se mit à vibrer.

Le cœur de Mark loupa un battement.

Courtney se pencha sur le guichet, toisa le policier et grinça d'une voix vibrante de colère :

– Je me fiche de ce que dit votre ordinateur. Je connais bien les Pendragon ! Bobby est mon...

Mark la prit par la main et l'entraîna vers la sortie avec telle une force qu'il lui coupa la parole.

– Allons-y.

Il ne put rien ajouter. Dans sa poche, l'anneau vibrait de plus en plus.

– Pas question ! Pas tant qu'il...

– Courtney ! Viens !

Il lui lança un regard d'une intensité telle qu'elle comprit qu'il valait mieux ne pas discuter. Elle ne savait pas ce qui se passait, mais c'était du sérieux.

Il recula vers la porte en entraînant la jeune fille. Mais celle-ci voulut avoir le dernier mot :

– Je reviendrai ! cria-t-elle à D'Angelo. Et j'espère pour vous qu'il n'est rien arrivé à ces gens, sinon, vous allez le payer cher !

Mark l'attira au-dehors. Le sergent renifla, secoua la tête et reprit le journal qu'il lisait lorsqu'ils étaient entrés.

Mark amena Courtney dans une ruelle, hors de vue de l'artère principale. La jeune fille était plus grande et plus forte que lui, mais il ne voulait pas en démordre.

– Qu'est-ce qui te prend ? cria-t-elle.

– Ça.

Il tira l'anneau et le lui tendit.

La pierre grise était déjà devenue transparente et, une fois de plus, des rayons lumineux jaillirent de son centre. Sous le regard émerveillé de Courtney, il posa le bijou sur le pavé et fit quelques pas en arrière. L'anneau tressauta, se retourna et se mit à grandir.

– Oh… mon… Dieu ! souffla Courtney, éberluée.

À l'intérieur du cercle apparut un portail noir. De là jaillirent les notes de musique que Mark avait déjà entendu dans les toilettes de l'école. Les lumières dansèrent sur les murs et, bien qu'on soit en plein jour, elles brillaient si fort que les deux adolescents durent se protéger les yeux. La musique s'amplifia, la pierre émit un ultime éclair éblouissant, et tout s'interrompit. La lumière s'éteignit, la musique se tut.

– C'est tout ? demanda Courtney.

Mark s'avança vers l'anneau. Il était là, sur le pavé, à l'endroit où il l'avait laissé. Il avait retrouvé sa taille normale et la pierre avait repris sa couleur grise. Mais il y avait autre chose. À côté se trouvait un rouleau de parchemin relié par une cordelette de cuir. Il le ramassa se tourna vers Courtney.

– Le courrier est arrivé.

Journal n° 2

DENDURON

L'oncle Press va mourir demain.

Il s'est passé tant de choses depuis la dernière fois que j'ai pu t'écrire, Mark. Ces derniers jours ont été étranges, effrayants, dérangeants et même parfois – oserais-je ? – plutôt amusants. Mais ce qui importe, c'est que l'oncle Press va mourir demain.

Pour l'instant, je suis assis dans une petite caverne à plus de cinquante mètres de profondeur. J'écris à la lumière d'une chandelle, car il n'y a pas d'électricité. Si je regarde autour de moi, je ne vois rien, que des rochers. Des tonnes et des tonnes de rochers noirs qui semblent près de s'écrouler d'un instant à l'autre. Je ferais mieux de ne pas y penser, parce que je me flanque la frousse tout seul. La caverne ne va pas s'effondrer sur ma tête. Je suis en sécurité, du moins pour l'instant. Si quelqu'un doit s'inquiéter, c'est plutôt l'oncle Press.

Si je te dis tout ça, c'est parce que j'ai besoin de ton aide. Ce que je vais te demander de faire est assez dangereux. Dans des circonstances habituelles, je n'irais jamais te faire courir de risques, mais je ne vois pas d'autre moyen de sauver l'oncle Press. Si tu ne veux pas le faire, je comprendrai, mais avant que tu ne prennes ta décision, il faut que je te raconte ce qui s'est passé depuis la dernière fois que je t'ai écrit. Quand tu sauras tout, alors tu choisiras en ton âme et conscience.

Ma dernière lettre se terminait au moment où les chevaliers de Kagan emmenaient l'oncle Press alors que je tombais dans les pommes. Est-ce que tu t'es jamais évanoui, comme ça ? Rien à voir avec lorsqu'on s'endort. Là, tu ne sais jamais avec exactitude le moment où tu vas plonger. Tu restes allongé, tu attends, et *pan !* tout à coup, tu te réveilles le lendemain matin. Mais quand tu tournes de l'œil, tu es parfaitement conscient de ce qui se passe. Ce n'est pas très agréable. Et reprendre connaissance non plus, d'ailleurs. Pendant un moment, tu ne sais pas trop où tu es ni ce qui se passe, et puis, soudain, tout te revient d'un bloc et tu es projeté dans la réalité. C'est assez violent, comme expérience.

Bien sûr, dans ce cas précis, même après avoir repris conscience, je ne savais pas où j'étais ni ce qui se passait. La première chose que j'ai vue, c'est un visage. Celui d'une fille. Un instant, j'ai cru qu'il s'agissait de Courtney ; mais quand mon cerveau s'est remis en marche, j'ai réalisé qu'elle ne lui ressemblait pas du tout. Elle était incroyablement belle. (Non, attends une minute. Je ne veux pas dire que Courtney n'est pas belle, non, juste que cette fille était différente.) À première vue, elle devait avoir mon âge, peut-être un peu plus. Sa peau était très hâlée et ses yeux si bruns qu'ils en semblaient noirs, tout comme ses cheveux. Ils étaient noués en une longue tresse qui descendait jusqu'au milieu de son dos. Elle portait des peaux de cuir semblables à celles que l'oncle Press m'avait fait enfiler, mais elles lui allaient très bien, car elle avait un corps fantastique. Ce devait être une athlète ou quelque chose comme ça. Franchement, elle était bâtie comme une championne de marathon. Rien que du muscle, pas un gramme de graisse. Incroyable. Et elle était grande : quelques centimètres de plus que moi. Si je l'avais rencontrée chez nous, j'aurais dit qu'elle était d'origine africaine. Mais j'étais bien loin de chez nous.

Je suis resté allongé pendant qu'elle m'observait avec des yeux dépourvus de toute expression. Impossible de dire si elle était contente de constater que j'étais en vie ou si elle s'apprêtait à finir ce que les quigs avaient commencé et m'achever pour de bon. Nous sommes restés là, à nous regarder en chiens de faïence pendant quelques secondes. Finalement, j'ai avalé ma salive pour m'éclaircir la voix et j'ai coassé :

– Où suis-je ?

Bon, d'accord, ça manquait cruellement d'originalité, mais c'est exactement ce que je voulais savoir.

Elle n'a pas répondu. Elle s'est levée et dirigée vers une table. Deux bols en bois étaient posés dessus ; elle m'en a tendu un, mais je ne l'ai pas pris. Qui sait ce qu'il pouvait contenir ? C'était peut-être du poison. Ou du sang. Ou un liquide dégoûtant qui, dans ce pays, était un mets de choix, mais qui m'aurait fait vomir tripes et boyaux.

– C'est de l'eau, a-t-elle dit.

Oh.

J'ai donc pris le bol. Je mourais de soif. La fille est allée se tenir dans l'embrasure de la porte, les bras croisés. J'ai bu une gorgée et regardé autour de moi. Je me trouvais dans une sorte de hutte. Pas très grande, de la taille de mon salon. Six murs et une pièce unique. Un hexagone, c'est ça ? Les murs étaient composés de pierres maintenues ensemble par de la boue. Quelques trous faisaient office de fenêtres et une ouverture plus grande de porte. Le plafond, composé de branches entrelacées, s'élevait à partir d'un point central. Le sol était de terre battue, mais dur comme du ciment. Je reposais sur une sorte de banc fait de rondins noués ensemble avec une paillasse par-dessus. Ce lit était relativement confortable, mais je n'avais pas envie d'y passer toute une nuit. Il y avait d'autres couches comme celle-ci, soigneusement alignées dans la hutte, ce qui m'a donné à penser qu'il s'agissait peut-être d'une sorte d'hôpital. C'était logique. Après ce que j'avais vécu, c'était là que je devais échouer.

On aurait dit qu'une machine à remonter le temps m'avait projeté quelques milliers d'années en arrière, à une époque où les gens construisaient leurs demeures à partir de tout ce qui leur tombait sous la main... et ne se préoccupaient guère de l'hygiène. Ah oui, j'ai oublié de le mentionner, mais cet endroit puait comme un vestiaire pour boucs. C'était à se demander si le mortier qui maintenait les briques en place était vraiment de la terre ou quelque chose de bien moins ragoûtant.

J'ai regardé cette fille extraordinaire. Elle m'a rendu mon regard. Était-elle une alliée ? Une ennemie ? Une gardienne chargée de me surveiller en attendant qu'un de ces chevaliers vienne m'emmener comme ils l'avaient fait pour l'oncle Press ?

Un million de pensées ont traversé mon esprit, mais il y en a une qui dominait toute les autres.

Il fallait que j'aille aux toilettes.

La dernière fois que j'en avais eu l'occasion, c'était avant que Courtney ne sonne à ma porte. À combien de temps ça remontait ? Un million d'années ? Vu la façon dont ma vessie me tiraillait, ce devait être à peu près ça. Plutôt que de rester là et mouiller mes peaux, je me suis levé.

– Hé, il faut que…

À peine avais-je bougé que la fille est passée en mode « attaque ». Elle s'est aussitôt accroupie et a tiré une barre de bois qu'elle devait garder accrochée dans son dos. La barre mesurait presque deux mètres et semblait avoir beaucoup servi. Elle l'a brandie fermement, à deux mains, et j'ai vu que chaque bout arborait des taches d'un noir brillant. J'aimais mieux ne pas savoir ce qui avait pu laisser de telles marques. Mais plus effrayant encore étaient ses yeux : un regard de prédateur focalisé sur sa proie. Moi, en l'occurrence.

Je me suis figé sur-le-champ. Pas question de me relever, sinon elle m'aurait frappé avec une telle force que ma tête aurait heurté le sol avant mes pieds. J'osais à peine respirer de peur de m'attirer ses foudres. Nous sommes restés à nouveau figés, chacun attendant de voir ce que l'autre allait faire. En tout cas, une chose était sûre : je ne bougerais pas le premier. Et si elle faisait mine de s'avancer vers moi, je sauterais de ce banc et foncerais tête la première par la fenêtre.

Puis une voix a résonné au-dehors :

– *Buzz obsess woos saga !*

En tout cas, ça y ressemblait ; je ne suis pas sûr de l'orthographe. Une silhouette s'est encadrée dans la porte. C'était une femme, vêtue de ces mêmes habits de cuir croûteux qui semblaient être à la mode dans le coin. En fait, elle ressemblait étonnamment à la fille qui s'apprêtait à m'assommer, mais en plus âgée. Mais aussi puissante que paraisse cette femme, quelque chose en elle m'a dit qu'elle pouvait me tirer de ce mauvais pas. Je pense que c'étaient ses yeux. Ils respiraient la bonté, et non la colère. Lorsqu'ils se sont posés sur moi, j'ai su que tout irait bien.

Elle avait quelque chose de familier, bien que je ne voie pas où j'aurais pu la rencontrer. Elle a décoché un regard sévère à la fille, qui a obéi à contrecœur et reposé son arme. Ouf. Le pire était évité.

Puis la femme s'est tournée vers moi et a déclaré :

– Excuse ma fille. Parfois, elle se prend un peu trop au sérieux.

Nouvelle information. Cette équipe était composée de la mère et la fille. Ça n'aurait pas dû m'étonner, vu la ressemblance. Je me suis demandé de quoi avait l'air le père. Il devait être bâti comme une armoire normande. Je n'étais pas encore assez en confiance pour bouger. Cette femme ne semblait pas dangereuse, mais après ce que j'avais vécu, je préférais ne pas prendre de risques. Elle est venue s'agenouiller à côté de ma couche et m'a fait un sourire bienveillant.

– Je m'appelle Osa, a-t-elle dit doucement, et ma fille Loor.

– Moi… Moi, c'est Bobby, et je ne suis pas d'ici.

C'est tout ce que j'ai trouvé à dire. Tout en souriant, Osa a continué :

– Nous non plus. Et je sais très bien qui tu es, Pendragon. Nous t'attendions.

Hein ? Elle savait qui j'étais ! Les pensées les plus diverses m'ont à nouveau traversé l'esprit, mais une en particulier a dominé les autres : si elles savaient qui j'étais, pourquoi cette espèce d'amazone était-elle sur le point de me casser la figure ? J'ai préféré ne pas poser la question. Je n'avais aucune envie d'irriter Loor. Elle pouvait toujours tirer son bâton et m'en flanquer un coup sur le crâne malgré tout.

– Comment savez-vous qui je suis ? ai-je demandé.

– Press nous l'a dit, bien sûr. Cela fait pas mal de temps qu'il nous parle de toi.

Voilà ! Maintenant, je me souvenais pourquoi j'avais l'impression de la connaître. L'oncle Press l'avait amenée chez nous. Nous nous étions déjà rencontrés ! Je me suis rappelé ce que j'avais alors pensé : comme elle était belle, et comme son silence m'avait paru étrange. Fin du mystère : c'était une amie de l'oncle Press. Mais soudain, j'ai eu un nouvel éclair de lucidité. Comment avais-je pu l'oublier un seul instant ? L'oncle Press était en danger. Enfin, je pensais qu'il l'était. Ces chevaliers qui l'avaient pris au lasso et emmené n'avaient pas l'air amicaux. Une décharge d'adrénaline a traversé mes veines, et je me suis assis tout droit :

– Il faut le retrouver ! me suis-je écrié.

Mauvais plan. Pas de crier, mais de me relever. Après notre accident de bobsleigh, tout mon corps n'était qu'une plaie. Une onde de douleur m'a frappé comme, eh bien, comme l'aurait fait ce bâton si Osa n'avait pas empêché Loor de me prendre comme punching-ball. Je ne sais pas pourquoi je ne m'en étais pas encore aperçu, mais j'étais dans un sale état. J'ai eu l'impression que toutes mes côtes étaient cassées. La douleur m'a coupé le souffle. Mes jambes m'ont lâché et j'ai dû me rallonger sous peine de tomber encore dans les pommes. Osa s'est empressée de me prendre par les épaules et m'a recouché avec une grande douceur.

– Ce n'est rien, a-t-elle dit d'une voix rassurante. La douleur va passer.

Comment pouvait-elle le savoir ? À moins qu'elle ne me croie aux portes de la mort. À part ça, je ne voyais pas ce qui pouvait apaiser une telle souffrance. Mais ce qui s'est passé ensuite m'a laissé pantois. Je suis resté allongé, à respirer par petites bouffées pour que mes côtes ne me fassent pas trop mal. Puis Osa a tendu la main et l'a posée sur ma poitrine. Elle m'a regardé droit dans les yeux et – je te le jure, Mark – j'ai eu l'impression de fondre comme neige au soleil. La tension s'est écoulée hors de moi.

– Détends-toi, a-t-elle dit doucement. Respire lentement.

Je lui ai obéi. Mon cœur s'est vite calmé, et j'ai pu inspirer profondément. Mais le plus incroyable, c'est que la douleur s'en est allée. Il n'y avait pas une seconde, j'avais si mal que je ne pouvais même pas pleurer. Et maintenant je ne sentais plus rien.

Osa a retiré sa main et jeté un coup d'œil à Loor pour voir sa réaction. Celle-ci s'est détournée. Apparemment, elle ne se laissait pas impressionner par ces tours de passe-passe. Mais moi si. C'était un miracle.

Je me suis redressé et tâté les côtes.

– Comment vous avez fait ça ?

– Fait quoi ? a-t-elle répondu innocemment.

– Vous voulez rire ? ai-je crié. Mes côtes ! Elles me faisaient mal. Vous m'avez à peine touché, et hop ! bon pour le service.

Osa s'est redressée.

– Peut-être n'étais-tu pas blessé aussi gravement que tu le croyais.

– Ben voyons ! ai-je rétorqué. Je sais ce qu'est la douleur, surtout la mienne.

Loor a décidé de se joindre à nous.

– Nous perdons du temps, a-t-elle dit d'un ton grognon. Press est prisonnier de Kagan.

Je n'aimais pas trop ses manières, mais elle avait raison.

– Qui est Kagan ? ai-je demandé.

– Tu as bien des choses à apprendre, a répondu Osa. Press devait commencer ton apprentissage, mais en attendant son retour, c'est à moi que revient cette tâche. Viens.

Elle s'est dirigée vers le trou dans le mur servant de porte et s'est arrêtée à côté de sa fille. Toutes d'eux m'ont dévisagé ; j'en ai déduit qu'elles voulaient que je les suive. Je me suis relevé en me crispant dans l'attente d'un nouvel accès de douleur foudroyante, mais rien ne s'est passé. Étonnant. J'ai alors regardé Loor pour voir si elle risquait de m'attaquer à nouveau. Mais elle n'avait pas l'air bien agressif. Jusque-là, tout allait bien.

– Ne devrions-nous pas aller libérer l'oncle Press ? ai-je demandé.

– Nous le libérerons, a répondu Osa. Mais d'abord, tu dois en savoir plus sur Denduron.

Denduron. Exact. C'était là où je me trouvais. Jusque-là, je ne peux pas dire que ce pays me plaisait énormément, et je ne voyais rien qui puisse me faire changer d'avis. Mais comme je n'avais pas beaucoup d'autres possibilités, j'ai suivi le mouvement. J'ai fait deux pas, puis me suis arrêté : je venais de me souvenir de quelque chose de très, très important.

– Heu… pardon, où sont les, enfin, je veux dire, il faut que j'aille…

– Tu peux te soulager là, a répondu froidement Loor.

Elle a désigné le coin à l'autre bout de la pièce où un écran de bois séparait un petit espace du reste de la hutte.

– Super, merci, ai-je dit en m'y précipitant.

Lorsque j'ai regardé derrière l'écran, j'ai aussitôt appris deux choses. D'abord, que ces gens ne connaissaient pas la plomberie. Les toilettes n'étaient guère qu'un trou dans la terre entouré de pierres. Pas vraiment le dernier cri. Ensuite, j'ai compris l'origine de l'odeur qui imprégnait la hutte. Apparemment, ils n'avaient pas non plus découvert qu'il valait mieux mettre tout ça à l'extérieur. On aurait dit qu'un éléphant malade était passé par là. Mais bon, ce n'était pas chez moi et je n'avais pas vraiment le choix. Alors j'ai retenu mon souffle pour me protéger de l'odeur et mis cinq bonnes minutes à me battre avec ces peaux. Apparemment, ces gens n'avaient pas non plus découvert la fermeture éclair. C'est à ce stade que j'ai réalisé que mes fourrures avaient disparu. Quelqu'un avait dû les enlever pendant que j'étais inconscient. Bah ! ça me faisait toujours une couche de moins à retirer.

Ensuite, j'ai traversé la hutte au pas de course. Je n'avais pas la moindre idée de ce que j'allais trouver là dehors, donc rien n'aurait dû me surprendre, hein ? Sauf que là, j'ai dû m'arrêter le temps de reprendre mon souffle. J'étais entré dans un autre monde, et il ne ressemblait à rien que j'aie connu. La hutte dont je venais de sortir faisait partie d'un village. Les habitations étaient toutes semblables, enfin plus ou moins, avec des murs de pierres et des toits faits de branches entrelacées. Il n'y avait pas de décorations pour distinguer l'une de l'autre. Certaines étaient pourvues de cheminées d'où s'échappaient des volutes de fumée, ce qui voulait dire qu'on y avait allumé des feux, pour la chaleur ou la cuisine. Les étroits sentiers qui reliaient les huttes étaient faits de terre battue tassée par d'innombrables pieds. Et pourquoi pas ? Ils n'avaient pas à y faire passer de voitures. Toutes les huttes étaient bâties autour d'une clairière herbue, comme un square municipal avec en son centre une grande plate-forme de bois ronde de plus de trois mètres de diamètre. Elle reposait sur des pierres, comme les huttes, sur lesquelles on avait disposé des rondins. Ça m'a fait penser à ces villes aux parcs pourvus d'un kiosque pour les concerts du dimanche. Mais pour l'instant, la scène était vide. Pas de spectacle aujourd'hui.

Le village bourdonnait d'activités et de gens qui s'occupaient, eh bien… de ce qu'on fait habituellement dans un village comme celui-ci. Certains portaient des paniers remplis de nourriture, d'autres conduisaient des troupeaux de chèvres. Tous portaient des vêtements de cuir semblables aux miens : j'avais beau me sentir bizarre, je me fondais dans la masse. Si quelqu'un tranchait sur le reste des villageois, c'étaient plutôt Osa et Loor. Comme je te l'ai dit, elles étaient grandes et athlétiques avec la peau sombre. Or, dans ce village, il n'y avait pas d'autres gens de couleur. Au contraire : les habitants de Denduron avaient la peau la plus blême que j'aie jamais vue. On aurait dit qu'ils n'avaient jamais croisé un rayon de soleil. Bizarre : le ciel était couvert en ce moment, mais quand j'étais au sommet de la montagne, j'avais nettement vu trois soleils. Est-ce que personne ne bronzait ici ? Ou le temps était-il toujours aussi nuageux ? Quoi qu'il en soit, il était évident que, comme elles l'avaient dit, Osa et Loor n'étaient pas originaires de Denduron.

Le village avait été édifié au milieu d'une forêt. D'un côté, au-delà des huttes, on voyait des champs cultivés, et pas mal de villageois qui s'y affairaient. Dans la direction opposée, j'ai aperçu les montagnes que l'oncle Press et moi avions dévalées pour échapper aux quigs. Partout ailleurs, je n'ai vu que des arbres. Bon, je ne suis pas un expert en anthropologie, mais au premier coup d'œil ce village m'a fait penser aux livres et aux films consacrés à l'Europe médiévale. Il ne manquait plus qu'un château dominant le village de sa sinistre présence.

Osa et Loor me laissèrent tranquille quelques minutes, le temps que je m'imprègne du décor. J'allais les rejoindre lorsque, soudain, quelqu'un m'a saisi le bras par-derrière et m'a fait pivoter.

– *Ogga ta vaan burr sa !*

C'était un petit bonhomme aux longs cheveux crasseux, avec un bandeau sur un œil et un sourire dévoilant plus de trous que de dents. Chacun de ses doigts s'ornait d'un anneau qui semblait fait de cordes tressées. Dix doigts, dix anneaux. Ce type ne se souciait guère de propreté, mais il aimait les bijoux. Je n'avais pas la moindre idée de ce qu'il me voulait, mais sans crier gare, il m'a mis dans les mains un machin de fourrure. J'ai fait un bond en arrière avant de réaliser que c'était juste une sorte de pull.

– *Ogga ta vaan*, a-t-il répété, toujours avec son grand sourire.

J'ai présumé qu'il ne me voulait aucun mal, juste que je prenne ce truc. Hé, pourquoi pas ? Dans le coin, c'était peut-être un signe de bienvenue. D'ailleurs, mon habit de cuir n'était pas vraiment chaud. Je lui ai rendu son sourire et ai tendu la main. Mais au moment où j'allais prendre son vêtement, il l'a retiré, a tendu la main et s'est frotté les doigts. Le signe universel, voire probablement intergalactique, signifiant : « On paie d'avance. » Ce drôle de bonhomme essayait de me vendre son pull.

– Laisse-le tranquille, Figgis ! a dit Osa en s'interposant entre nous deux.

– *Mab abba kan forbay*, a répondu le bonhomme d'un air innocent (du moins je présume, puisque je ne comprenais rien à ce qu'il racontait).

– Il vient d'arriver, a renchéri Osa. Va fourguer ta marchandise ailleurs.

Ce type était une version locale des VRP. Sous l'effet de la déception, il s'est comme tassé sur lui-même et s'est détourné, mais avant de vaquer à ses occupations, il m'a décoché un sourire rusé. Il a plongé la main sous sa chemise crasseuse et en a tiré une pomme qu'il m'a mise sous le nez d'un air tentateur. Et en effet, elle avait l'air délicieuse.

– Va-t'en ! a ordonné Osa.

Figgis lui a montré les dents, enfin ce qui lui restait, et a obéi.

– S'il le pouvait, Figgis te vendrait jusqu'à l'air que tu respires, a-t-elle expliqué. On dit qu'il porte ce bandeau, parce qu'il a vendu son œil à un aveugle.

Charmant, comme image.

– Osa, ai-je demandé, venez-vous de la Terre ?

En guise de réponse, elle a éclaté de rire et regardé Loor pour partager la plaisanterie que je n'ai pas comprise. Mais Loor a gardé son sérieux. Étonnant, non ?

– Qu'est-ce qui te fait dire ça ?

– Vous parlez ma langue, ai-je remarqué.

— Tu te trompes, Pendragon. Je ne connais pas le moindre mot de ta langue. Viens.

Elle m'a laissé planté là et s'est éloignée avec Loor.

Hein ? Je peux me tromper, mais j'étais sûr qu'elle me parlait en anglais. J'étais bien placé pour le savoir. À part le peu que j'avais retenu de mes cours d'espagnol, c'est la seule langue que je comprenne. Ça devenait agaçant. À chaque fois que j'avais l'impression de comprendre quelque chose à la situation, on me tirait le tapis sous les pieds. Autant m'y résigner.

Osa et Loor avaient déjà pris de l'avance : j'ai dû les rejoindre au pas de course. En fait, j'ai continué de courir à petites foulées pour rester à leur hauteur, tant elles marchaient à longues enjambées. J'ai pris bien soin de garder Osa entre moi et Loor. La mère me plaisait bien, mais je n'avais aucune confiance en la fille. De temps en temps, je voyais bien qu'elle me jetait un de ces regards signifiant que, pour elle, je ne méritais même pas d'exister. Pas de doute, elle me battait froid. J'en ai conclu qu'il valait mieux ne pas m'en approcher.

— Je ne comprends pas, ai-je dit à Osa. Comment pouvez-vous affirmer ne pas comprendre l'anglais alors que vous le parlez ?

— Je ne parle pas anglais, a-t-elle insisté. Toi si. Je m'adresse à toi dans la langue de Zadaa, notre pays.

— Ça ressemble fichtrement à de l'anglais, ai-je remarqué.

— Bien sûr. C'est parce que tu es un Voyageur.

Alors là, je comprenais de moins en moins.

— Donc, vous voulez dire que les Voyageurs comprennent toutes les langues ?

Hé, c'était logique, non ?

— Non, a-t-elle répondu de la plus illogique des façons. Les Voyageurs entendent toutes les langues comme s'il s'agissait de la leur. Et lorsqu'ils s'expriment, les autres peuvent les comprendre, quel que soit leur langue d'origine.

Super. Si c'était vrai, j'aurais enfin la moyenne en cours d'espagnol. Et pourtant, il y avait toujours un os.

— Bon, d'accord. Dans ce cas, comment se fait-il que je n'aie rien compris à ce que racontait ce Figgis ?

Soudain, Loor a bondi devant moi. J'ai dû freiner à mort sous peine de lui rentrer dedans. Ce qui n'était pas conseillé.

– Peut-être que tu n'es pas un Voyageur ? a-t-elle feulé d'un air de défi.

Ahhh ! Maintenant, tout s'expliquait. Loor pensait que je n'étais pas celui que je prétendais être. Voilà pourquoi elle était si agressive avec moi. Bien sûr, je n'étais moi-même pas trop sûr de ce que j'étais exactement, si bien que je ne pouvais rien dire pour la convaincre que j'étais bien moi. Ou ce que j'étais censé être. Ou… Je pense que tu vois le dilemme.

Une fois de plus, Osa a volé à mon secours :

– Si tu n'as pas compris Figgis, c'est parce que tu n'as pas encore appris à écouter. Tu nous comprends parce que nous sommes des Voyageurs, nous aussi. Mais Figgis ne l'est pas. Tu dois t'efforcer d'entendre sans chercher à écouter.

Pardon ? Entendre sans écouter ? On aurait dit un aphorisme zen à deux balles dans un mauvais film de kung-fu.

– Il ne peut pas être un Voyageur ! a dit Loor avec véhémence. Ce n'est qu'un gamin ! Il est mou et craintif. Il fera plus de mal que de bien !

Et pan ! Dans les dents. Là, ma fierté en a pris un coup. Malheureusement, elle avait raison. J'étais bel et bien une chiffe molle et une poule mouillée. Peut-être n'étais-je pas un Voyageur, effectivement. Franchement, ça ne me causerait pas de problèmes existentiels, même si ça améliorerait mes notes en espagnol. J'ai commencé à me dire que tout ça n'était qu'un malentendu et qu'ils allaient me renvoyer chez moi.

Osa m'a regardé de ses yeux sombres empreints de sagesse, mais c'est à Loor qu'elle s'est adressée :

– Non, Pendragon est un Voyageur. Mais il a encore beaucoup à apprendre. (Elle a toisé sa fille avant d'ajouter :) Et tu sembles oublier que tu n'es toi-même qu'une enfant.

Loor s'en est allée, furieuse. J'ai eu la nette impression qu'elle n'aimait pas qu'on la contredise. Osa s'est tournée vers moi :

– Elle n'est pas toujours aussi agressive, tu verras.

– Oh, ce n'est rien, ai-je répondu. Du moment que ce n'est pas à moi qu'elle en veut !

Osa a souri et continué de marcher. Pendant que je la suivais, elle m'a parlé de Denduron :

— Les gens qui habitent ce village font partie d'une tribu nommée les Milagos, a-t-elle commencé. Comme tu le vois, ils mènent une existence simple. Ils peuvent subvenir à leurs besoins et vivent en paix avec les autres tribus de Denduron.

Milagos. L'oncle Press avait déjà employé ce mot avant que ces chevaliers ne viennent l'enlever. Il a dit que ces gens me trouveraient ; donc, ce devait être les bons.

— Et ces chevaliers ou Dieu sait quoi qui ont enlevé l'oncle Press ? ai-je demandé. Ils sont aussi de Milago ?

— Non. C'est ce que je veux te montrer.

Continuant notre promenade, nous sommes sortis du village pour emprunter un chemin traversant la forêt, et avons parcouru environ deux cents mètres. (Pour calculer les distances, je me réfère toujours à la piste de course de Stony Brook High. Elle mesure deux cents mètres, et j'ai eu l'impression d'avoir parcouru la même distance.) Nous sommes alors tombés sur une clairière et, une fois de plus, je suis resté sans voix devant le spectacle qui m'y attendait. Tu te souviens, j'ai dit qu'il ne manquait plus qu'un château médiéval dominant le village ? Là, il y avait bien un château, sauf qu'il ne dominait pas grand-chose.

Voici ce que j'ai vu : quand nous avons émergé du sentier, nous avons abordé une vaste étendue d'herbes ondoyantes, puis traversé ce champ jusqu'à atteindre une falaise. Celle-ci surplombait une immense étendue d'eau. Oui, nous nous trouvions face à un océan aussi grand et aussi bleu que l'Atlantique. La mer se trouvait sur ma droite, et je me suis tourné pour suivre des yeux la côte – rocailleuse et inégale avec de grandes falaises escarpées. J'ai alors constaté que l'endroit où nous nous trouvions faisait partie d'une crique. En regardant par-dessus bord, j'ai vu le mouvement incessant des vagues venant s'écraser sur les rochers en contrebas. Loin, très loin en contrebas. Nous étions si haut que j'ai commencé à transpirer. Je n'aime pas trop les hauteurs. J'ai levé les yeux sur la falaise à l'autre bout de la crique et constaté que son sommet était couvert de hautes herbes ondoyant sous la brise marine. Mais c'est ce que j'ai vu *sous* ces herbes qui m'a coupé le souffle.

Une forteresse monstrueuse était là, bâtie à même la roche, comme une gravure. J'ai distingué plusieurs balcons où des chevaliers semblables à ceux qui avaient emmené l'oncle Press montaient la garde. Ils faisaient les cent pas, portant sur l'épaule des lances d'allure peu engageante. Je ne sais pas contre quoi ils montaient la garde. Des poissons volants, peut-être.

La forteresse était si immense que j'ai pu compter cinq niveaux de balcons. Osa a dû lire mes pensées, car elle a déclaré :

– Tu ne vois que le mur extérieur du palais. Il s'enfonce au plus profond de la roche. C'est un vrai village à lui tout seul.

D'après ce que je pouvais voir, ces gens ne devaient pas disposer d'instruments de construction : la forteresse avait été creusée manuellement, à même la pierre. Un travail qui avait dû prendre des siècles !

– Il y a toujours eu deux tribus pour se partager ce territoire, a-t-elle continué. Les Milagos cultivent la terre et les Bedoowans sont des soldats et des dirigeants. Jadis, la plupart des tribus de Denduron étaient en guerre. Les Bedoowans protégeaient les Milagos des pillards et, en échange, les Milagos leur fournissaient des provisions. Chaque tribu dépendait de l'autre, et pourtant elles restaient très éloignées. Et cette relative harmonie a duré plusieurs siècles. Mais les Bedoowans étaient puissants, et de la puissance peut découler l'arrogance. Il était interdit à un ou une Milago d'épouser un ou une Bedoowan, ou même de nouer des liens amicaux d'une tribu à une autre. Comme il arrive souvent dans pareil cas, les Bedoowans se sont mis à considérer les Milagos comme leurs esclaves.

– Mais ils continuent de protéger les Milagos, n'est-ce pas ? ai-je demandé.

– Cela fait des années que nous n'avons pas eu d'envahisseurs. Nous n'avons plus besoin de leur protection.

– Donc, ces Milagos se tapent tout le boulot pendant que les Bedoowans font… Quoi exactement ?

– C'est une bonne question. Les Bedoowans sont gouvernés par une famille royale, et le rôle de monarque est transmis à l'aîné. Il n'y a pas si longtemps, un roi bedoowan a voulu briser la barrière séparant les deux tribus pour qu'elles n'en fassent plus qu'une. Mais il est mort et a laissé le trône à son héritier. Certains pensent que le père a été assassiné par ceux qui s'opposaient à ce que les Beedowans renoncent à leur souveraineté.

– Attendez : j'imagine que le nouveau monarque préfère profiter de ses esclaves et veut que les tribus restent séparées, ai-je dit.

– Oui. Les Milagos ont peur de prononcer jusqu'à son nom... Kagan.

Encore ce type. Je commençais à entrevoir la vérité, même si elle ne me plaisait guère.

– Les hommes qui ont attaqué l'oncle Press pensaient qu'il espionnait Kagan, ai-je dit. Mais l'oncle Press a prétendu n'être qu'un mineur. Il y a des mines dans le coin ?

– Oui, a-t-elle répondu tristement. C'est là que l'histoire prend un tour dramatique.

Oh, je n'avais encore rien entendu ! Super. Mais avant qu'Osa ne puisse continuer, j'ai entendu comme un roulement de tambour dans le lointain, battant un rythme régulier. Et il prove-nait du village des Milagos.

Loor s'est avancée vers nous, hors d'haleine :

– C'est le Transfert. Vite !

Et elle est repartie par le chemin que nous avions emprunté.

Osa m'a regardé et dit d'un ton soucieux :

– Reste près de moi. Il ne faut pas qu'ils te voient.

Et elle est partie en courant à son tour.

Comme je te l'ai dit, ces deux-là étaient de véritables athlètes. Mais quelle que soit leur allure, je n'allais pas me laisser distancer. Je les ai rattrapées et suis resté à peu de distance d'Osa alors que nous filions vers le village des Milagos. Heureusement qu'il n'était qu'à quelques centaines de mètres, sinon j'y aurais laissé ma peau.

En approchant du village, j'ai constaté que tout le monde se précipitait vers la place centrale et son estrade. Il faut croire qu'il allait bel et bien s'y produire quelque chose. Les Milagos abandonnaient leurs champs ou leurs huttes et interrompaient leurs activités pour se rassembler autour de la plate-forme.

J'étais prêt à me joindre à eux, mais Osa m'a pris la main et entraîné dans une direction opposée. Tous les trois, nous avons grimpé sur l'une des huttes de pierre et nous sommes positionnés sur le toit pour assister au spectacle.

– Ils ne doivent pas nous voir, m'a averti Osa. Nous ne devons pas prendre part à la cérémonie.

Pas de problème. Puisqu'elle le disait. De toute façon, du haut de notre perchoir, nous avions une vue imprenable. Je me suis donc installé confortablement en attendant le spectacle. Serait-ce un concert de musiciens locaux ou un spectacle scolaire ?

J'ai regardé la clairière. Les villageois milagos formaient un grand cercle autour de la plate-forme centrale. Celle-ci n'était plus vide. Au sommet, j'ai vu un drôle d'appareil qui ressemblait à une scie. D'un côté, il y avait un siège et, de l'autre, un grand panier ouvert. Près de cet appareil se tenait un des chevaliers de Kagan, occupé à taper sur un tambour. Si c'était là tout ce qu'il y avait à voir, ce n'était pas très passionnant, mais peut-être voulait-il juste rameuter tout le monde. Le rythme sonore résonnait dans tout le village. À côté de la plate-forme se tenaient six autres chevaliers, chacun brandissant une lance devant lui. Les villageois restaient le plus loin possible de ces gars-là. Je ne pouvais les en blâmer. Ils n'avaient pas l'air commodes.

Soudain, j'ai réalisé que ces gens n'avaient pas l'air très contents d'être là. Il n'y avait rien de cette joyeuse tension qui précède un spectacle ou une distraction de ce genre. Personne ne parlait, personne ne riait. À part le roulement du tambour, il planait un silence de mort. En fait, les villageois avaient l'air de redouter ce qui allait suivre.

Osa m'a tapoté sur l'épaule et montré l'autre extrémité de la clairière. J'ai suivi son doigt pour voir un groupe de quatre Milagos marchant lentement vers l'assemblée. Quatre hommes, tous couverts de terre de la tête aux pieds. Bon, ces gens dans leur ensemble n'étaient pas vraiment des modèles de propreté, mais ceux-ci battaient vraiment tous les records. Leur peau blême faisait nettement ressortir leur couche de crasse. Ils portaient un grand panier rempli de rochers mal dégrossis, certains gros comme des balles de bowling, d'autres bien plus petits. Mais ils avaient un point en commun : ils étaient bleus. Et pas un bleu quelconque, non : ils étincelaient comme des saphirs. Je n'avais jamais rien vu d'aussi étonnant.

– Ce minerai s'appelle « azur », a chuchoté Osa. On le trouve dans les mines de la région. Les Milagos triment nuit et jour pour l'extraire du sol.

– J'imagine qu'il a une grande valeur, ai-je dit, comme si ce n'était pas évident.

– Une valeur incalculable. L'azur est la principale raison qui pousse Kagan à garder la mainmise sur les Milagos. Ce minerai a fait la richesse des Bedoowans. Ils le vendent à des marchands venus de tout Denduron. Tant que les Milagos se chargent d'extraire l'azur, Kagan reste un monarque très puissant.

Ainsi, Kagan et les Bedoowans étaient non seulement des feignants et des brutes, mais aussi des rapaces qui forçaient les Milagos à faire leur sale boulot. Charmant. J'aurais bien voulu poser d'autres questions, mais soudain le soldat a cessé de taper sur son tambour et un silence inquiétant s'est abattu sur le village. Les quatre mineurs ont porté le panier d'azur sur la plate-forme et l'y ont déposé soigneusement. Tout ça commençait à prendre des allures de cérémonie, en effet. Le Transfert, avait dit Loor.

C'est alors que j'ai entendu un bruit, celui d'un cheval au galop. Quelqu'un venait par le chemin que nous avions pris pour atteindre l'océan. Et le plus étrange, c'est que personne ne s'est retourné pour regarder le nouvel arrivant. Enfin, personne à part moi.

Le cheval a jailli de la forêt. Apparemment, l'homme qui le montait savait ce qu'il faisait. C'était un type grand et costaud aux longs cheveux noirs qui portait une armure de cuir semblable à celle des chevaliers, sauf que celle-ci ne devait pas avoir souvent vu de bataille. Contrairement aux armures de ses hommes, qui étaient usagées et portaient des traces de coups, la sienne était comme neuve. Alors qu'il galopait en direction des villageois, ceux-ci se sont écartés pour lui permettre d'accéder à la plate-forme. C'était tout dans leur intérêt, d'ailleurs, car il n'a même pas ralenti. S'ils ne lui avaient pas ouvert un passage, il les aurait sans doute piétinés. Il ne m'était pas très sympathique.

– C'est lui, Kagan ? ai-je murmuré.

Osa et Loor ont échangé un regard lourd de secrets, comme si elles ne voulaient pas me répondre. Ce qui ne m'a pas vraiment plu.

– Il s'appelle Mallos, répondit Osa. C'est le conseiller en chef de Kagan.

Mallos, Kagan, Osa, Loor, Figgis… Étais-je le seul ici à avoir un prénom et un nom de famille ? Le dénommé Mallos a mené son cheval jusqu'à la plate-forme et s'est arrêté juste devant. C'était sans doute signe que le spectacle allait commencer. Il s'est planté là, sur son cheval, et a toisé les villageois assemblés comme s'ils étaient sa propriété. Pas un seul Milago ne lui a rendu son regard. Ils sont restés immobiles, la tête basse. Inutile d'être Sherlock Holmes pour en déduire qu'ils avaient peur de lui. Alors Mallos s'est retourné sur sa selle et a regardé droit vers nous, tout en haut de notre mur.

– Baisse la tête ! a chuchoté Loor avec fermeté.

Nous nous sommes pressés contre le toit en nous faisant tout petits. Mais je pouvais toujours voir Mallos. Tandis que son cheval piétinait la poussière, il était toujours là, impassible, à nous fixer. On aurait dit qu'il savait que nous étions là-haut. Et pourtant, c'était impossible. Il ne pouvait pas nous avoir vus.

C'est alors que j'ai compris. En le regardant, j'ai eu une véritable illumination, si choquante que j'ai laissé échapper un hoquet de surprise. Je crois que ce sont ses yeux qui m'ont mis la puce à l'oreille. Aussi loin qu'il puisse être, j'aurais reconnu ce bleu entre mille. Comment aurais-je pu l'oublier ?

Osa et Loor ont dû sentir ma surprise, car elles m'ont jeté un regard interrogateur.

– Saint Dane, ai-je dit doucement.

– Tu le connais ? a demandé Loor d'un air stupéfait.

– Oui, il a essayé de me tuer sur Terre, juste avant que le flume ne me dépose ici.

J'ai du mal à croire que j'avais prononcé ces mots. Tout ce que pouvait résumer cette petite phrase ! C'était incroyable. Il n'y a pas vingt-quatre heures, elle m'aurait semblé bien fantasque, mais maintenant elle n'en avait que trop de sens. Osa et Loor ont de nouveau échangé un regard soucieux. Puis Loor m'a chuchoté :

– Il t'a suivi depuis la Seconde Terre ?

À l'entendre, on aurait dit que c'était impossible. J'ai haussé les épaules et prononcé silencieusement le mot « oui ». C'était bien la première fois qu'elle me regardait avec une autre expression que du mépris. Jusque-là, elle m'avait considéré comme quelque chose de malpropre. Mais à présent, son regard était empreint... eh bien, de curiosité. Peut-être le fait que j'avais survécu à un affrontement avec Saint Dane prouvait que je n'étais pas complètement empoté. Bien sûr, je n'allais pas lui dire que j'avais pris mes jambes à mon cou pour lui échapper. Je ne suis pas si bête.

En regardant Saint Dane – ou Mallos ou quel que soit le nom qu'on lui donne –, j'ai eu un grand coup de nostalgie. J'avais tellement envie de rentrer chez moi ! Mais ça ne risquait pas d'arriver dans l'immédiat. J'étais coincé là, à regarder dans les yeux quelqu'un qui avait tenté de me tuer. Pouvait-il me voir ? Allait-il éperonner sa monture et foncer vers la hutte ? Nous serions pris au piège, là-haut, sur ce toit. Je ne pouvais rien faire, sinon retenir mon souffle.

Au bout de plusieurs éternités, Saint Dane a fini par se détourner. J'ai enfin pu respirer normalement. Il a fait un geste de la main et ordonné :

– Commencez !

Ben dis donc ! Il parlait anglais. Cela signifiait-il qu'il parlait ma langue ? Ou était-il lui aussi un Voyageur, ce qui aurait expliqué que je puisse le comprendre ? Mais la réponse devrait attendre, car le spectacle allait enfin commencer. L'un des mineurs qui avaient porté le panier d'azur a fait un pas en avant. C'était une vraie armoire à glace, et l'assurance qui transparaissait dans son attitude m'a fait conclure que c'était le chef. Je ne savais pas ce qui allait suivre, mais de toute évidence ça ne lui plaisait guère. Chacun de ses gestes était raide et forcé, comme si le fait de devoir d'agir contre sa volonté lui était physiquement douloureux.

– C'est Rellin, a murmuré Osa. Le chef des mineurs.

Je ne m'étais pas trompé. Ce type n'avait qu'un petit nom, lui aussi.

Rellin est monté sur la plate-forme et s'est tourné vers les villageois. Il a tendu la main et fait signe à quelqu'un. La foule s'est fendue, et un grand type maigre est venu le rejoindre sur la plate-forme, s'est dirigé vers l'espèce de scie et s'est assis du côté du siège. Comme il n'y avait pas de contrepoids, il est retombé sur la plate-forme. Rellin a fait signe aux autres mineurs, et les trois gars ont soulevé péniblement le panier d'azur pour le poser sur la plate-forme, puis le traîner vers l'autre côté de la bascule. Qu'allaient-ils faire ? Voir combien ce type pesait par rapport au panier ?

– Il y a un Transfert par jour, a expliqué Osa. Mallos choisit un Milago, et son poids détermine la quantité d'azur qu'ils devront fournir à Kagan le lendemain.

J'avais donc raison. Ils allaient bel et bien voir combien ce type pesait en azur. La bascule était en fait une balance. Les mineurs se sont penchés sur le panier d'azur et s'apprêtaient à prendre les premières pierres lorsque Saint Dane a aboyé :

– Non !

Les mineurs se sont immobilisés. Tout le monde a retenu son souffle en attendant de voir ce qu'il allait faire. Saint Dane a parcouru des yeux la foule, puis tendu un doigt.

– Lui, a-t-il dit d'une voix dépourvue de toute émotion.

L'assemblée a émis un grognement collectif de mécontentement. Deux des chevaliers se sont frayés sans douceur un chemin dans la foule et se sont emparés de l'homme que Saint Dane avait désigné. Il était beaucoup plus corpulent que le premier. Les règles venaient de changer, et Rellin n'aimait pas ça du tout.

– *Mallos ca !* s'est-il écrié.

Il était en colère. Il s'est mis à crier après Saint Dane. Je ne vais pas te retranscrire ce que j'ai entendu, puisque, comme tu le sais, je ne comprends rien à leur langue. Je vais juste te donner la traduction qu'Osa m'en a fait :

– Mallos a choisi un autre sujet pour le Transfert et Rellin lui dit que ce n'est pas régulier, m'a-t-elle expliqué, même si j'avais à peu près deviné la teneur de son discours. Il insiste pour que Mallos se contente de celui qu'il a choisi hier.

Ça se comprenait. Le nouveau était beaucoup plus lourd que le maigrichon. S'ils avaient extrait assez d'azur des mines pour compenser le poids du premier type, ils n'auraient jamais de quoi égaler le second. Rellin a continué de plaider sa cause auprès de Saint Dane, faisant appel à son sens de l'équité. Rien n'y a fait. Saint Dane l'a toisé comme s'il n'était qu'un ver de terre. Puis un des chevaliers s'est avancé vers Rellin et l'a carrément giflé par-derrière avec le plat de sa lance. Rellin s'est retourné d'un bond, et j'ai vu la colère brûler dans ses yeux. Sa joue était déjà ourlée de sang. De toute évidence, il aurait bien voulu sauter à la gorge du chevalier. Mais il ne l'a pas fait. Ce qui valait mieux, car d'autres chevaliers se tenaient là, prêts à faire usage de leurs armes. Ils l'auraient mis en pièces.

— Regarde-moi, Rellin ! a ordonné Saint Dane.

Rellin a levé les yeux sur son ennemi à cheval.

— Si tu es un sujet loyal de Kagan, tu dois vouloir en faire plus qu'on ne te demande, a énoncé Saint Dane avec tant d'arrogance que j'ai moi-même senti bouillir mon sang. Veux-tu me faire comprendre que tu préfères effectuer le minimum de travail ?

Rellin a répondu en une tirade haineuse, mais parfaitement maîtrisée, qu'Osa m'a traduite :

— Il soutient que le travail des mineurs est pénible et dangereux. Pour chaque gramme qu'ils sortent des mines, ils paient un lourd tribut. Il dit qu'ils font de leur mieux pour extraire un maximum de minerai.

Saint Dane a eu un rictus méprisant.

— Nous verrons bien, a-t-il dit.

Il a fait un geste aux chevaliers. L'un d'entre eux a sauté sur la plate-forme, s'est emparé du maigrichon assis sur le siège et l'a éjecté de sa place. Les deux autres chevaliers ont alors traîné le choix de Saint Dane sur la plate-forme et l'ont propulsé à sa place. Le pauvre bougre était terrifié. Il a regardé Rellin avec des yeux suppliants, mais le chef des mineurs ne pouvait rien faire.

— Maintenant, a fait Saint Dane, vous pouvez commencer.

Les mineurs se sont tournés vers Rellin, qui a hoché imperceptiblement la tête. Ils n'avaient pas le choix : ils se sont mis à tirer l'azur du panier pour déposer les pierres sur l'autre plateau de la bascule.

– Et s'ils n'ont pas le poids correspondant ? ai-je demandé à Osa. Que se passera-t-il ?

– J'espère que nous ne le saurons jamais, a-t-elle répondu, ce qui était assez sinistre en soi.

Les mineurs se sont empressés d'empiler les pierres, à commencer par les plus imposantes pour finir par d'autres qui n'étaient guère plus grosses que des billes. Tous les villageois fixaient la balance. D'après moi, ils devaient retenir leur souffle. En tout cas, je retenais le mien. L'homme à l'autre bout de la bascule s'est élevé, peu à peu, très lentement. Dès qu'il s'est senti bouger, il a paru soulagé. En fin de compte, il y aurait peut-être assez d'azur pour égaler son poids. Les mineurs se sont remis à empiler les pierres sur la balance avec un surcroît d'enthousiasme. Le Milago a continué de s'élever…

J'ai senti que l'humeur de la foule commençait à tourner. Ils allaient y arriver. Ce jour-là, ils avaient extrait assez d'azur pour accéder aux demandes de Saint Dane. Lorsqu'ils eurent posé les dernières pierres, la bascule s'est élevée jusqu'à être parfaitement équilibrée. Ils ont dû y mettre toute la corbeille, jusqu'au dernier caillou, mais ils y sont parvenus. S'il s'était agi d'un match du Mondial, la foule aurait acclamé les joueurs. Mais tout ça n'avait rien d'un jeu. Même si je pouvais sentir leur joie et leur soulagement, personne n'a rien dit. Ils se sont contentés d'échanger de petits sourires furtifs. Il y a même eu quelques embrassades discrètes. C'était un bon moment. Rellin lui-même a laissé transparaître son soulagement, tout en faisant de son mieux pour le dissimuler. Il valait mieux ne pas triompher devant Saint Dane.

Celui-ci n'a pas eu la moindre réaction. Impossible de dire s'il se réjouissait de voir qu'ils avaient extrait tout ce minerai ou s'il était furieux de constater que les Milagos avaient réussi à relever son injuste défi. Il a passé une jambe par-dessus sa selle et est descendu de cheval. Il est monté sur la plate-forme et a regardé la balance avec un petit sourire. Soudain, la foule s'est crispée de nouveau. Qu'est-ce que Saint Dane pouvait bien mijoter ? Il a dévisagé le type qui servait de contrepoids. Celui-ci a baissé les yeux plutôt que de croiser son regard. Puis Saint Dane s'est dirigé vers l'autre bout de la bascule, là où s'amoncelaient les morceaux d'azur.

– Bien joué, Rellin, a-t-il dit. Vous avez extrait une bonne quantité de...

Soudain, il s'est tu et s'est penché pour examiner la corbeille de pierres. Certains villageois se sont pris par la main, comme pour en retirer plus de forces.

Saint Dane a regardé les roches et a déclaré :

– Rellin ! Tu me déçois. Je vois là des cailloux qui ne sont pas de l'azur !

Mince. Rellin a fait mine de retourner vers la corbeille, mais deux des chevaliers l'ont retenu. Il a lancé quelque chose à Saint Dane, mais c'était trop tard. Ce dernier a plongé la main dans la corbeille, en a tiré la plus grosse pierre d'azur et l'a soulevée. Aussitôt, le type sur son siège est retombé sans douceur sur la plate-forme. Saint Dane a apporté la pierre à Rellin et l'a tenue sous ses yeux.

– Tu sais très bien que Kagan n'accepte que de l'azur à l'état pur, a-t-il dit entre ses dents serrées.

Bon, je ne suis pas un expert en géologie, mais cette pierre m'avait l'air de ressembler à toutes les autres. Une fois de plus, Saint Dane modifiait les règles.

– Tu sais ce que ça signifie, a-t-il continué en feignant la tristesse.

Apparemment, le contrepoids le savait aussi. Il s'est redressé d'un bond et a sauté de la plate-forme. Il n'avait qu'une envie, celle de se tirer de ce piège. Mais les chevaliers se sont emparés de lui et l'ont maintenu en place.

– Que se passe-t-il ? ai-je demandé à Osa.

Elle n'a pas répondu. Elle a continué de fixer la scène d'un regard triste. De toute façon, je ne tarderais pas à avoir la réponse à ma question. Je me suis retourné pour assister au dernier acte.

L'un des autres chevaliers s'est empressé de prendre une lourde chaîne attachée à un des coins de la plate-forme. Il a tiré dessus et la moitié de la surface de celle-ci s'est soulevée, comme une trappe. Et en dessous, il n'y avait... rien. Le vide. La plate-forme était construite au-dessus d'un immense trou.

– C'est le premier puits de mine qui a été foré ici même, en plein village milago, a expliqué Osa sans quitter la scène des yeux. C'est un trou béant qui s'enfonce très, très profondément dans la terre. J'ai bien peur que plus d'un squelette ne gise tout au fond.

J'en suis resté hébété. Je n'arrivais pas à en croire mes yeux. Ils allaient jeter ce type dans un puits de mine !

– Pourquoi les Milagos ne réagissent pas ? ai-je demandé. Ils sont des centaines ! Pourquoi ne les empêchent-ils pas de faire cette horreur ?

Les chevaliers ont entraîné le malheureux vers le puits béant.

– *Bagga ! Bagga va por da pey !* hurlait-il.

C'était un spectacle abominable. Et pourtant, la foule n'a pas bronché. Personne, pas même Rellin, n'a levé le petit doigt pour aider le malheureux. On aurait dit qu'ils savaient que toute tentative de résistance était futile. À côté de moi, j'ai remarqué un mouvement : Loor a tiré son arme de bois accrochée dans son dos. Mais Osa a posé une main sur celle de sa fille.

– Ce n'est pas le moment, tu le sais, a-t-elle dit d'une voix douce.

Loor n'a pas lâché immédiatement son arme. J'ai pu sentir la tension qui faisait vibrer tout son corps. Il aurait suffi d'une détente, et elle se serait retrouvée là en bas, à cogner dans le tas. Mais pas aujourd'hui. Sans quitter la scène des yeux, elle a rengainé son arme.

Les chevaliers ont entraîné l'homme, qui ne cessait de hurler, vers Saint Dane qui l'a toisé sans la moindre ombre de compassion.

– Si tu n'étais pas si glouton, a-t-il déclaré, tu aurais la vie sauve.

Puis Saint Dane a hoché la tête vers les chevaliers qui ont entraîné le malheureux vers le puits.

– *Ca... ca !* a-t-il supplié. *Maga con dada pey ! Maga con dada !* Moy pauv' femme et mes deux enfants ! Je vous en prie ! Que deviendront-ils sans moi ?

L'horreur de la scène était telle que ce n'est que plus tard que j'ai réalisé... que je comprenais ce qu'il disait. Ça ressemblait à de l'anglais, mais pourquoi aurait-il subitement changé de langue ? Osa avait dit que les Voyageurs avaient le don de parler toutes les langues. Puisque je comprenais ce type, peut-être étais-je bel et bien un Voyageur.

Mais ce n'est que plus tard que j'ai réfléchi à tout ça. Pour l'instant, j'étais le témoin de l'événement le plus atroce que j'aie jamais vu. Les deux chevaliers ont entraîné le condamné encore plus près du puits béant. Soudain, une femme a surgi de la foule et tenté de l'arracher à ses bourreaux. Elle était en larmes et implorait leur pitié. Sans doute l'épouse du malheureux. Mais ses efforts sont restés infructueux : un autre chevalier s'est saisi d'elle et l'a projetée au sol. Elle est restée là, prostrée sur l'herbe, le corps secoué de sanglots.

Les chevaliers ont enfin atteint le bord du puits et allaient y pousser leur victime lorsque, soudain, l'homme a cessé de gémir. Jusque-là, il n'avait cessé de pleurer et implorer ses bourreaux. Mais soudain, il a cessé de lutter et s'est redressé. Je te le jure, son regard était presque paisible. Les chevaliers n'ont pas su comment réagir. Ils n'avaient pas l'habitude de voir quelqu'un d'aussi calme au moment de mourir.

L'homme s'est tourné vers Saint Dane et a dit d'une voix forte et claire :

– Mon seul regret est de ne pas vivre assez longtemps pour voir Kagan souffrir comme nous avons souffert.

Saint Dane a eu un rire sec.

– Nul ne vivra assez longtemps, a-t-il répondu, car ce jour n'arrivera jamais.

Il a alors hoché la tête en un geste à peine perceptible, et les deux chevaliers ont poussé le condamné dans le puits. Sa femme a poussé un grand cri, mais lui a gardé le silence. Il était là et, en une fraction de seconde, il avait... disparu. Heureusement, sa mort serait rapide, et il allait se retrouver dans un monde bien meilleur que cet horrible village.

Le chevalier qui tenait la chaîne l'a relâchée, et la plate-forme de bois est retombée avec un bruit de tonnerre. Saint Dane s'est dirigé vers Rellin, qui l'a regardé droit dans les yeux. Saint Dane a alors désigné la femme de la victime, qui sanglotait toujours.

– Pour le Transfert de demain, c'est elle que nous prendrons, a-t-il dit d'un ton satisfait. Elle m'a l'air plutôt légère. La journée devrait être assez calme. Veuillez me remercier de ma considération.

Rellin l'a regardé et, un bref instant, j'ai vraiment cru qu'il allait lui cracher à la figure. Mais il s'en est abstenu. Il a serré les dents et a dit :

– Merci.

– De rien, a ajouté Saint Dane en souriant.

Sur ce, il a tourné les talons pour se diriger vers son cheval. Il a bondi sur la selle et s'apprêtait à s'en aller lorsque, soudain, il a regardé dans notre direction. En fait, j'ai plutôt eu l'impression qu'il me regardait *moi*. Je l'ai senti. Il savait que j'étais là. Tout ce spectacle m'était-il spécialement destiné ? Saint Dane a éclaté de rire, puis a éperonné son cheval et a traversé la foule stupéfaite pour regagner le palais des Bedoowans.

Les chevaliers ont brandi leurs lances et poussé quelques mineurs vers le panier d'azur. Il fallait livrer ces pierres précieuses à Kagan et, de toute évidence, ses soldats ne comptaient pas les porter. C'était le travail de leurs esclaves. Les mineurs ont retiré le panier de la balance et ont entamé leur longue marche vers le palais. Les autres villageois se sont peu à peu dispersés. Sans un mot. Certains sont allés consoler la femme qui venait de perdre son mari, mais la plupart se sont contentés de retourner chez eux. Ils étaient déjà passés par là, et ce ne serait sans doute pas la dernière fois.

Mais je ne partageais pas leur calme. J'étais hors de moi. Je venais de voir un homme exécuté de sang-froid. C'était encore pire que ce pauvre bougre que Saint Dane avait forcé à passer sous une rame de métro, quand j'étais encore à New York.

C'était horrible en soi, mais ça ne faisait pas vrai. Tandis que là, ce que je venais de voir était indéniablement réel, et je n'y comprenais rien. J'étais bouleversé de fond en comble. Et je n'ai pas honte de le dire : j'étais en larmes. Je pleurais de colère, de peur et de tristesse face à la mort d'un homme que je ne connaissais même pas. Et pour sa famille. Peu m'importait que Loor ou qui que ce soit d'autre me voient ainsi. J'étais sur des charbons ardents.

— Pourquoi n'ont-ils rien fait ? ai-je crié à Osa. Ils auraient pu se battre contre les chevaliers, les submerger sous le nombre. Pourquoi ne les ont-ils pas arrêtés ?

Elle est restée aussi calme que j'étais furieux.

— S'ils avaient fait quoi que ce soit, Kagan aurait envoyé ses troupes en représailles. Ils n'avaient pas le choix.

Je me suis tourné vers Loor et, à mon grand étonnement, ai constaté qu'elle était aussi bouleversée que moi. Elle ne vociférait pas comme moi, mais sa carapace glaciale s'était fissurée. J'ai même cru voir briller une larme dans son œil. Peut-être y avait-il un cœur sous tous ces muscles.

Néanmoins, je n'admettais pas les explications d'Osa.

— Et alors ? Ils auraient quand même dû faire quelque chose. S'ils se laissent faire, ça ne finira jamais.

Osa a posé une main sur mon épaule. Je commençais à me calmer. Mais ce qu'elle m'a dit était pire que tout.

— Ils *vont* faire quelque chose, Pendragon. Ils vont prendre leur destinée en main et se révolter contre Kagan. C'est pour ça que nous sommes ici. Nous allons les y aider. Avec ton assistance.

Ces mots m'ont frappé comme la foudre. L'oncle Press m'avait bien dit qu'on avait besoin de notre aide, mais je ne pensais pas qu'il parlait d'un village dont les habitants étaient à la merci d'une armée de brutes sanguinaires qui n'hésitaient pas à tuer de sang-froid. C'était de la folie. Bon, je compatissais autant que possible, mais je ne pouvais rien faire pour aider ces pauvres gens. Loor était peut-être une combattante aguerrie, mais ces chevaliers étaient des tueurs. Et nous n'étions que trois… Quatre en comptant l'oncle Press. Que pouvions-nous faire face à une armée entière ? Non, c'était de la folie. J'ai alors décidé qu'à la première occasion j'abandonnerais ces cinglés et retournerais vers cet engin, ce flume. S'il m'avait déposé ici, il devait bien y avoir un moyen de le forcer à me ramener chez moi. Oui, c'était la seule chose à faire. J'allais me tirer d'ici et repartir dans mon monde – avec ou sans l'oncle Press.

SECONDE TERRE

— Hé, les enfants !

Plongés dans leur lecture, Mark et Courtney levèrent les yeux pour voir le sergent D'Angelo qui les appelait depuis l'entrée du bâtiment. Ils étaient restés là un bon moment, à déchiffrer le manuscrit de Bobby.

— On file ! cria Mark.

Il se levait déjà, mais Courtney le rattrapa par le fond de son pantalon pour l'obliger à se rasseoir.

— Pourquoi ? demanda-t-elle calmement. Nous ne faisons rien de mal.

Mark y réfléchit un instant. Elle avait raison : ils étaient assis dans une ruelle, à lire tout tranquillement. Ce n'était pas interdit, non ? Alors pourquoi ce policier les appelait-il ? Courtney regarda le sergent, mais ne bougea pas.

— Que voulez-vous ? lui dit-elle.

— Vous parler.

— Alors venez donc ici !

Aïe. Mark fronça les sourcils. Courtney se montrait bien insolente. Bon, d'accord, ce type les avait envoyés paître. Mais c'était un policier. Il allait les arrêter sous un prétexte quelconque, Mark en aurait mis sa main au feu.

D'Angelo fit quelques pas dans leur direction, les mains sur les hanches, et dit d'un ton des plus affables :

— Je voudrais qu'on parle des Pendragon.

— Pourquoi ? demanda Courtney d'une voix débordant de suspicion.

— Parce que je vous crois, répondit le sergent.

Mark et Courtney échangèrent un regard. Victoire ! La police devait avoir retrouvé M. et Mme Pendragon ! Tous deux sautèrent sur leurs pieds. Mark fourra dans son sac le journal de Bobby, qu'ils n'avaient lu qu'à moitié, et ils suivirent D'Angelo dans le commissariat.

Le sergent les mena à l'autre bout de la réception, puis dans les bureaux. Mark trouvait la situation plutôt cool. Il n'était jamais entré dans les coulisses d'un commissariat. Mais il s'attendait à quelque chose de différent. Dans les films, les postes de police grouillaient toujours d'activité. Des agents emmenaient des prisonniers vers les salles d'interrogatoire, des inspecteurs tapaient des dépositions, des groupes d'intervention se pressaient vers Dieu sait quelle mission, le tout en un ballet incessant. Mais pas à Stony Brook. Là, un type commandait une pizza et un autre, qui avait l'air de s'ennuyer comme un rat mort, jouait au PacMan sur un vieil ordinateur. Ce n'était pas vraiment une ruche bourdonnante d'activité. Il était plutôt déçu.

Tout en les entraînant au plus profond du poste, D'Angelo leur dit :

– Pour être franc, je croyais que vous vouliez vous payer ma tête. Jusqu'à ce que j'en parle au capitaine Hirsch.

– Qu'a-t-il dit ? fit Mark.

– Vous n'avez qu'à le lui demander, conclut le sergent en ouvrant une porte.

Il leur fit signe d'entrer. Mark et Courtney se retrouvèrent dans une salle d'interrogatoire toute simple, dotée d'une grande table de métal et de huit chaises, avec un grand miroir occupant presque entièrement l'une des cloisons. En tête de table était assis un homme en costume à l'air plutôt aimable. Lorsque les deux ados entrèrent, il se leva et leur sourit, mais tous deux sentirent que quelque chose le gênait. Tant mieux. Ce qui se passait était bien assez dérangeant en soi.

– Salut, les enfants, dit-il. Je suis le capitaine Hirsch. Merci d'être revenus.

Courtney marcha droit vers le miroir et posa son nez contre le verre tout en se protégeant les yeux de la lumière.

– C'est un miroir sans tain ? demanda-t-elle. Qui est là derrière ? C'est un interrogatoire ?

Hirsch regarda D'Angelo, et ils eurent un petit rire.

– Oui, répondit Hirsch, c'est un miroir sans tain. Mais il n'y a personne derrière et ce n'est pas un interrogatoire.

Courtney continua de tenter de regarder par-delà le miroir. Elle n'avait pas l'air convaincue.

– Asseyez-vous et détendez-vous, tous les deux, dit le sergent.

Mark et Courtney s'installèrent l'un à côté de l'autre face à la table. D'Angelo restait à côté de la porte. Hirsch se rassit et toisa les deux ados, qui lui rendirent son regard. Il eut un tic nerveux du sourcil. On aurait dit qu'il ne savait pas par où commencer. Fidèle à son personnage, Courtney décida d'attaquer bille en tête :

– Pourquoi avez-vous décidé de nous croire, tout à coup ? demanda-t-elle.

– Parce que M. et Mme Pendragon sont des amis à moi. Mon fils Jimmy joue au basket avec Bobby.

– Jimmy Hirsch ! s'écria Mark. Je le connais ! C'est un bon pilier.

Le capitaine Hirsch acquiesça. Voilà qui était mieux. Maintenant, ils avaient un adulte dans leur camp. Et un policier, en plus. Un capitaine ! Maintenant, ils allaient pouvoir passer à la vitesse supérieure.

– Quand avez-vous vu Bobby pour la dernière fois ? leur demanda-t-il.

Mark connaissait la réponse, mais laissa la parole à Courtney.

– Hier soir, chez lui, affirma-t-elle. Une heure avant le match.

– A-t-il dit quoi que ce soit qui puisse donner à penser qu'il s'apprêtait à partir ?

Courtney et Mark se regardèrent. Ils savaient très bien où était allé Bobby. Si le manuscrit disait vrai, l'oncle Press l'avait pris sur sa moto et emmené à l'autre bout de l'univers, dans un territoire nommé Denduron. Mais ils ne savaient ni l'un ni l'autre si cette incroyable histoire était vraie, et ils n'avaient pas envie de passer pour des cinglés. De plus, il n'y avait rien dans ce manuscrit qui explique ce qui était arrivé à la maison des Pendragon. Bien avant d'aller trouver la police, Mark et Courtney avaient décidé de s'en tenir à ce qu'ils pouvaient prouver. Et il était assez facile de démontrer que la maison avait disparu. Ainsi, sans qu'un mot ne soit échangé, ils choisirent de suivre le plan d'origine.

– J'étais chez Bobby parce que je voulais lui parler, répondit Courtney. Son oncle Press est arrivé et je suis repartie. C'est la dernière fois que je l'ai vu.

Le capitaine Hirsch regarda une feuille de papier où il avait griffonné quelques notes.

– Oui. L'oncle Press, dit-il à voix haute, même s'il avait plutôt l'air d'y réfléchir.

On aurait dit que le capitaine avait quelque chose à leur dire, mais ne savait pas si c'était une bonne idée. Il regarda le sergent D'Angelo, comme pour lui demander conseil.

– D'après moi, capitaine, vous devriez leur dire la vérité, fit-il.

– Nous d-d-dire quoi ? demanda Mark.

Apparemment, ces policiers détenaient des informations capitales. Le capitaine Hirsch se leva et fit les cent pas à grandes enjambées nerveuses.

– Après que vous avez raconté votre histoire au sergent D'Angelo, commença-t-il, il est venu me voir. Franchement, comme il n'avait rien pu trouver sur les Pendragon, il ne vous croyait pas.

– Mais vous les connaissez, remarqua Courtney.

– En effet. Je suis allé plusieurs fois chez eux.

– Et leur maison a disparu ! ajouta Mark.

Hirsch ne continua pas tout de suite. Il regarda les deux ados, puis le sergent D'Angelo. Enfin, il reprit :

– Oui. La maison a disparu. Nous ne sommes peut-être que le petit commissariat d'une petite ville, mais nous avons accès à n'importe quelle information du moment qu'elle relève du domaine public. Après votre passage, nous avons effectué une recherche informatique sur les Pendragon… et n'avons rien trouvé.

– Comment ça, « rien » ? demanda Courtney. Ils n'ont pas de casier judiciaire ?

– Non, je veux dire rien du tout, fit Hirsch, et une certaine frustration transparaissait dans sa voix. Pas de certificats de naissance, ni de permis de conduire, ni de numéros de sécurité sociale, ni de comptes en banque, ni de notes d'électricité, ni d'archives scolaires, ni de cartes de crédit, rien du tout ! Les Pendragon ne se sont pas contentés de disparaître : c'est comme s'ils n'avaient jamais existé !

Hirsch accéléra le pas. Il commençait à s'énerver, car ce qu'il disait était contraire à toute logique, et pourtant c'était la vérité.

– Mais ils existent, non ? finit par demander Mark. Enfin, nous les c-c-connaissons…

– Je le sais bien ! rétorqua Hirsch. J'ai dîné avec eux, *chez* eux. J'ai conduit Bobby chez les boy-scouts. Et tenez, encore un élément : nous avons examiné les archives du journal où travaille M. Pendragon et n'avons pas pu trouver un seul article à son nom. Et pourtant, je me souviens les avoir lus ! J'en ai même discuté avec lui !

Cette histoire devenait de plus en plus étrange. Que quelqu'un disparaisse, c'est une chose. Mais qu'il ne laisse pas la moindre trace de son existence…

– Et l'oncle P-P-Press ? demanda Mark.

– Encore une fois, rien. Nous n'avons pas pu trouver la plus petite preuve que ces gens aient un jour existé…

– À part dans nos mémoires, ajouta Courtney.

C'était une idée assez effrayante. Si ce que disait le capitaine était vrai, il ne restait plus rien de Bobby et sa famille, sinon les souvenirs qu'ils en avaient… et les parchemins qui se trouvaient dans le sac de Mark. Le capitaine Hirsch se rassit devant la table et jeta un regard implorant aux deux adolescents. Apparemment, cette histoire le bouleversait.

– Les enfants, dit-il avec une pointe de désespoir dans la voix, j'ai besoin de votre aide. Si vous avez un élément, une idée, un souvenir, n'importe quoi qui puisse nous aider à comprendre ce qui est arrivé aux Pendragon, dites-le-moi.

Mark et Courtney ne manquaient pas d'éléments. Ils se trouvaient là, sur la table, dans le sac à dos de Mark. Ils n'avaient qu'à le faire glisser vers le capitaine Hirsch. Il lirait le manuscrit et prendrait le contrôle des opérations. C'est ce que font les adultes : ils prennent la situation en main pour tout arranger. Mais ce n'était pas à Courtney d'agir : ces lettres étaient adressées à Mark. S'ils devaient en parler à la police, ce serait à lui d'en décider.

Courtney le vit fixer le paquet. Elle savait très bien à quoi il pensait. Il se demandait s'il devait ou non leur donner le manuscrit. Puis il croisa son regard. Elle aurait bien voulu l'aider à prendre sa décision, mais, en toute honnêteté, elle n'avait pas la moindre idée de ce qu'il fallait faire. Elle se contenta de hausser les épaules pour lui signifier qu'il devrait se débrouiller seul.

– Alors ? demanda Hirsch. Avez-vous quelque chose à nous dire ?

Mark inspira profondément, se tourna vers Hirsch et dit :

– Non. On est dans le vague, tout comme vous.

Il avait pris sa décision. Courtney le suivit :

– Oui. La situation nous dépasse.

Hirsch eut un soupir las et dit :

– D'accord. Nous allons lancer une enquête. Parlez-en à vos parents, à vos amis, à qui veut l'entendre. Si qui que ce soit a des nouvelles des Pendragon, qu'il me contacte aussitôt. D'accord ?

Courtney et Mark acquiescèrent. Hirsch donna à chacun d'eux une carte avec son numéro de téléphone. Mark s'empara de son sac et sortit de la salle.

Une fois hors du commissariat, ils marchèrent en silence. Le poste de police était juste à côté de Stony Brook Avenue, la principale artère commerçante de la ville, où étaient rassemblés la majorité des boutiques et des restaurants. Comme il n'y avait pas de centre commercial, « l'Ave », comme on l'appelait, était le principal point de rencontre. Mais ce jour-là, Courtney et Mark ne s'intéressaient pas aux nombreuses tentations qui se présentaient à eux. Ils passèrent devant le magasin de disques sans même regarder la vitrine ; ils ignorèrent l'odeur des meilleures frites du monde provenant du snack *Garden Poultry* et les glaces de *Scoop*, et ne pensèrent même pas à entrer dans la bibliothèque. Pourtant, les marches menant au bâtiment étaient toujours le premier arrêt avant de descendre l'Ave, parce qu'on pouvait toujours être sûr d'y trouver une connaissance.

Mais pas aujourd'hui. Pas pour Courtney et Mark. Leurs lieux d'amarrage habituels n'avaient plus rien de familier. Rien n'avait vraiment changé, mais ces dernières heures leurs yeux s'étaient dessillés ; maintenant, ils savaient que le monde ne fonctionnait pas forcément comme ils le croyaient. Entre l'aventure de Bobby et l'étrange disparition des Pendragon, toutes leurs certitudes étaient remises en question. Et lorsqu'on ruminait de telles idées, les frites du *Garden Poultry* n'étaient plus si appétissantes. Ainsi, tous deux passèrent en silence devant l'endroit où traînaient leurs amis et gagnèrent un minuscule parc, un endroit tranquille pris en tenaille entre deux bâtiments. Ils s'assirent sur un banc et restèrent là, à fixer le sol.

Finalement, Mark leva les yeux, regarda Courtney et dit doucement :

– Tu crois que j'aurais dû leur montrer les lettres de Bobby ?

– Je ne sais pas. Je ne sais plus quoi penser.

Mark tenta d'exprimer ce qu'il ressentait :

– J'ai l'impression que Bobby a une bonne raison de m'envoyer ces manuscrits. Quelque chose de très important.

– Pourquoi ? Nous ne savons pas encore ce qu'il veut te demander.

– Oui, je sais. Mais je pense qu'il y a autre chose. J'ai l'impression qu'il se prépare quelque chose d'énorme, et que Bobby n'est qu'un maillon de la chaîne. Quelque chose de proportions cosmiques. Bizarre, non ?

– Bizarre ? (Courtney eut un petit rire.) Peut-on encore qualifier quelque chose de « bizarre » ?

– Exactement ! Des Voyageurs capables de comprendre d'autres langues, des territoires, des flumes qui vous déposent dans un autre monde au-delà du temps… Voilà qui change tout ce qu'on croit savoir sur la façon dont tourne le monde.

Courtney retomba dans un silence pensif. Mark avait raison. Jusqu'à présent, elle ne pensait qu'à Bobby et aux Pendragon. Mais cette histoire avait des implications énormes. Qui défiaient l'imagination.

– Pendant qu'on discutait avec les policiers, continua Mark, je me suis demandé ce qui se passerait si je leur donnais le manuscrit de Bobby. J'en ai déduit deux possibilités. Soit ils le montraient au monde entier, déclenchant un immense émoi qui nous projetterait sur le devant de la scène… Tu te rappelles qu'il nous reste encore des pages à lire. Je ne pense pas que Bobby voudrait provoquer une telle publicité, surtout s'il veut que je l'aide. Sinon, il m'aurait demandé dès le départ d'aller remettre ses carnets à la presse.

– Quelle est la seconde possibilité ?

– Que ce soit l'inverse qui se produise. Que le manuscrit de Bobby soit jugé si dérangeant qu'on préfère le mettre sous clé et faire comme s'il n'avait jamais existé… Un peu comme les extra-terrestres de Roswell, ou l'assassinat de Kennedy. Personne n'aime apprendre que son petit monde bien ordonné n'est pas ce qu'il croit. Et je ne peux les en blâmer : moi-même, ça ne m'enthousiasme pas vraiment.

– Il y a une troisième possibilité, ajouta Courtney. Les gens peuvent nous traiter de menteurs. On préfère toujours choisir la facilité ; et, en l'occurrence, la solution la plus évidente est de dire que nous avons inventé toute cette histoire. Il est plus facile de penser à un canular que d'admettre qu'il existe des tunnels qui débouchent sur un autre univers.

Difficile de croire qu'il y avait quelques heures à peine, leur principale préoccupation était ce match de basket que Bobby avait raté.

Courtney regarda Mark :

– Que doit-on faire ?

Avant qu'il n'ait pu répondre, quelqu'un s'approcha derrière lui, saisit son sac à dos et le lui arracha des mains ! Surpris, Courtney et Mark levèrent les yeux.

– Qu'est-ce que tu as là, Dimond ? Encore des revues ?

C'était Andy Mitchell, le garçon qui avait surpris Mark en train de lire la première lettre de Bobby dans les toilettes. Il tira sur les attaches du sac pour l'ouvrir.

Mark sauta sur ses pieds.

– Mitchell ! hurla-t-il. Rends-moi ça !

Il lui sauta dessus, mais Mitchell l'évita d'un pas de côté et éclata de rire.

– Ben alors ? On partage pas avec les copains ?

Il tendit le sac à Mark. Celui-ci bondit pour le récupérer, mais Mitchell le tint hors de portée en riant.

– Tu veux vraiment récupérer ton sac ? railla-t-il. Tu es prêt à aller le chercher dans la flotte, au milieu des rats ?

Il recula vers une bouche d'égout où se déversait l'eau du caniveau. L'ouverture était assez grande pour que le sac puisse passer.

– Non ! hurla Mark, désespéré.

Mitchell tint le sac au-dessus du caniveau.

– Qu'est-ce que tu vas me donner en échange ?

– Que… qu'est-ce que tu veux ? demanda nerveusement Mark.

Mitchell y réfléchit un instant, puis remarqua quelque chose sur la main de Mark.

– Je te l'échange… Contre ce gros anneau.

Impossible. Mark ne pouvait pas renoncer à l'anneau. Mais il ne voulait pas non plus perdre le manuscrit. Il n'avait pas encore lu ce que Bobby voulait qu'il fasse pour l'aider.

– Décide-toi, Dimond, railla Mitchell en secouant sa prise au-dessus du caniveau. Le sac ou l'anneau… Le sac ou l'anneau…

Mark ne savait que faire. Soudain, une poigne puissante se referma sur le poignet de Mitchell. Il leva les yeux et se retrouva face à Courtney. Celle-ci ne s'était pas laissé démonter : elle avait suivi la scène depuis le banc. Peut-être ne savait-elle comment réagir face à la mystérieuse disparition de Bobby et des Pendragon, ou au fait que son monde venait d'être mis sens dessus dessous, mais elle savait comment traiter une brute telle qu'Andy Mitchell. Elle serra son poignet et leva le menton d'un air bravache :

– Si tu jettes ça dans l'égout, siffla-t-elle entre ses dents serrées, tu y passes aussi… La tête la première.

Ils restèrent là un moment, à se regarder en chiens de faïence. Finalement, au bout d'une éternité, Mitchell sourit.

– Hé, je blaguais, c'est tout.

De son autre main, Courtney s'empara du sac. Alors seulement, elle le relâcha. Il se retira prestement tout en frottant son poignet.

– C'était pour rigoler, fit-il, tentant de sauver la face. Et d'abord, où tu l'as trouvé, cet anneau ? Il est moche comme tout.

Mark et Courtney le dévisagèrent jusqu'à ce qu'il se sente si mal à l'aise qu'il ne puisse plus rien faire d'autre que partir sur un dernier mot :

– Z'êtes pas cool, fit-il avant de filer au pas de course.

Courtney jeta le sac à Mark.

– Merci, dit-il, un peu gêné.

Maintenant que la crise était passée, il savait qu'il n'avait pas réagi comme il le fallait.

– Je déteste ce grand lâche.

– Allons quelque part où nous pourrons finir tranquillement notre lecture, dit Mark, très sérieux. Je n'aime pas sortir ces parchemins en public. Retournons chez moi.

– Hum, répondit-elle, gênée. Désolé, mais ta chambre est un peu… malpropre.

Il baissa les yeux, gêné lui aussi.

– Hé, reprit-elle en souriant, ce n'est pas un drame. Vous autres les mecs, vous vivez comme des porcs, tous autant que vous êtes. C'est comme ça. Allons plutôt chez moi.

La maison de Courtney n'était pas très loin, et ils n'échangèrent pas deux mots en cours de route. Ils ne pensaient qu'au manuscrit. Il y avait encore bien des questions sans réponses, mais une était plus pertinente que les autres : quelle était donc cette faveur si dangereuse que Bobby voulait demander à Mark ? Courtney brûlait d'impatience. Mark aussi, mais il n'aimait pas trop l'idée de devoir faire quelque chose de périlleux, aussi important que ce soit. Jusque-là, le plus gros risque qu'il ait jamais pris était de sonner à la porte de quelqu'un et de s'enfuir à toutes jambes. Vu l'épreuve que traversait Bobby, là, l'enjeu était certainement plus important.

Ils arrivèrent à la maison de Courtney, qui ressemblait beaucoup à celle de Mark. Ils vivaient tous dans le même paisible quartier de banlieue. Mais plutôt que dans sa chambre, elle l'emmena au sous-sol, où son père avait établi son atelier. Un instant, Mark fut déçu : il n'allait pas découvrir l'antre de la grande Courtney Chetwynde. Mais après tout, ils avaient d'autres préoccupations plus importantes.

Tous deux s'installèrent sur un vieux canapé poussiéreux, et Mark ouvrit son sac à dos. Il déposa le précieux manuscrit sur une table basse devant lui. Ils eurent une dernière hésitation. Ils brûlaient d'envie de savoir ce qui était arrivé à Bobby, mais avaient aussi un peu peur de ce que pouvaient receler ces parchemins et des démons et merveilles qu'ils pouvaient leur dévoiler. Ils inspirèrent profondément, puis Courtney se tourna vers Mark :

– Tu es prêt ?

– Oui.

Ils s'emparèrent du manuscrit et reprirent leur lecture là où ils l'avaient laissée.

J'allais me tirer d'ici et repartir dans mon monde – avec ou sans l'oncle Press.

Journal n° 2
(suite)

DENDURON

Donc, je comptais retourner au sommet de la montagne, passer devant ces monstres cannibales qu'on appelle les quigs, retrouver la porte qui mène au flume et fiche le camp d'ici. Rien de plus simple, non ? Ben voyons. Je n'étais même pas sûr de pouvoir retrouver cette satanée caverne, encore moins de survivre à une longue ascension dans la neige et d'échapper aux quigs. Et pourtant, ma décision était prise. Tout plutôt que rester ici.

Mais ce ne serait pas pour aujourd'hui. La lumière a commencé à décliner alors que les soleils descendaient sur l'horizon. Oui, ce n'est pas une erreur. J'ai bien écrit « les » soleils, au pluriel. Tu te souviens ? Je t'ai déjà dit qu'il y en avait trois. Eh bien, ils se couchent tous en même temps, mais à différents points de l'horizon. Au nord, au sud et à l'est – ou quel que soit le nom qu'on donne aux points cardinaux dans le coin. J'en ai conclu que j'avais intérêt à passer la nuit ici et à filer dès le lever du jour. Et puis j'avais faim. Je n'avais rien mangé depuis mes céréales avant ce match où je ne me suis jamais présenté.

Loor m'a conduit à une hutte semblable à celle où je m'étais réveillé, mais plus petite. Dans un coin, il y avait un amas de fourrures.

Elle a tendu le doigt vers ce coin et m'a ordonné d'un ton sec :
– Assieds-toi.

J'ai obéi. Les fourrures sentaient fort, mais étaient confortables. Il y avait aussi un petit foyer, où Loor a fait du feu d'une main experte. Les flammes nous ont vite fourni chaleur et lumière. Osa est arrivée peu après, portant un sac de toile qui, comme je devais vite m'en apercevoir, contenait notre dîner. Sauvé ! Nous nous sommes rassemblés autour du feu et avons partagé des petits pains croustillants, un drôle de fruit qui ressemblait à une orange mais se mangeait comme une pomme et des sortes de petites noisettes douces au goût de réglisse. Peut-être est-ce parce que j'étais affamé, mais j'ai trouvé ce repas délicieux. J'aurais préféré des frites de *Garden Poultry*, mais je m'en suis contenté. Pendant que nous nous restaurions, Osa m'a donné des instructions plutôt bizarres :

– Y a-t-il sur Seconde Terre quelqu'un en qui tu as pleinement confiance ?

Je n'ai pas eu à me creuser la tête. Je lui ai donné ton nom, Mark. Bien sûr, mes parents sont cool et j'ai confiance en eux, mais un ami est quelqu'un qui vous donne sa confiance parce qu'il l'a choisi, pas par obligation.

Osa m'a tendu une liasse de parchemins vierges, jaunis et rugueux. Elle m'a aussi donné une espèce de stylo grossier qu'on aurait cru sculpté dans une branche, plus un petit bol d'encre noire.

– Il faut que tu couches par écrit tout ce qui t'est arrivé, m'a-t-elle expliqué. C'est très important. À la moindre occasion, raconte ce que tu fais, ce que tu penses, et décris tout ce que tu vois. Imagine que tu tiens ton journal.

– Pourquoi ?

– Parce que tu vas envoyer ces carnets à ton ami pour qu'il les mette en sécurité. Je ne vais pas te mentir, Pendragon. Le voyage que nous allons entreprendre est périlleux. S'il doit t'arriver quelque chose, ce journal sera la seule trace de tout ce que tu as vécu.

Ouh ! Voilà qui semblait bien sinistre. Comme si elle me demandait d'écrire mon testament. J'avais envie de refuser, parce qu'en obtempérant j'aurais eu l'impression de suivre son petit programme. Et je ne risquais pas de faire une chose pareille. D'un autre côté, ce qu'elle me disait n'était pas complètement illogique. S'il m'arrivait quelque chose, personne ne saurait ce qui s'était vraiment passé. Et ça ne me plaisait pas davantage. Si je devais y rester, je voulais qu'on sache pourquoi et comment.

– Comment allons-nous l'envoyer à Mark ? ai-je demandé.

– Commence par écrire, a-t-elle répondu. Quand tu seras prêt, je te montrerai.

Intéressant. Si elle avait la possibilité de t'envoyer ce manuscrit, ça voulait dire qu'elle savait comment faire fonctionner le flume dans l'autre sens. Peut-être était-ce ma chance de rentrer chez moi. Cette idée m'a poussé à prendre le stylo et à me mettre au travail. Je me suis assis au coin du feu et ai pris un morceau de bois pour me servir d'écritoire. J'ai mis un certain temps avant de pouvoir me servir du stylo : ce n'était pas vraiment un Bic. J'ai dû plonger la pointe dans l'encre et gratter le papier. C'était un vrai casse-tête, mais au bout d'un moment j'ai suffisamment pris le coup pour rédiger une phrase complète sans devoir reprendre de l'encre.

En face de moi, Loor s'était attelée à son propre récit. On aurait dit que nous faisions nos devoirs ensemble. Tandis qu'elle rédigeait ses pensées sur le même genre de parchemin, je n'ai pu m'empêcher de me demander si elle y parlait de moi. Je savais que, pour elle, j'étais un gros nul, mais peut-être le fait que j'avais survécu à une altercation avec Saint Dane me rendait-il un peu plus crédible. Et après tout, qu'importe ? Demain, je serais loin d'ici.

C'est comme ça que j'ai passé le reste de la nuit. J'ai écrit pendant un moment, puis quand mes paupières sont devenues lourdes, je me suis couché sur les peaux d'animaux. J'ai dormi un peu, puis me suis réveillé et remis à écrire. Loor a fait de même. Osa n'a pas cessé d'entrer et sortir de la hutte. Elle venait alimenter le feu, puis repartait aussitôt. Je me suis demandé si elle trouvait moyen de dormir ou si elle comptait passer une nuit blanche. Je suis allé jusqu'au moment où l'oncle Press était capturé par les chevaliers de Kagan, puis me suis effondré pour de bon. Lorsque j'ai repris mes esprits, Osa me secouait doucement pour me réveiller.

– C'est le matin, Pendragon, a-t-elle dit.

Je dormais comme un loir et j'ai dû lutter pour garder les yeux ouverts. Il y avait de la lumière dans la hutte, mais comme il n'y avait pas d'ombre et que j'entendais chanter les oiseaux, j'en ai conclu qu'il était encore tôt. J'ai regardé autour de moi : le feu s'était éteint et Loor était partie.

– Donne-moi le journal, a-t-elle dit.

Je me suis assis et ai ramassé le manuscrit que j'avais rédigé. Elle a pris les parchemins, les a enroulés et liés avec une cordelette de cuir. Puis elle s'est placée au centre de la hutte, s'est assise les jambes croisées et a posé quelque chose sur le sol. C'était un gros anneau vieillot pourvu d'une pierre grise en son centre. D'où j'étais assis, j'ai pu voir une sorte d'inscription autour de la gemme, mais du diable si je savais ce que ça signifiait. Osa m'a regardé pour s'assurer que je suivais l'opération, puis elle a pris l'anneau, caressé la pierre du doigt et dit :

– La Seconde Terre.

Ce que j'ai vu ensuite a déclenché en moi une décharge d'adrénaline qui a chassé les dernières bribes de sommeil. La pierre grise s'est mise à luire. On aurait dit le flume qui m'avait amené ici. Il était fait de pierre grise, comme la gemme. Quand j'avais dit « Denduron », cette même pierre s'était mise à briller. Des rais de lumière ont jailli des facettes du bijou pour illuminer les parois de la hutte, comme ça s'était produit dans le flume. Et comme dans le flume, j'ai entendu d'étranges notes de musique.

L'anneau s'est alors mis à tressauter... et à grandir ! Sous mes yeux, il s'est étiré jusqu'à prendre la taille d'un frisbee. Mais à l'intérieur du cercle, à l'endroit où aurait dû se trouver le sol, il n'y avait qu'un trou béant. On aurait dit que l'anneau avait ouvert une porte donnant sur... quoi ? Osa a pris la liasse de parchemins et l'a jetée dans le trou. Puis, d'un coup, l'anneau a repris sa taille normale, et tout s'est arrêté. Plus de lumière, plus de bruit, plus d'ouverture. Rien d'autre que l'anneau. Osa l'a ramassé et mis dans un sac de cuir accroché autour de son cou.

– Ton ami Marc a reçu ton journal, dit-elle.

Elle s'est levée et s'en est allée. Comme ça. Sans un mot d'explication. Rien.

J'ai bondi et me suis précipité vers elle.

– Hé ! me suis-je exclamé. Vous ne pouvez pas faire un tour de passe-passe pareil sans me dire ce qui s'est passé !

– Je te l'ai dit ! a-t-elle répondu. J'ai envoyé ton journal à Mark Dimond.

Elle a continué son chemin vers l'entrée de la hutte, mais je me suis interposé.

– Mais comment avez-vous fait ça ? C'est un flume portable ?

De toute évidence, mon esprit s'était mis sur « avance rapide ».

– Tu as bien des choses à apprendre sur ton statut de Voyageur, Pendragon, a-t-elle dit calmement. Une fois que tu seras plus confiant, cet anneau sera à toi et tu pourras envoyer toi-même tes carnets à Mark Dimond. Jusque-là, contente-toi de savoir que la puissance contenue dans cet anneau est comparable à celle des flumes.

Je n'allais pas abandonner la partie si facilement.

– Mais comment peut-il retrouver Mark ?

Osa a inspiré profondément comme si elle en avait assez de mes questions. Tant pis. Elle savait comment fonctionnait ce truc. Pas moi.

– J'ai donné un autre anneau à Mark Dimond, a-t-elle répondu.

– Quoi ? Vous avez vu Mark ? Non, un instant : vous vous êtes rendue sur Terre ? Quand ? Comment ? Lui avez-vous dit que je suis là ? Avez-vous vu mes parents ? Est-ce que…

Doucement, mais fermement, elle a posé une main sur ma bouche pour me faire taire.

– Je suis allée sur Seconde Terre pour donner l'anneau à Mark, a-t-elle expliqué. C'est tout. Je n'ai vu personne d'autre. Ne pose plus de questions.

Elle a retiré sa main et s'est retournée pour partir.

– Encore une dernière, ai-je imploré.

Elle s'est retournée et a attendu.

– Cet anneau marche-t-il dans les deux sens ? Je veux dire, si nous pouvons lui envoyer des trucs, il peut nous en envoyer lui aussi ?

Elle a souri. Le genre de sourire qu'arborait ma mère lorsqu'elle sentait que je voulais lui extorquer quelque chose par la ruse. Un sourire qui signifiait : « Je sais très bien ce que tu as en tête, gros malin. Tu ne m'auras pas comme ça. »

– L'anneau peut transporter de petits objets, mais il ne fonctionne que pour les Voyageurs. Mark Dimond serait bien en peine de t'envoyer quoi que ce soit. Maintenant, si tu veux te débarbouiller, il y a une rivière au sud, à quelques centaines de mètres du village.

Elle s'en est allée. Mon esprit s'est mis à carburer. Cette histoire d'anneau m'ouvrait une infinité de possibilités. Tout compte fait, je n'avais peut-être pas besoin d'escalader la montagne. Peut-être pouvais-je faire en sorte que l'anneau devienne assez grand pour que je puisse sauter dedans. Et puisque je suis un Voyageur, je devais pouvoir faire fonctionner cet engin ! Voilà ! Pour la première fois depuis bien longtemps, je me suis dit que j'avais une chance de reprendre le contrôle de ma vie. Le moment venu, je piquerais l'anneau à Osa et hop ! salut les amis. Ce nouveau plan me plaisait bien. De toute façon, tout plutôt que de devoir grimper à flanc de montagne au risque d'affronter les quigs. C'est avec un nouvel espoir que je suis sorti de la hutte pour affronter ce nouveau jour.

Les soleils montaient à peine à l'horizon. La journée serait belle. Pour commencer, je voulais surtout trouver cette rivière pour me décrasser. Je ne suis pas un maniaque de la propreté, mais ces peaux de bêtes qui me servaient de vêtements n'étaient pas de première fraîcheur. Je n'aurais pu dire ce qui sentait le plus fort : moi ou mes habits. Un bon plongeon me ferait du bien. J'ai donc traversé le village milago en quête de cette rivière.

Le village se réveillait à peine. De la fumée s'échappait des cheminées des huttes. Quelques femmes sont passées devant moi en portant du bois pour le feu. Au loin, j'ai vu que les fermiers s'étaient déjà remis au travail dans les champs. J'ai aussi remarqué quelque chose d'assez déprimant. Un groupe d'hommes est sorti d'un chemin qui s'enfonçait dans les bois pour entrer dans le village. Comme ils étaient couverts de crasse, j'ai présumé qu'il s'agissait des mineurs. Ceux qui avaient apporté le chargement d'azur pour le Transfert n'étaient guère plus propres. Avaient-ils travaillé toute la nuit ? Puis j'ai vu un autre groupe de mineurs qui se dirigeait dans la direction opposée. Sans doute la relève. L'équipe de jour remplaçait l'équipe de nuit.

Cette scène n'avait rien de bien enthousiasmant, mais ce que j'ai trouvé vraiment déprimant, c'est que personne ne se parlait. Personne. Pas un mot. Ils ne croisaient même pas les regards des autres. Ils se contentaient de faire leur boulot, ou les corvées, ou ce qu'ils faisaient probablement chaque jour que Dieu fait, mais sans la moindre communication avec leurs collègues. Cela ne m'a pas surpris tant que ça. Après ce que j'avais vu le jour d'avant, j'avais compris qu'ils étaient l'équivalent des bagnards du passé. L'armée de Kagan leur avait dérobé tout ce qu'elle pouvait, y compris leur âme. En ce lieu, il n'y avait ni joie, ni espérance. Sans doute préféraient-ils ne pas se faire d'amis, car ils ne pouvaient savoir qui serait la prochaine victime de Kagan. Ils restaient donc silencieux et renfermés, vivant dans leur propre petit univers tourmenté.

C'est une drôle de chose, mais alors que je regardais ces pauvres bougres mener leur sinistre existence, je me suis mis à pleurer. Ça ne me ressemble pas. Bon, parfois, pendant les films, il peut m'arriver d'avoir la larme à l'œil quand un chien se fait tuer ou quelque chose comme ça. Mais là, tout était différent. C'était la réalité. Je suis resté là, au centre de ce village, et j'ai eu l'impression de sentir une immense tristesse peser sur mes épaules. On peut vivre une existence misérable, mais il y a toujours l'espoir que la situation s'améliore. Le temps passe et la vie continue. Comme pour moi. Bon, ma situation n'avait rien de brillant, mais j'avais une chance de m'en sortir et rentrer chez moi. J'avais de l'espoir. Mais ces gens n'avaient pas de porte de sortie. Leur avenir était tout aussi morne que leur présent. C'était leur vie, et c'est cette idée qui m'arrachait des larmes. Durant ce bref moment, j'ai ressenti leur souffrance.

Mais tu sais quoi ? Ça n'a pas duré. Et ça n'a fait qu'accroître ma détermination à filer d'ici. Je déplorais leur triste sort, mais ce n'était pas mon problème. Cette lutte durait depuis longtemps, bien avant mon arrivée, et je ne pouvais rien y changer. Pour l'instant, je ne devais penser qu'à moi. Alors, je me suis essuyé les yeux, ai baissé la tête et me suis mis en quête du chemin qui menait à la rivière. J'avais à peine fait quelques pas que quelqu'un m'a pris par l'épaule et fait pivoter.

– Du nectar de crabble ?

C'était Figgis, ce drôle de petit bonhomme qui avait tenté de me vendre un pull. Il tenait une gourde de cuir qui semblait pleine d'un liquide quelconque.

– Délicieux. Très rares. Quatre quills seulement.

J'ai présumé que le quill était la monnaie locale.

– Non, merci, ai-je répondu.

Je m'apprêtais à repartir, mais Figgis s'est planté devant moi pour me bloquer le chemin. Cette fois-ci, il a brandi ce qui ressemblait à un sac genre banane fait de paille séchée entrelacée.

– Vingt quills ! a-t-il annoncé tout en l'attachant autour de sa taille en guise de démonstration.

Même si j'avais voulu l'acheter, je n'avais pas un sou. Ce bonhomme perdait son temps. J'ai tenté de le dépasser, mais il m'en a empêché une fois de plus.

– Comme tu es nouveau, je te le fais à dix quills !

Il devait voir que sa camelote ne m'intéressait pas, mais il tenait tellement à me vendre quelque chose qu'il s'est empressé de retirer un de ses dix anneaux.

– Deux quills ! s'est-il écrié.

– Désolé, mon gars, mais je n'ai pas un sou.

Apparemment, ce type voulait de l'argent, donc, en lui disant que je n'en avais pas, je pensais pouvoir m'en débarrasser. Mais je me trompais. Il m'a pris la main et tiré vers lui si vite que je n'ai rien pu faire pour l'en empêcher. Il s'est approché de moi et m'a chuchoté à l'oreille comme s'il voulait me transmettre des informations cruciales.

– Le tak est la voie. La seule voie. Rellin le sait.

Je pouvais sentir son souffle sur mon oreille. Il puait comme un bouc. J'en avais envie de vomir.

– Souviens-toi du tak ! Souviens-toi de moi !

Alors il m'a enfin lâché et a disparu dans la foule du village.

Bizarre. Qu'était-ce que le tak ? Il en parlait avec tant de passion que j'en ai conclu que ce devait être quelque chose de rare. On aurait dit qu'il cherchait à me tenter. Peut-être était-ce illégal, et qu'il ne pouvait en vendre au vu et au su de tous.

Ça me faisait bizarre de comprendre tout ce qu'il me disait alors que, pas plus tard qu'hier, ce n'était que du charabia. J'avais l'impression qu'il parlait anglais alors que, s'il fallait en croire Osa, ce n'était pas le cas. Il parlait la langue de Denduron, et pourtant il me semblait qu'il parlait la mienne. Cependant, certains mots n'avaient pas de véritable traduction, comme « quill », « tak » et « crabble ». J'imagine qu'il s'agissait de termes spécifiques à Denduron et, donc, qu'ils n'avaient pas d'équivalent dans ma langue. Quoi qu'il ait à vendre, je n'en voulais pas. J'ai donc continué mon chemin vers la rivière.

Un sentier partait du village et sinuait dans la direction opposée à l'océan. Comme je ne l'avais pas encore emprunté, j'ai présumé que c'était le chemin de la rivière. Après avoir parcouru quelques centaines de mètres dans la forêt, j'ai entendu un bruit d'eau. Encore quelques pas, et je suis tombé sur une rivière d'une vingtaine de mètres de largeur. Je me suis assis sur la rive et ai plongé mes mains dans l'eau. Ouaille ! J'ai eu l'impression de toucher un seau de glace. Elle devait être alimentée par la fonte des neiges sur les montagnes. Mais après avoir dormi dans des peaux d'animaux et inhalé la fumée du foyer, je me sentais si crado que j'ai préféré y aller, froid ou pas. J'ai inspiré profondément et me suis aspergé le visage. J'ai eu l'impression que des milliers d'épingles me transperçaient la peau, mais ça m'a tout de même fait du bien. J'ai avalé une grande gorgée et l'ai fait tourner dans ma bouche. J'aurais bien voulu avoir ma brosse à dents, mais je devais m'en passer.

C'est là que j'ai entendu craquer une branche. Il y avait quelqu'un ! Quelqu'un qui se tenait à quelques mètres à peine et fredonnait un air joyeux. Je pense que, dans d'autres circonstances, j'aurais tourné les talons et serais reparti, mais quelque chose m'a poussé à enquêter. Tu te souviens de la description que je t'ai faite des villageois ? Ils n'avaient rien de joyeux. Ils se préoccupaient uniquement de leur survie dans tout ce qu'elle avait de plus brut. Donc, entendre quelqu'un fredonner gaiement m'a semblé atypique. Du coup, ça m'a donné envie de voir de qui il s'agissait. Aussi bizarre que ça puisse paraître, savoir qu'un

Milago pouvait manifester de la joie me poussait à croire qu'il y avait peut-être de l'espoir, après tout.

Je me souviens d'un jour où j'étais parti en randonnée en forêt avec mon père. Ces bois avaient été dévastés par un incendie et, tout autour de nous, il ne restait rien que les restes calcinés de ce qui avait été une forêt luxuriante. C'était une vision plutôt déprimante jusqu'à ce que, sous un tronc abattu, je trouve une seule et unique pousse de fougère. Malgré l'horreur de toute cette dévastation, cette fougère était la preuve que, un jour, la forêt reprendrait possession des lieux. En entendant cet air, j'ai repensé à cette fougère, et j'ai eu envie de voir qui chantait ainsi. Je me suis donc frayé un chemin au milieu des buissons, guidé par le son. Lorsque j'ai poussé la dernière branche qui me séparait du chanteur, j'ai constaté que ce n'était pas un villageois milago. Oh, non.

C'était Loor. Elle se tenait agenouillée sur un rocher, me tournant le dos, et lavait ses vêtements. D'abord, je me suis senti déçu, puis j'ai décelé un nouveau mystère. Comme je te l'ai dit, Loor est une dure de dure. Je ne savais rien du territoire d'où elles venaient, Osa et elle, mais il était facile de comprendre qu'elles étaient des guerrières. Avec son air calme et confiant, Osa me faisait penser à ces champions d'arts martiaux si sûrs de leurs capacités physiques qu'ils n'en sont que plus paisibles. Bien sûr, si quelqu'un les cherche, ils lui cassent la figure. Loor, par contre, n'avait pas ce côté paisible. Elle semblait constamment prête pour la bagarre. Peut-être parce qu'elle était jeune et n'avait pas la sagesse qui vient avec l'âge. Mais qu'importe : le fait est qu'elle me fichait la frousse. Mais la voir sur ce rocher, les cheveux défaits, à chantonner doucement, ne lui ressemblait guère. Peut-être que, sous toute cette frime macho, il y avait un fond de douceur. Loin, loin en dessous. Elle me tournait le dos et n'avait pas conscience de ma présence. Ses longs cheveux cascadaient sur ses épaules. Ils étaient d'un magnifique noir de jais.

Bon, avant que tu ne commences à me prendre pour un voyeur, tu dois comprendre qu'alors que je restais là, à la regarder, j'étais pris au piège. Au moindre bruit, elle se serait retournée, m'aurait vu planté là et aurait sûrement pris son bâton pour jouer un solo de batterie sur mon crâne. Et je n'aurais même pas pu l'en blâmer. Mon seul espoir était qu'elle finisse sa lessive et reparte vers le sentier sans se rendre compte de ma présence. Je suis donc resté là, figé sur place, en faisant de mon mieux pour ressembler à un arbre.

Au bout de quelques éternités, Loor s'est levée et a entrepris de tresser ses cheveux… Et c'est alors que j'ai entendu un craquement. Quelqu'un se déplaçait derrière moi. Mon cœur s'est mis à tambouriner dans ma poitrine. J'étais sûr qu'en entendant ce bruit Loor allait se retourner et me voir planté là comme un crétin. Quant à celui ou celle qui venait vers nous, il ou elle me trouverait là, en train de mater. Mais j'avais peur de m'en aller, car Loor ne manquerait pas de me repérer. Aucun de ces scénarios ne me plaisait.

Ce que je ne comprenais pas encore, c'est qu'il y avait un troisième cas de figure, encore pire que les deux précédents.

– Nous te cherchions, Pendragon, a fait une voix de basse.

En l'entendant, Loor s'est aussitôt retournée, surprise. J'en ai fait autant, et mes jambes ont failli me lâcher. Là, derrière moi, se tenait un des chevaliers de Kagan ! Il me dominait de toute sa taille, une lance dans une main, une corde dans l'autre.

J'étais coincé. J'ai tout de suite compris que Saint Dane, ou Mallos, ou quel que soit le nom dont il s'était affublé, avait envoyé ce type me capturer comme ils l'avaient fait avec l'oncle Press. Et je savais aussi autre chose : il ne m'aurait pas si facilement. Avant qu'il n'ait pu faire un geste, j'ai tourné les talons et me suis mis à courir vers la rivière.

Loor n'avait pas encore eu le temps de réagir. J'ai instantanément pris une autre décision. Alors qu'elle se relevait pour venir vers moi, je me suis lancé comme pour lui faire un plaquage de rugby. Je l'ai heurtée de plein fouet et nous sommes tombés dans les flots.

Crois-moi, tant qu'on n'a pas plongé dans une rivière de neige fondue, on ne sait pas ce que « froid » veut dire. Si je ne suis pas resté figé sur place, c'est parce que je n'ai pas arrêté de bouger. Mais, à vrai dire, peu m'importait. Tant que le courant nous emmenait loin de ce chevalier, il pouvait toujours geler le sang dans mes veines. J'aurais tout le temps de me réchauffer plus tard.

Nous avons crevé la surface dans un enchevêtrement de bras et de jambes. Le flot était si rapide qu'il nous a aussitôt emportés loin du chevalier. Quoi qu'il fasse, il ne pouvait pas nous rattraper. En regardant en arrière, je l'ai vu planté sur le rivage, à nous regarder bêtement. Il n'a même pas tenté de se lancer à notre poursuite.

J'ai arrêté de prêter attention au chevalier pour me préoccuper davantage de notre survie. Tu te souviens de ce que tu ressens lorsque tu plonges dans un océan glacé ? D'abord, le froid est insupportable, puis ta chaleur corporelle s'adapte et tu finis par t'y habituer… Eh bien, pas cette fois-ci. L'eau était trop glaciale pour ça. J'ai senti tout mon corps se raidir. Mais je devais lutter contre cette torpeur, car nous étions entraînés dans des rapides, et qui dit rapides dit rochers. J'ai un jour entendu dire que, quand on se retrouve plongé dans des flots aussi tumultueux, il vaut mieux mettre les pieds en avant et suivre le courant jusqu'à tomber sur un coin un peu plus paisible et nager vers la rive. C'était bien mon plan, mais Loor ne me facilitait guère la tâche. Elle s'accrochait à moi avec une telle force que j'avais du mal à bouger les bras pour manœuvrer. Il fallait que je m'écarte d'elle, ou nous allions nous noyer tous les deux.

– Les pieds en avant ! ai-je hurlé. Mets-toi sur le dos et laisse-toi flotter !

J'ai tenté de la repousser, mais elle n'a rien voulu savoir. Puis elle a prononcé les mots que je n'aurais jamais cru entendre d'elle. Dans une telle situation, il n'y avait rien de pire, et pourtant c'est ce qu'elle m'a dit :

– Je ne sais pas nager !

Oh, super. Rien d'étonnant à ce qu'elle s'accroche à moi. La rivière bouillonnait tout autour de nous et, à chaque fois que nous tombions sur un tourbillon, nous buvions la tasse. Nous nous en sortions en toussant et en crachotant, mais je ne savais pas combien de temps on pourrait tenir. Il fallait que je trouve un moyen de prendre le contrôle de la situation, sinon nous allions nous noyer ou nous assommer contre un rocher. Je me suis dit qu'on pourrait se mettre tous les deux sur le dos, les pieds en avant, pour former un convoi. Elle passerait en premier et je la soutiendrais par-derrière tout en agitant les bras pour la guider vers la rive.

– Les pieds en avant ! ai-je crié. Le visage en haut, accroche-toi à moi !

Elle n'a pas fait un geste. Elle en était incapable. Non pas par manque de bonne volonté, mais parce qu'elle était paralysée par la peur. Je ne sais pas ce que c'est de ne pas savoir nager, mais ce doit être terrifiant. Et étant donné sa force physique, inutile d'espérer la maîtriser. Nous avons atteint un nouveau tourbillon et plongé sous la surface. À peine avions-nous émergé que nous avons heurté un rocher. En fait, je l'ai à peine senti, car c'est le dos de Loor qui a encaissé le plus gros du choc. Il a dû être important, car elle a relâché sa prise. Aussitôt, je me suis emparé d'elle et l'ai retournée sur le dos.

– Prends mes jambes, lui ai-je dit.

Ce qu'elle a fait. J'étais sur le dos, moi aussi, avec Loor entre mes jambes. Maintenant que j'avais les bras libres, je pouvais nous stabiliser et nous empêcher de couler. Mon idée avait l'air de marcher. Si seulement nous pouvions tenir jusqu'à la fin des rapides.

– Utilise tes jambes pour éviter les rochers, lui ai-je conseillé.

Loor était terrifiée, mais elle avait assez de volonté pour surmonter sa peur. Pendant que je pataugeais frénétiquement, elle a donné des coups de pied pour nous écarter des rochers. Puis un tourbillon nous a entraînés sous la surface. J'ai senti Loor se tortiller pour se dépêtrer de moi, mais je l'ai serrée avec mes jambes. Quelques secondes plus tard, nous avons émergé.

C'est alors qu'il m'est venu une idée épouvantable. Et si ces rapides se terminaient sur une chute d'eau ? Nous ne pourrions jamais y survivre. Mais j'ai chassé cette idée : pour l'instant, je ne pouvais rien y faire.

Nous sommes passés par d'autres tourbillons, avons rebondi sur un ou deux rochers, puis enfin, le torrent s'est apaisé. Pas de chute d'eau en vue. Nous avions passé les rapides, mais nous n'étions pas encore tirés d'affaire : Loor ne savait toujours pas nager. À ce stade, l'entraînement que j'avais reçu pour mon brevet de secourisme a pris le relais, et je l'ai maintenue à flot tout en nageant vers la rive. Elle était si lasse et si terrifiée qu'elle n'avait plus la force de lutter : aussi ai-je pu l'emmener sans trop de difficultés. Nous avons fini par nous extraire de ce flot glacial pour nous traîner sur la rive. Nous sommes restés là, vautrés sur les cailloux, à bout de souffle, à bout de force, mais toujours en vie. Heureusement, les trois soleils brillaient désormais haut dans le ciel et commençaient à diffuser de la chaleur.

Après avoir repris mon souffle, je me suis redressé sur les coudes et ai regardé Loor. Elle gisait sur le dos, toujours hors d'haleine. Je dois l'admettre, maintenant que nous étions sauvés, j'étais plutôt fier de moi. Non seulement j'avais tiré cette dure à cuire surentraînée des griffes d'un des chevaliers de Kagan, mais pendant que nous descendions cette rivière, je lui avais sauvé la vie au moins une douzaine de fois. J'avais hâte de l'entendre déclarer qu'après tout j'étais moins nul qu'elle ne le croyait. Mais bien sûr, je ne risquais pas d'aller à la chasse aux compliments. Donc, j'ai attendu. Et attendu. Encore et encore. Mais elle n'a pas dit un mot. Qu'est-ce qui se passait ? Ça commençait à m'inquiéter. Je ne m'attendais pas à un grand numéro genre « Oh, Pendragon, mon héros ! », mais un simple « merci » aurait été très apprécié. Et toujours rien. Finalement, j'ai décidé de briser la glace :

– Ça va ? ai-je demandé.

– Non, merci, a-t-elle répondu.

– Quoi ? ai-je crié en me relevant d'un bond. Je t'ai sauvée de la noyade !

– Mais si tu ne m'avais pas jetée dans la rivière, je n'aurais pas eu besoin de ton aide, a-t-elle répondu d'un ton hargneux.

– Mais si nous étions restés sur la rive, le chevalier nous aurait attaqués ! ai-je rétorqué.

Loor a fini par se redresser et s'est tournée vers moi. Tout d'abord, elle n'a rien dit, mais, sous son regard dur, j'avais l'impression de n'être qu'une forme de vie à peine digne d'attention.

– Tu étais là, dans les buissons, en train de m'épier, a-t-elle dit.

Oups. Coincé.

– Si tu avais daigné m'adresser la parole, a-t-elle continué, je t'aurais dit que j'attendais la venue de ce chevalier.

Hein ? Quoi ? Alors là, je n'y comprenais plus rien.

– Tu attendais un des chevaliers de Kagan ? Mais... Pourquoi ?

– Parce qu'il est un Voyageur, qu'il est originaire de Denduron et qu'il était là pour me donner des informations au sujet de Press. Tu as failli nous tuer tous les deux dans le but d'échapper à l'allié le plus sûr que nous ayons sur ce territoire. Alors, Pendragon, dois-je vraiment te remercier ?

Journal n° 2
(suite)

DENDURON

Alors là, je ne pouvais tomber plus bas. Plus j'en apprenais sur ce monde, moins je le comprenais. Pire encore : à chaque fois que je tentais de prendre la situation en main, je faisais tout foirer. Loor et moi avions failli y rester, et c'était entièrement de ma faute. Comme j'aurais voulu rentrer chez moi ! Me retrouver dans mon lit ! J'aurais aimé sentir la truffe de Marley contre mon cou et respirer son haleine fétide. Mais j'étais là, gelé et couvert de bleus, sur la rive d'un torrent situé à l'autre bout de l'univers.

– Loor ! Ça va ?

J'ai entendu ce cri avant de voir l'homme se frayer un chemin à travers les bois. C'était le chevalier qui m'avait poussé à nous envoyer faire un tour de manège dans l'eau glacée. Lorsqu'il est sorti des buissons, j'ai pu voir qu'il n'était guère plus âgé que moi. Il était déjà grand, mais son armure le faisait paraître encore plus baraqué. Toutefois, il n'était pas très agile. Les autres chevaliers que j'avais vus étaient des brutes, des types dangereux et bien entraînés, des sortes de marines médiévaux. Ce type avait certes la même armure, mais évoquait davantage un chiot surdimensionné et pataud. Il n'avait rien d'une machine de guerre. Il est sorti maladroitement de la forêt, a trébuché sur une racine, a bien failli s'étaler la tête la première, puis nous a regardés avec des yeux écarquillés par la peur.

– Tout va bien, a affirmé Loor.

– C'est ma faute ! a gémi le chevalier. Je suis désolé !

Loor a palpé ses côtes pour vérifier qu'elle n'avait rien de cassé.

— Pendragon, a-t-elle dit, je te présente Adler.

— Adler quoi ? ai-je demandé, même si je me doutais déjà de la réponse.

— Adler tout court, a-t-il répondu.

Ouaip, encore un type sans nom de famille. À partir de quand une société est-elle assez avancée pour multiplier les noms ?

— Tu ne peux pas imaginer à quel point nous sommes heureux que tu sois enfin arrivé, Pendragon ! a-t-il dit, plein d'enthousiasme. Maintenant, nous pouvons commencer.

Hein ? Que voulait-il dire par « commencer » ? Pourquoi fallait-il que j'aie toujours un train de retard par rapport aux autres ?

— Commencer quoi ? ai-je demandé.

Alder a regardé Loor comme s'il s'étonnait que je ne le comprenne pas. Il ferait mieux de s'y habituer. Moi aussi, je me suis tourné vers elle. Apparemment, elle ne m'avait pas tout dit. Son regard s'est perdu de l'autre côté de la rivière. J'ai senti qu'elle se demandait si elle devait répondre. Elle a serré les dents. Elle s'est tournée vers moi, m'a regardé un instant, puis a lâché le morceau :

— Tu as vu comment les Bedoowans traitent les Milagos. Mais tu es loin d'avoir tout vu. La torture, la maladie, la disette… Les Bedoowans traitent les Milagos pire que des chiens. Ils manquent de nourriture, de médicaments. Chaque jour, il y a des morts dans les mines d'azur. Si personne n'y met un terme, les Milagos finiront par disparaître. Il est temps de mettre fin à cette horreur.

Je n'aimais pas trop la direction qu'elle prenait. Bon, d'accord, ces gens n'avaient pas la vie facile, et il fallait changer tout ça. Mais ce que je ne comprenais pas, c'est le rôle que j'étais censé jouer dans ce grand chambardement. D'ailleurs, je n'étais pas sûr de vouloir le savoir.

— Les Milagos sont des braves gens, a ajouté Alder. Ce n'est pas un peuple de guerriers. Il nous a fallu des années pour les persuader de réagir. Sans Press, peut-être n'auraient-ils jamais pris cette décision.

— Qu'est-ce que l'oncle Press vient faire là-dedans ? ai-je demandé.

— Press leur a servi d'inspiration, a-t-il répondu avec révérence. Il a donné aux Milagos la force de résister.

Décidément, les choses ne cessaient d'évoluer. C'était la première fois que j'entendais le terme « résister », et il ne me plaisait guère.

— Et toi ? ai-je demandé à Adler. Tu es un Bedoowan, pas un Milago. Pourquoi est-ce que tu t'inquiètes tant de leur condition ?

Loor m'a regardé droit dans les yeux.

— C'est un Voyageur, Pendragon, a-t-elle dit. Comme moi, comme Press, comme ma mère. C'est notre devoir de Voyageurs. Nous apportons notre aide à ceux qui en ont besoin. Es-tu prêt à assumer cette responsabilité ?

— Eh bien… non, ai-je répondu en toute honnêteté.

— Je m'en doutais, a-t-elle craché d'un air dégoûté.

Alder m'a regardé d'un air troublé, avec une touche de désespoir.

— Mais ça fait un certain temps que Press nous parle de toi, a-t-il insisté. Il nous a dit que si quelque chose devait lui arriver, tu prendrais sa place.

Du coup, j'ai eu un geste de recul.

— Hé là, un instant ! L'oncle Press ne m'a jamais informé de tout ça ! Tout ce qu'il m'a dit, c'est que des gens avaient besoin de nous. J'en ai conclu qu'on devait les emmener quelque part ou, peut-être, les aider à déplacer quelques meubles. Comment pouvais-je deviner qu'il voulait que je mène une révolution ou Dieu sait quoi ?

Loor s'est tournée vers moi, et ses yeux ont jeté des éclairs.

— C'est bien le mot, a-t-elle dit avec passion. Une révolution. Les Milagos se préparent à se révolter contre les Bedoowans. Press les a convaincus qu'ils pouvaient y arriver. Sans lui, ils n'auront jamais la force de combattre, et ils mourront tous. Je ne sais pas comment il y est arrivé, mais il leur a fait croire que tu étais aussi capable que lui de prendre leur tête. Voilà pourquoi tu es ici, Pendragon. Tel est ton devoir.

Soudain, j'ai eu l'impression d'être à nouveau dans la rivière, emporté par le flot sans pouvoir contrôler ma chute. Mon cœur s'est mis à battre aussi fort qu'à ce moment-là. Je n'ai rien d'un révolutionnaire, Mark. Je ne me suis jamais battu, sinon le jour où nous nous sommes bagarrés pour savoir qui passerait en premier sur le toboggan. Ce qui ne me rend pas vraiment qualifié pour mener une révolution.

— Écoutez, ai-je dit en faisant de mon mieux pour que ma voix ne se casse pas, c'est sûr que je regrette ce qui arrive à ces pauvres gens et tout ça, mais je ne suis pas à la hauteur. Vous dites que je suis un Voyageur ? Bon, d'accord, si vous voulez. Mais il y a deux jours, je ne savais même pas que tout ça existait ! Comment puis-je diriger une révolution du jour au lendemain ?

— Mais il le faut ! a répondu Alder très sérieusement. Les Milagos sont persuadés que tu prendras la place de Press.

— Alors pourquoi n'allez-vous pas le chercher ? ai-je crié.

Alder a baissé les yeux. Il y avait un os.

— Où est-il en ce moment ? a demandé Loor.

Sans lever les yeux, Alder a répondu :

— Il est détenu dans la forteresse des Bedoowans. Kagan l'a condamné à mort. Il sera exécuté demain, à l'heure de l'équinoxe.

Oh, misère ! L'oncle Press allait mourir ! Là, je touchais le fond du fond. Loor a tourné le dos à Alder et ramassé une pierre. Avec un rugissement de colère, elle l'a jetée de l'autre côté de la rivière. On aurait dit que ce lancer impressionnant servait d'exutoire à sa fureur. Elle s'est dirigée vers moi comme un taureau enragé. J'ai fait un pas en arrière : je m'attendais à ce qu'elle me donne un coup de poing. Mais non. Elle s'est approchée très près de moi et m'a craché au visage.

— Je ne comprends pas pourquoi Press te fait confiance. Tu es faible, lâche et tu ne te soucies de personne en dehors de toi-même. Mais puisque tu es un Voyageur, il est temps que tu agisses comme tel. Il est temps que tu voies ce qu'il en est réellement.

Sur ce, elle m'a poussé. J'ai dû agiter les bras pour ne pas tomber.

— Je ne peux repartir sans toi, a dit Adler d'un ton soumis.

— Je sais, a répondu Loor. Retrouve-nous après la tombée de la nuit.

Elle m'a poussé une fois de plus et s'en est allée. Comme je ne savais pas quoi faire d'autre, je l'ai suivie. Sur le chemin du retour, nous n'avons pas échangé deux mots, et j'en ai profité pour digérer tout ce que j'avais appris. Il faut croire que les Voyageurs sont des bons Samaritains cosmiques ou quelque chose comme ça. Oui, bon, voilà une fonction bien noble, mais je ne m'y étais jamais engagé. Je ne voulais même pas y être mêlé. Tous ces gens n'arrêtaient pas de me seriner que j'étais un Voyageur et que j'avais des responsabilités, mais qui donc avait fait de moi un Voyageur ? Je ne me souviens pas de m'être enrôlé. Peut-être est-ce comme au service militaire : on n'a pas vraiment le choix. Mais si j'étais recruteur, je réformerais tout de suite les gens comme moi ! Ils auraient dû prendre un type des commandos, un officier de marine ou, mieux encore, un de ces catcheurs qui ont plus de muscle que de cervelle. Ou un type qui passe son temps dans les salles de sport. Même si je voulais aider les Milagos, à peine ouvrirais-je la bouche que tout le monde verrait la supercherie. Non, ce que j'avais de mieux à faire, c'était encore de m'en tenir au plan A, c'est-à-dire de regagner le flume et de partir d'ici le plus tôt possible.

Néanmoins, il y avait une chose qui me tracassait. L'oncle Press avait des ennuis. Non, pire que ça. Il allait mourir demain. Mais que pouvais-je y faire ? Si je tentais de le sauver, les chevaliers de Kagan me mettraient en pièces et nous y resterions tous les deux. Tu parles d'un dilemme.

Lorsque Loor et moi avons regagné le village, Osa est venue nous accueillir. Elle m'a paru soucieuse. J'imagine qu'elle sentait que les choses tournaient au vinaigre. Avant qu'elle ne puisse demander ce qui s'était passé, Loor a dit :

— Il faut lui montrer les mines.

Osa n'a pas posé de questions. Elle a regardé sa fille et laissé échapper un soupir las.

— Suis-moi, Pendragon, a-t-elle dit, et elle a tourné les talons.

— Et si je n'ai aucune envie de les voir ? ai-je rétorqué, car c'était précisément le cas.

134

Osa m'a regardé de ses yeux perçants. Elle ne cherchait pas à me rabrouer. Ni à m'intimider, d'ailleurs. C'est difficile à expliquer, mais son regard ne reflétait qu'une infinie, inébranlable certitude. Il me disait : « Tu vas venir voir les mines car c'est ce que tu dois faire. » Peut-être était-ce une forme d'hypnotisme, mais, à l'instant même où son regard s'est posé sur moi, j'ai su que je n'avais pas le choix. Je l'ai donc suivie. Bizarre, non ?

Loor n'est pas venue avec nous, et Osa ne le lui a pas proposé. C'était une affaire entre nous, et ça me convenait parfaitement. Pendant que nous traversions le village milago, j'ai remarqué quelque chose qui, jusque-là, m'avait échappé. Quand je suis passé devant certains Milagos, ils m'ont jeté un coup d'œil. Si nos regards se croisaient, ils baissaient la tête et continuaient leur chemin. Bizarre. On aurait dit qu'ils me regardaient, mais ne voulaient pas reconnaître effectivement ma présence. Jusque-là, je croyais qu'ils ignoraient jusqu'à mon existence. Personne ne parlait à personne, et certainement pas à moi. À part Figgis, bien sûr. C'était le seul Milago qui se soit adressé à moi. Les autres ne se mélangeaient pas. Et pourtant, ils me toisaient. J'imagine qu'en me voyant ils devaient penser : « C'est vraiment ce type qui doit mener la révolution ? Mais ce n'est qu'un gamin ! » Et ils avaient raison.

J'ai suivi Osa sur le chemin qui menait à l'océan. Nous avons fait quelques pas dans les bois. C'est alors que j'ai vu un autre sentier plus petit qui partait vers la droite. Il nous a conduit à une clairière où s'élevait un grand édifice de pierre. On aurait dit la scène au milieu du village, là où se tenait le Transfert, sauf qu'il n'y avait pas de plate-forme de bois. Juste une grande grue avec une énorme poulie élevée au-dessus de l'édifice. Une grosse corde était passée dans la poulie et disparaissait dans le trou. Deux hommes trapus tiraient sur la corde pour hisser un fardeau invisible. Tout ça me rappelait ces vieux puits où l'on faisait descendre un seau pour le remonter rempli d'eau. Mais dans ce cas, c'est de l'azur qu'ils remontaient. Les deux hommes ont tiré le panier à la surface et l'ont vidé sur le sol. Quelques pierres d'azur mal dégrossies ont roulé à terre. Les deux hommes ont échangé un regard et soupiré. Apparemment, ce n'était pas une bonne pioche. C'est vrai qu'ils devaient rapporter assez d'azur pour couvrir le poids de la femme du mineur que les chevaliers avaient tué le jour d'avant. Ils ont ajouté ces pierres à une pile plus grosse. Il n'y avait pas grand-chose. S'ils ne remontaient pas plus de minerai, cette malheureuse irait rejoindre son mari au fond du puits. Cette idée m'a donné le frisson.

Osa s'est dirigée vers l'appareil, s'est assise dessus et a passé ses jambes par-dessus la margelle.

— Fais attention, m'a-t-elle conseillé.

Je l'ai vue disparaître dans le vide. Où allait-elle ? Voulait-elle sauter ? J'ai avancé jusqu'à la margelle, jeté un coup d'œil en bas et constaté qu'il y avait une échelle accrochée au mur. Osa la descendait, s'enfonçant dans un puits qui semblait ne pas avoir de fond. Elle a bien vite disparu dans le noir. J'ai jeté un œil aux deux mineurs. Comme de bien entendu, ils me fixaient. Mais à peine nos regards se sont-ils croisés qu'ils ont détourné les yeux et se sont remis au travail. Je ne sais pas ce qui était le plus inquiétant : savoir que tout le monde me toisait de la tête aux pieds ou descendre dans l'inconnu le long d'une échelle branlante ?

— Viens, Pendragon ! a tonné la voix d'Osa depuis le cœur des ténèbres.

J'ai tiré sur l'échelle pour m'assurer qu'elle était bien accrochée. Puis j'ai passé mes jambes par-dessus la margelle, me suis emparé de l'échelle et ai entamé ma descente. Heureusement qu'il faisait noir ; sinon, je ne sais si j'aurais eu le courage de continuer. L'échelle était faite de jeunes pousses tressées ; l'ensemble était grossier, mais tenait bon. Après avoir parcouru quelques mètres, j'ai constaté que l'échelle se terminait sur une corniche de pierre. Mais je n'avais pas touché le fond. J'ai vu qu'une autre échelle en partait pour s'enfoncer encore plus profondément sous la terre, et comme Osa n'était pas là, j'en ai conclu que je devais descendre aussi celle-là. Aussi incroyable que ça puisse paraître, il y avait quinze échelles en tout. Ce puits était vraiment interminable. Toutes les trois corniches, il y avait un tunnel horizontal partant du puits central. J'imagine qu'il s'agissait de boyaux abandonnés de la mine. À chaque fois qu'ils avaient épuisé un gisement d'azur, ils devaient descendre d'un niveau, s'enfonçant de plus en plus profondément sous la terre.

J'ai fini par toucher le fond. Osa m'y attendait. Là, par contre, il y avait de la lumière. D'innombrables petites chandelles. Ce n'étaient pas vraiment des illuminations, mais quand mes yeux se sont accoutumés à la pénombre, j'ai pu distinguer l'essentiel. Un tunnel s'éloignait du puits central. Osa s'y est engagée, et je l'ai suivie. Le tunnel était foré à même la roche. Je pouvais rester debout, mais Osa devait se tenir légèrement courbée. Heureusement que je ne suis pas claustrophobe.

– Le puits principal a été creusé il y a bien des générations, m'a-t-elle expliqué. Mais lorsqu'on a découvert un riche filon d'azur à ce niveau, les mineurs ont décidé de changer de stratégie.

– Qu'ont-ils fait ?

Osa n'a pas eu besoin de répondre. Au bout de quelques mètres, le tunnel a débouché sur une immense caverne. Elle devait bien faire dix mètres de haut. Le spectacle était impressionnant. De nombreuses autres galeries partaient de cet espace principal. C'était comme si nous étions sur le moyeu d'une roue dont les tunnels seraient les rayons, partant dans toutes les directions. Chaque galerie comportait une paire de petits rails. J'ai déjà vu des photos représentant des mines d'or, et j'en ai conclu qu'ils servaient à faire circuler les wagonnets.

– Quand on a découvert que ce niveau était le plus riche en azur, a continué Osa, on a foré des tunnels dans toutes les directions. Il y a des kilomètres et des kilomètres de galeries. Le réseau est si complexe qu'il est arrivé que des mineurs se perdent et mettent des jours à retrouver leur chemin.

J'avoue que c'était assez impressionnant, surtout quand on pense qu'ils avaient dû faire tout ça à la main. Nous sommes restés à l'entrée de la caverne et avons regardé ce qui s'y passait. Il n'y avait pas la moindre foreuse mécanique, uniquement la force physique des mineurs milagos. Certains poussaient des chariots remplis de terre, d'autres les vidaient au centre de la caverne et fouillaient dedans pour en retirer les morceaux d'azur. J'ai aussi entendu le bruit lointain des pioches heurtant la pierre là où d'autres mineurs agrandissaient les tunnels dans leur quête incessante du précieux minerai.

– Ils travaillent nuit et jour, a expliqué Osa. C'est le seul moyen de remplir les exigences déraisonnables de Kagan.

Elle a ramassé l'outil d'un des mineurs. C'était une pioche de métal avec un manche de bois.

– Ces instruments sont interdits à la surface, car ils contiennent du métal. Quiconque apporte un objet métallique dans le village encourt la peine de mort.

Maintenant qu'elle le disait, je ne me souvenais pas avoir vu un seul objet métallique là-haut. Tous les outils étaient faits de bois ou de pierre. Comme si les Bedoowans tentaient de garder les Milagos à l'âge de pierre – sauf, bien sûr, lorsqu'il s'agissait d'extraire leur précieux azur.

J'ai soudain remarqué qu'il planait une drôle d'odeur dans la mine. Pas vraiment déplaisante. Assez agréable même, dans le genre doux-amer.

– Quelle est cette odeur ? ai-je demandé.

Osa n'a pas répondu, mais m'a fait signe de la suivre. Nous avons traversé l'immense caverne, enjambant les rails de chemin de fer. Alors que nous approchions de l'autre bord, j'ai commencé à apercevoir quelque chose qui m'a donné le frisson. Je n'avais rien remarqué à cause du manque de lumière, mais maintenant que j'étais assez près, je voyais tout. À vrai dire, j'aurais préféré m'en passer, mais je ne pouvais me voiler la face. Une douzaine de mineurs gisaient là, sur le sol de la caverne. Ils n'étaient pas beaux à voir. Certains gémissaient de douleur, d'autres se contentaient de rester assis, le regard vide.

– Ils ont l'air malades, ai-je dit.

– Ils le sont, m'a-t-elle répondu tristement. Cette odeur provient d'un gaz qui jaillit à chaque fois qu'on arrache l'azur à la roche. C'est un poison qui détruit peu à peu leurs poumons.

– Nous inhalons des gaz toxiques ? ai-je demandé, prêt à foncer vers les échelles.

– Ne t'en fais pas, a-t-elle fait tranquillement. Tu peux le respirer pendant des années sans problèmes.

J'ai regardé les mineurs et ai demandé :

– C'est ce qu'on fait ces pauvres bougres ?

Osa a acquiescé tristement.

– C'est une mort bien douloureuse.

– Pourquoi ne remontent-ils pas à l'air frais ?

– Ils n'en ont plus la force. Ces malheureux sont au dernier stade du mal. Ils mourront dans cette caverne.

J'ai fait quelques pas en arrière. J'ai honte de le dire, mais je craignais d'attraper cette maladie en restant près des mineurs. Soudain, cette immense caverne ne me semblait plus si grande. Les murs me semblaient oppressants et je n'avais qu'une seule envie : sortir d'ici. Peut-être suis-je un brin claustrophobe, en fin de compte.

– Pourquoi teniez-vous à ce que je les voie ? ai-je demandé.

– Parce que tu dois comprendre à quel point la situation des Milagos est désespérée.

J'ai eu envie de hurler. Osa était en train de me faire un odieux chantage. Elle me montrait l'horreur qu'ils vivaient au quotidien pour que je ne puisse plus refuser de mener leur soulèvement. Mais pourquoi ? Osa était loin d'être bête. Elle devait bien sentir que je n'étais pas de taille à mener une révolution. Sa fille avait été plus rapide. Pourquoi Osa refusait-elle de l'admettre ? Je ne voulais pas en débattre ici, devant ces malheureux mineurs. Je suis donc parti vers le tunnel menant aux échelles.

– Où vas-tu ? a-t-elle demandé.

– Chez moi, ai-je répondu tout simplement.

J'ai traversé la caverne, sautant par-dessus les rails et évitant les wagonnets. Au moment où j'allais entrer dans le tunnel qui menait aux échelles, quelqu'un a couru devant moi. C'était Figgis. Mais cette fois-ci, il n'a pas cherché à me vendre quelque chose. Il semblait pressé, et je n'étais même pas sûr qu'il m'ait reconnu. Je l'ai regardé courir le long du tunnel. J'allais emprunter le même chemin lorsque le sol s'est mis à trembler. Aïe. Un tremblement de terre ? Un éboulement ? Une seconde plus tard, il y a eu une grande explosion. J'ai virevolté pour voir d'où provenait ce bruit et vu de la fumée noire s'échapper d'une des galeries. La plupart des mineurs regardaient la scène d'un air ébahi.

Bon, je ne suis pas un expert, mais ça faisait longtemps que ces gens-là creusaient la terre. Ils avaient certainement déjà assisté à une explosion comme celle-ci. On pourrait croire qu'ils auraient aussitôt pris des mesures et évacué la mine ou réparé les dégâts. Il pouvait y avoir des mineurs pris au piège dans le tunnel. Mais ce n'est pas ce qui s'est passé. On aurait dit qu'ils ne savaient pas quoi faire.

Osa a fini par crier :

– Il y a quelqu'un là-dedans ?

– Rellin ! a crié un des hommes.

Voilà qui a semblé les réveiller. Ils ont vite repris leurs esprits et se sont dirigés vers l'entrée fumante pour secourir leur chef. L'un des mineurs a attaché une corde autour de sa taille et s'est engagé dans le tunnel. Quelques autres ont pris l'autre bout de la corde. Je présume que c'était pour le ramener au cas où il tomberait dans les pommes. Ce type ne manquait pas de courage.

Le sol n'a pas tremblé une seconde fois. Malgré les dégâts causés par l'explosion, ils restaient cantonnés au tunnel. Comme je ne me sentais pas en danger, j'ai préféré rester pour voir si Rellin était indemne.

– Il y a souvent des explosions comme celle-ci ? ai-je demandé.

Osa a continué de fixer la galerie noire de fumée, puis a dit ce que je n'aurais jamais cru entendre :

– Qu'est-ce qu'une explosion ?

Hein ? Comment pouvait-elle ignorer ce qu'était une explosion ? Cette femme savait tout ce qu'il y avait à savoir. Ce n'était pas une question de langue, puisque les Voyageurs les parlaient toutes.

– Vous savez, ai-je répondu, une explosion. Ce grand « bang ». Sans doute de la dynamite ou quelque chose comme ça.

Elle m'a regardé d'un air interdit.

– Je n'ai jamais rien vu de tel, ni ici, ni là d'où je viens. Tu dis que c'est ce grand bruit qui a provoqué tous ces dégâts ? Comme un éclair ?

Alors ça, c'était le comble du bizarre. Même si ça pouvait expliquer la réaction des mineurs, ou plutôt leur absence de réaction. Ils n'avaient sans doute pas la moindre idée de ce qui s'était passé, eux non plus. Mais alors, qu'est-ce qui avait bien pu provoquer cette explosion ? Peut-être avaient-ils heurté une poche de gaz souterrain.

Avant que nous n'ayons pu en discuter, les mineurs qui tenaient la corde se sont mis à tirer dessus avec frénésie. Les autres se sont rassemblés, la mine soucieuse. Ils ont fixé l'embouchure de la galerie en attendant de voir ce qui allait en sortir. Au bout de quelques secondes, le sauveteur a émergé de la fumée. Dans ses bras, il tenait... Rellin. Le chef des mineurs était noir de suie et il y avait des traces de sang sur son front, mais il n'était pas blessé. On l'a aidé à s'asseoir et on lui a apporté une gourde de cuir couverte de poils pour qu'il se désaltère. Rellin a bu une grande gorgée, l'a fait tourner dans sa bouche et l'a recrachée.

Puis il s'est passé une drôle de chose. Rellin a regardé les autres mineurs, l'un après l'autre, et s'est mis à rire. Les autres n'avaient pas l'air de savoir ce qu'il fallait en penser. Peut-être était-ce le soulagement qui provoquait ce rire nerveux : après tout, il avait vu la mort de près. Ou peut-être était-il devenu fou. Je n'en savais rien et, à voir les regards qu'échangeaient les mineurs, eux non plus. À vrai dire, c'était assez inquiétant. Je pense qu'Osa a ressenti la même chose, car elle a posé une main sur mon épaule et m'a dit :

– Nous devrions remonter à la surface.

Je ne me le suis pas fait dire deux fois. J'ai parcouru le tunnel et grimpé les échelles en un clin d'œil. Tout en montant, j'ai regardé le cercle de ciel bleu, là, tout en haut, qui ne cessait de croître au fur et à mesure de mon escalade. C'était la lumière au bout d'un long tunnel sombre, et j'avais hâte d'y être. Quand j'ai passé la tête au-dehors, j'ai inspiré profondément l'air frais et me suis aussitôt juré de ne plus jamais descendre dans cet enfer. L'un des mineurs qui avaient récupéré la corbeille remplie d'azur était adossé à la structure soutenant la poulie et me regardait. L'autre avait dû s'en aller.

Là, j'ai perçu quelque chose de bizarre. Je ne sais pas pourquoi, mais quand j'ai regardé ce mineur, il n'a pas détourné les yeux. Il a continué de me dévisager.

Osa est sortie du puits, a sauté sur le sol et a dit :

– Parle-moi de ce phénomène que tu appelles… une explosion.

Avant que je n'aie pu répondre, Osa a dirigé toute son attention sur quelque chose derrière moi. Je me suis retourné pour voir ce même mineur. Il restait là, à me dévisager avec une expression particulièrement stupide. Elle s'est dirigée droit sur lui, l'a fixé un instant, puis s'est tournée vers moi et s'est écriée :

– File, Pendragon ! Va-t'en !

– Hein ?

Avant qu'elle n'ait pu s'expliquer, le mineur s'est effondré à ses pieds. Mes yeux se sont posés sur une flèche plantée dans son dos. Oui, le pauvre bougre était mort ! Je n'avais encore jamais vu de cadavre. J'en suis resté paralysé. Osa a couru vers moi, m'a pris la main et entraîné vers la forêt. À peine avions-nous fait quelques pas que quatre chevaliers de Kagan ont surgi droit devant nous. Je comprenais mieux ce qui était arrivé au mineur.

– Nous venons chercher ce garçon, ont-ils annoncé.

Cette fois-ci, il n'y avait pas de doute possible. Contrairement à Alder, que j'avais pris pour un ennemi, ces gars-là n'étaient pas de notre côté. Ils portaient des armes évoquant des matraques et, à en juger d'après ce pauvre mineur qu'ils avaient tué d'une flèche, n'hésiteraient pas à s'en servir s'ils le jugeaient bon.

Osa n'a pas fait un geste, mais je l'ai sentie se crisper. Elle a lâché ma main et s'est lentement tournée. Je savais ce que ça voulait dire. C'était précisément ce qu'on vous conseillait en cours de karaté. Mettez-vous de profil afin de présenter une cible moins importante. Oui, il y aurait combat, et j'étais pris entre deux feux. Osa n'allait pas frapper la première : elle était trop intelligente pour ça. S'il devait se passer quelque chose, ce serait à l'initiative des chevaliers.

L'un d'entre eux a levé sa matraque et fait un pas dans notre direction. Osa a fléchi les jambes, prête à se défendre. Le chevalier a poussé un grand cri de guerre, nous a chargés et… bang ! il est tombé d'un bloc, comme si on lui avait tiré dessus. Les autres chevaliers ont semblé aussi surpris que moi, mais j'en ai vu la raison bien avant eux.

Derrière eux se tenait Loor, munie de son bâton de bois. Bien joué. Elle tenait une autre arme, qu'elle a jetée à sa mère. Osa l'a attrapée et s'est accroupie, prête au combat. Maintenant qu'elles étaient armées toute les deux, elles avaient leur chance. Toutefois, ces chevaliers étaient des professionnels. Impossible de savoir ce que ces guerrières pouvaient faire contre eux.

Tout s'est passé très, très vite. Avant que les chevaliers n'aient surmonté leur surprise de voir leur pote tomber raide, Loor a arraché la matraque des mains du chevalier qu'elle venait d'assommer et, d'un geste rapide, me l'a lancée. Je l'ai attrapée au moment même où Loor prenait position à côté de sa mère. Maintenant, nous étions à trois contre trois. Bon, deux et demi contre trois, car il y avait autant de chances que j'attaque un de ces chevaliers que de me faire pousser des ailes pour m'envoler loin d'ici.

– Bats-toi, Pendragon ! m'a ordonné Loor.

C'est alors que les chevaliers se sont précipités sur nous. Osa et Loor se sont mises à courir pour les affronter. Je suis resté figé sur place. Ma présomption comme quoi elles étaient des guerrières s'est révélée tout à fait correcte. Elles étaient incroyables. Elles maniaient leurs longues armes comme des expertes en arts martiaux. Si je n'avais pas eu si peur, j'aurais probablement apprécié le spectacle. Elles faisaient tourner et virevolter leurs bâtons si vite qu'ils étaient à peine visibles. Les chevaliers, par contre, étaient plutôt maladroits. Ils avaient beau brandir leurs espèces de matraques, les deux femmes paraient leurs assauts sans le moindre mal d'un simple tour de main ou se tordaient pour se mettre hors de leur trajectoire avant de répliquer en assénant un bon coup à leur adversaire. Si les chevaliers étaient restés immobiles en comptant sur leur force brute, j'aurais certainement parié sur eux. Mais Osa et Loor étaient constamment en mouvement, si bien qu'ils n'arrivaient pas à les toucher. C'était comme un essaim d'abeilles attaquant des ours balourds. Et les abeilles étaient bien parties pour gagner.

Le seul problème, c'est que les chevaliers portaient une armure. Pour les arrêter, il fallait plus que quelques coups purement défensifs. Mais j'étais sûr qu'Osa et Loor allaient l'emporter. Du coup, je me suis quelque peu détendu.

Mauvaise idée. C'est alors qu'un des chevaliers m'a foncé dessus. Il brandissait sa matraque et hurlait comme s'il rassemblait ses forces pour m'arracher la tête d'un seul coup. Et je ne savais pas quoi faire. J'aurais dû lever ma propre arme pour me défendre. J'aurais dû plonger, puis passer à l'attaque. J'aurais dû lui jeter mon bâton au visage pour au moins le ralentir. Mais je n'ai rien fait de tout ça. Je me suis contenté de faire quelques pas en arrière, de glisser et de tomber sur les fesses. Cette fois-ci, j'étais mort ! Le chevalier était presque sur moi. J'ai pu voir ses yeux et la rage aveugle qui y brûlait. Là, j'allais comprendre ma douleur. Encore quelques pas et il serait à portée…

Osa a alors jeté son bâton, tel un javelot, et l'a atteint aux genoux. Ses jambes l'ont lâché et il s'est effondré dans l'herbe. Aussitôt, Loor s'est jetée sur lui. Elle lui a décoché un bon coup sur la tête, et il est retombé face contre terre, assommé. Deux de moins.

Loor m'a regardé, et j'ai pu voir le feu de la bataille dans ses yeux.

— Bats-toi, espèce de lâche ! m'a-t-elle ordonné.

Osa est venue vers nous en criant :

— Non ! Emmène-le à l'abri ! Cache-le !

Loor aurait préféré rester combattre aux côtés de sa mère, mais Osa était aux commandes.

— Ils ne doivent pas s'emparer de lui. Vas-y !

Elles n'ont pas eu le temps d'en discuter davantage, parce que les deux chevaliers restants passaient à l'attaque. À contrecœur, Loor m'a pris le bras et relevé d'un coup sec. Il faut que je te dise, Mark : jamais de ma vie je ne m'étais senti aussi gêné et aussi inutile. Je n'étais rien qu'un boulet. On se pose souvent la question : comment réagirais-je en cas de danger ? On s'imagine toujours qu'on va commettre une action héroïque quelconque et tout arranger. Eh bien crois-moi, à ce moment-là, cette vision idéalisée n'avait rien à voir avec la réalité. J'ai honte de l'admettre, mais je n'étais qu'un gros bébé paralysé par la terreur.

Tandis que Loor m'entraînait vers la forêt, j'ai jeté un coup d'œil en arrière pour voir comment s'en sortait Osa. J'ai vu alors un spectacle incroyable. Elle s'en tirait encore mieux toute seule.

Cette incroyable guerrière affrontait les deux chevaliers en même temps. Elle a paré, tournoyé, frappé, et loupait rarement sa cible. À la voir, ça semblait même facile.

Loor et moi avons quitté la clairière pour nous enfoncer dans les bois, puis nous sommes retournés pour voir la fin du combat. Je savais que Loor aurait préféré combattre auprès de sa mère. Mais elle était obligée de jouer les baby-sitters pour un minable comme moi, et elle en était malade.

– Ta mère est incroyable, lui ai-je chuchoté.

Elle n'a pas fait de commentaire, mais je savais qu'elle pensait comme moi. Quelques instants plus tard, le combat a touché à sa fin. Les chevaliers avaient perdu de leur entrain et, après encore quelques bons coups bien sentis, tous deux se sont effondrés, l'un K.-O. pour le compte, l'autre trop épuisé pour faire le moindre geste. Osa est restée accroupie et a fait virevolter son arme pour s'assurer que le combat était bien terminé. Puis elle s'est redressée et, avec la dextérité d'un maître ninja, a rengainé son bâton dans l'étui accroché à son dos. Elle avait remporté la victoire.

– Tu ne le mérites pas, Pendragon, a sifflé Loor.

Et elle avait raison. Je n'étais pas digne de leurs efforts. Ces deux femmes avaient risqué leur vie pour me sauver, et je ne pourrais jamais remplir la mission qu'elles attendaient de moi en retour. Mais si je me sentais mal, je n'avais pas encore pris la pleine mesure de l'horreur de la situation. Loor et moi nous sommes relevés et sommes retournés dans la clairière. Osa nous a vus. Elle a fait quelques pas dans notre direction, puis s'est soudain immobilisée. En voyant ça, Loor s'est empressée de tendre le bras pour m'arrêter. Que se passait-il ? Les chevaliers avaient-ils repris conscience ? J'ai regardé Osa, qui a lentement repris sa position de combat. Elle était à nouveau parée à l'action. Sa main s'est lentement dirigée vers son bâton. J'ai parcouru la clairière des yeux sans rien remarquer de suspect. Les chevaliers gisaient toujours là où ils étaient tombés. Pourquoi étaient-elles si tendues ?

Une seconde plus tard, j'ai eu la réponse – et elle me hantera jusqu'à la fin de mes jours. D'abord, j'ai entendu un bruissement et me suis dit que quelqu'un traversait les buissons. Mais j'ai vite compris qu'il ne provenait pas de la forêt. J'ai levé les yeux et, à ma grande horreur, ai vu quatre autres chevaliers perchés tout en haut des arbres. Mais ceux-ci n'étaient pas armés de matraques. Ils avaient des arcs et des flèches. J'avais oublié ce mineur tué d'une flèche. Ces types étaient là depuis le début, à admirer le spectacle. À présent, il était temps pour eux de passer à l'assaut.

Et Osa était là, au milieu de la clairière, exposée. J'ai fait un pas vers elle, mais elle a crié :

– Emmène-le !

Les chevaliers ont braqué leurs arcs. Tous vers Osa. Cette brave combattante qui n'avait pas d'armure pour se protéger. Ni rien d'autre, d'ailleurs. Les quatre flèches ont toutes atteint leur cible. Osa est tombée à genoux, lentement, comme un arbre abattu. Loor a émis un petit cri étranglé et voulu se précipiter à son secours, mais je l'ai arrêtée. Les chevaliers avaient eu tout le temps de recharger, et si elle s'engageait sur cet espace dégagé, elle connaîtrait le même sort que sa mère. Nous sommes restés figés un instant, plongeant nos regards dans les yeux si doux de la condamnée. Peut-être que je me fais des idées, mais maintenant que j'écris ça, je crois me rappeler qu'elle a eu un petit sourire.

Les chevaliers ont lâché une nouvelle volée de flèches. Cette fois-ci, ce n'est pas Osa qu'ils visaient, mais nous. Heureusement, nous étions sous le couvert des arbres : soit ils nous ont ratés, soit les branches les ont déviées. Mais ça a suffi pour faire réagir Loor. Elle a pris ma main et nous sommes partis en courant dans la forêt, abandonnant sa mère mortellement blessée.

Loor connaissait bien cette forêt. En courant à ses côtés, j'ai eu l'impression de suivre un cerf au galop. Elle n'a cessé de sauter par-dessus des troncs abattus, d'éviter des rochers et de traverser les taillis comme un boulet de canon. En outre, nous ne progressions pas en ligne droite. J'ai compris qu'elle cherchait à semer les chevaliers qui pourraient s'être lancés à notre poursuite. Je commençais à fatiguer et un point de côté me taraudait, mais il n'était pas question de me plaindre. Pas après ce que ces femmes avaient fait pour moi.

Nous avons fini par atteindre le côté opposé du village. Loor m'a conduit tout droit à une hutte de pierre. C'était ça, ma cachette ? Voilà qui ne m'enchantait guère. Les chevaliers n'auraient qu'à fouiller le village pour nous retrouver. Mais j'ai vite découvert qu'elle avait une autre idée en tête. Elle s'est jetée sur un tas de peaux de bêtes amassées contre l'une des cloisons et les a repoussées. En dessous, je n'ai vu que cette terre tassée qui servait de sol à toutes les autres huttes. Loor a pris son bâton de bois et gratté la terre. Bien vite, elle a dégagé un anneau de bois. Elle a jeté son bâton sur le sol, empoigné l'anneau et tiré dessus. C'était une trappe !

– C'est un chemin vers les mines, m'a-t-elle dit en guise d'explication.

Oh, non ! Et moi qui m'étais promis vingt minutes plus tôt de ne plus jamais y remettre les pieds !

– Les Bedoowans ont peur des gaz, a-t-elle continué. Ils ne descendent jamais dans les mines.

Elle a ouvert en grand la trappe, dévoilant une autre échelle grossière qui disparaissait dans le noir. Et c'était reparti. Elle m'a fait signe de passer en premier, puis m'a suivi et a refermé la trappe derrière elle. Nous avons descendu cette unique échelle. Elle nous a menés à une galerie si étroite que nous avons dû progresser accroupis. J'ai vite constaté qu'il était en pente.

– Il y a beaucoup de petits tunnels comme celui-ci, a-t-elle précisé. Pour apporter de l'air aux mineurs.

Donc, en gros, nous étions dans un conduit de ventilation. Logique. Mais comme il ne servait qu'à l'aération, justement, il n'y avait pas de chandelle pour éclairer notre chemin. On aurait dit que nous marchions dans de l'encre. J'ai tendu une main devant moi au cas où un mur me sauterait dessus. Mais j'étais trop lent au goût de Loor. Elle a vite pris la tête. Elle se déplaçait bien plus rapidement, et mieux valait la suivre que d'avancer dans le noir. Il ne me restait plus qu'à espérer qu'elle savait où elle allait.

Le conduit de ventilation a débouché sur un tunnel beaucoup plus grand. J'ai remarqué des rails posés sur le sol. J'en ai conclu qu'il devait s'agir d'un des premiers tunnels forés avant que les

Milagos n'aient creusé cette immense caverne. Nous l'avons suivi pendant quelques minutes jusqu'à déboucher dans un endroit familier. C'était le puits de mine où Osa et moi étions descendus la première fois. Il y a combien de temps ? Un siècle, me semblait-il, bien que ça doive plutôt être une heure. Nous avons débouché sur l'une des corniches. J'ai alors vu que nous n'étions qu'à trois niveaux de la surface. Au-dessus, j'ai reconnu ce cercle de lumière désormais familier.

Loor est allée jusqu'au bord de la corniche et a regardé en bas. Elle semblait débattre de la conduite à suivre. J'ai vite compris la raison de ses hésitations.

– Descends tout au fond, a-t-elle dit. Je t'y rejoindrai. Vas-y !

Elle m'a dévisagé jusqu'à ce que j'obéisse : j'ai empoigné l'échelle. À peine ai-je commencé ma descente qu'elle s'est empressée de remonter. Comme je m'en doutais, elle voulait retourner auprès de sa mère. Je suis resté accroché à l'échelle, à la regarder grimper vers la surface. Je sais que j'aurais dû continuer, comme elle me l'avait dit, mais j'en étais incapable. Osa avait risqué sa vie pour moi, et je devais savoir comment elle allait. J'y ai réfléchi quelques secondes, puis me suis décidé et ai commencé mon ascension.

Quand j'ai atteint la dernière échelle qui me séparait de la surface, j'ai entendu un bruit provenant du dehors. Tout d'abord, je n'ai pas pu déterminer ce que c'était, mais lorsque je l'ai enfin identifié, j'ai eu un pincement au cœur. C'était Loor qui fredonnait la même mélodie que je l'avais entendue chantonner près de la rivière. Je me suis extrait du puits de mine, et le spectacle qui s'est dévoilé sous mes yeux m'a brisé le cœur.

Loor était assise par terre, non loin du treuil. Elle avait posé la tête d'Osa sur ses genoux et lui caressait les cheveux tout en ondulant d'avant en arrière comme on berce un bébé. Pas moyen de dire si Osa était vivante ou morte. À côté d'elle j'ai aperçu les quatre flèches qui l'avaient frappée. Loor les avait arrachées. Je suis resté figé sur place : je ne voulais pas débouler comme un chien dans un jeu de quilles. Loor était si fière qu'elle ne voulait certainement pas qu'on la voie pleurer.

J'ai parcouru la clairière des yeux. Les chevaliers étaient repartis. Les archers avaient probablement emporté leurs collègues inconscients. Cependant, le cadavre du mineur milago était toujours là. Il gisait sur le dos et fixait le vide de ses yeux morts.

C'est alors que j'ai vu Osa bouger la main. Elle l'a tendue lentement pour la poser sur celle de sa fille. Elle était vivante ! Je me suis empressé de les rejoindre pour voir si je pouvais être d'un quelconque secours. Loor a paru ne pas remarquer ma présence, mais elle s'est arrêtée de fredonner. Osa, elle, savait que j'étais là, et m'a regardé avec des yeux las.

– Ne soyez pas triste, a-t-elle dit d'une voix faible. J'imagine que c'était écrit.

J'ai eu bien du mal à retenir mes larmes. Osa ne s'en tirerait pas.

– Osa, je… suis désolé.

C'est tout ce que j'ai pu dire.

Elle a alors retiré sa main de celle de Loor et pris la bourse de cuir autour de son cou. C'est là qu'elle avait mis l'anneau d'argent.

– Prends ça, Pendragon. Et sers-t'en à ta guise.

J'ai pris la bourse et en ai tiré l'anneau. Osa a hoché la tête pour m'encourager ; je l'ai donc passé à l'annulaire de ma main droite. Curieusement, il était exactement à ma taille.

– Vous êtes au commencement d'un long voyage, tous les deux, a-t-elle continué d'une voix de plus en plus faible. Pendragon, je sais que tu ne te juges pas à la hauteur. Mais tu te trompes.

J'ai acquiescé, même si je ne la croyais pas.

– Halla est entre tes mains, a-t-elle continué. Ne l'oublie pas. Laisse-le te guider. Ensemble, vous allez…

Elle a eu une toux sèche, un frisson et a fermé les yeux. Pour ne plus jamais les rouvrir.

C'était un moment terrible. Bien sûr, j'éprouvais de la compassion pour Loor. Elle venait de perdre sa mère. Mais je ressentais aussi un immense vide. Je connaissais Osa depuis peu ; pourtant, je m'étais pris d'affection pour elle. Elle représentait la voix de la raison dans ce tourbillon où je m'étais retrouvé malgré moi. J'avais confiance en elle. Quand elle était là, je me sentais en sécurité. Et elle m'avait prouvé que ma confiance était bien placée : elle s'était même sacrifiée pour me sauver. Voilà une dette que je ne pourrais jamais rembourser.

J'aurais voulu consoler Loor, mais ne savais comment faire. J'ai cherché quelque chose à lui dire, mais elle a pris la parole avant moi :

– Descends dans la mine, Pendragon. Je t'y retrouverai.

Je n'allais certainement pas discuter. Je me suis contenté d'acquiescer et de m'éloigner. Avant de descendre l'échelle, j'ai tout de même dit :

– Je suis désolé, Loor.

Elle n'a pas réagi. Elle est restée là, à bercer sa mère défunte. Lorsque j'ai enjambé la margelle, je l'ai entendue. Elle fredonnait à nouveau ce même air. J'ai dû ravaler mes larmes.

Je suis descendu jusqu'au fond de la mine et ai gagné l'immense caverne. Une fois là-bas, j'ai vu que les choses avaient repris leur cours normal. En bas, il n'y avait ni jour, ni nuit. Et il n'y avait plus la moindre trace de l'explosion. Comme je ne savais pas quoi faire, je me suis trouvé un coin tranquille où m'asseoir et réfléchir. Inutile de dire que mon esprit était en plein désarroi, hanté de pensées contradictoires. J'ai fait tourner l'anneau autour de mon doigt. Ce drôle de bijou pouvait être mon billet de retour. Mais si j'avais envie de m'en servir, l'idée de filer à l'anglaise me donnait un sentiment de culpabilité incroyable. Pour une raison que je n'arrivais pas à comprendre, tout le monde attendait de moi que j'aide ces gens à se libérer de leurs oppresseurs. Pire encore, quelqu'un venait de se sacrifier pour que je puisse remplir cette mission.

J'aurais voulu savoir ce qu'il convenait de faire. Si j'avais pu aider ces gens, ç'aurait été avec joie. Mais... conduire une révolution ? C'était de la folie ! Je suis resté assis là et me suis même assoupi quelques instants. Finalement, Loor est arrivée. Elle portait un panier.

– Viens avec moi, m'a-t-elle ordonné.

Je me suis donc levé et l'ai suivie. Elle m'a fait descendre un des tunnels, sauf que celui-ci n'avait pas l'air très actif. Après quelques mètres, nous sommes entrés dans une petite pièce creusée à même la roche. Elle était équipée comme les huttes, avec un lit fait de fourrures animales, une table et des chandelles.

– C'est là que nous venons nous réfugier lorsque Kagan nous recherche, a-t-elle expliqué. Ici, tu ne risques rien.

Elle m'a tendu le panier. Il était rempli de pain et de fruits. Il fallait que je mange un morceau, même si je n'avais guère d'appétit.

J'ai saisi l'occasion de demander :

– Où est Osa ?

– On l'a emmenée au village, a-t-elle répondu sans la moindre trace d'émotion. Demain, je la ramènerai à Zadaa.

Zadaa. Le territoire d'où venaient Loor et Osa. Elle savait donc comment voyager à l'aide des flumes. Et si elle ramenait le corps de sa mère chez elle, elle ne comptait sans doute pas escalader la montagne d'abord. Il devait y avoir un autre moyen d'actionner les flumes.

À ce moment, cette petite salle vibrait de tension. Loor était furieuse, mais je ne savais si tout ou partie de cette colère était dirigée contre moi. J'étais triste, bouleversé et, pour tout te dire, j'avais encore un peu peur d'elle. Elle avait un sale caractère et, si elle décidait de se défouler sur moi, il ne resterait plus grand-chose de ce pauvre Bobby Pendragon, sinon une tache sur le mur. J'ai préféré me taire plutôt que risquer d'essuyer sa colère. Je me suis assis sur les fourrures et ai fait de mon mieux pour me rendre invisible.

Loor ne cessait d'aller et venir comme un lion en cage. Je craignais que sa colère ne s'arrête plus de croître jusqu'à ce qu'elle explose et se défoule sur moi. Et, d'une certaine façon, c'est exactement ce qui s'est passé, mais pas de la manière que j'attendais. Elle ne m'a ni frappé, ni insulté. Elle ne m'a même pas crié après. Pourtant ç'aurait été compréhensible. Mais ce qu'elle a dit m'a fait plus de mal que des coups.

– Demain, je te ramène chez toi. Tu n'as rien à faire ici.

Servez chaud ! Je m'attendais à tout, sauf à ça.

– Mais… et cette histoire de révolution ? ai-je demandé d'un ton piteux.

— Tu n'es pas un guerrier, et tu crois que, pour cette raison, tu ne peux pas diriger la révolte des Milagos. Mais ce n'est pas un chef de guerre qu'il leur faut. Juste quelqu'un en qui ils peuvent avoir confiance. Tu n'es pas cette personne.

Elle m'a pris par surprise. En effet, contrairement à Loor, je ne suis pas un combattant, et pas vraiment un héros non plus. Mais indigne de confiance ? Allons ! On peut compter sur moi. Je suis un brave type. Pourquoi prétendait-elle qu'on ne pouvait pas me faire confiance ?

— Pourquoi dis-tu ça ? ai-je demandé.

Elle m'a regardé droit dans les yeux :

— Comment peut-on se fier à quelqu'un qui ne pense qu'à lui ? Depuis ton arrivée, tu cherches un moyen de t'échapper. Peu importe si les Milagos ont besoin de ton aide. Ta seule préoccupation, c'est de rentrer chez toi.

Là, j'ai commencé à me mettre sur la défensive. Son jugement était carrément injuste.

— Bon, c'est peut-être vrai, ai-je dit. Mais on m'a balancé au beau milieu de cette histoire sans vraiment me dire de quoi il s'agissait. C'est tout de même dur de voir toute sa vie chamboulée en un seul jour !

— Je sais, Pendragon, a-t-elle répondu. C'est ce qui m'est arrivé, à moi aussi. Mais il y a une différence entre nous, qui n'a rien à voir avec l'aptitude au combat.

— Et qu'est-ce que c'est ?

C'est alors qu'elle a frappé juste et fort :

— Tu as vu comment est morte ma mère, a-t-elle fait en luttant pour maîtriser son émotion. J'aurais fait n'importe quoi pour la sauver. Mais toi… Je ne comprends pas comment tu peux penser à fuir alors que ton oncle va être exécuté.

Ouille. Ça faisait mal. Mais elle avait raison. L'oncle Press était en danger. Je le savais depuis que ce traîneau nous avait fait dévaler les champs de neige. Et pourtant, je comptais m'en aller sans rien faire pour le secourir. J'étais tellement inquiet pour ma petite personne que je n'avais pas pensé une seule seconde que l'oncle Press pouvait avoir besoin de moi. Loor avait raison. J'ai rougi de honte.

– Voilà pourquoi tu ne peux nous être d'aucun secours, Pendragon, a-t-elle conclu d'un ton sans réplique. Les Milagos ont besoin de quelqu'un de digne de foi. Tu n'es pas cette personne. (Elle a tourné les talons et s'est dirigée vers la porte, mais juste avant de sortir, elle m'a lancé :) Une fois que tu auras pris un peu de repos, je te ramènerai chez toi. Tu pourras reprendre cette existence à laquelle tu sembles si attaché et chasser toute cette histoire de ta mémoire. J'imagine qu'avec le temps tu finiras même par oublier ton oncle.

Et elle est partie pour de bon.

Je venais d'apprendre quelque chose sur moi-même, qui ne me plaisait guère. Étais-je vraiment si égoïste ? Tout ce que Loor m'avait dit était parfaitement justifié. Bien sûr, je m'inquiétais pour l'oncle Press, mais je m'étais moi-même persuadé que je ne pouvais rien faire pour l'aider. Était-ce bien vrai ? Ou était-ce plutôt un moyen de me défiler sans même essayer ? Avais-je jamais seulement envisagé de le secourir ? Ces dernières heures, je m'étais surtout demandé ce que moi – et moi seul – j'allais devenir. J'ai entrepris de passer en revue mes souvenirs de ces derniers jours. La vision d'un pauvre type balancé dans un puits de mine parce que les Milagos n'avaient pas extrait assez d'azur me hantait. J'ai aussi vu et revu le combat d'Osa, qui s'est terminé lorsqu'un déluge de flèches s'est abattu sur elle, la blessant mortellement. J'ai repensé à l'expression de Loor quand elle avait tenté de voler au secours de sa mère, mais avait choisi de me protéger.

Mais surtout, je me rappelais l'oncle Press. Je suis remonté jusqu'aux premiers souvenirs que j'avais de lui. Il avait toujours été là pour moi. Et pourtant, la dernière image qui me resterait en guise de testament serait bien triste : ce moment où il avait été emmené entre deux gardes de Kagan. Ce n'était pas bien. Ça ne devait pas se terminer ainsi. Et c'est pour ça que j'ai besoin de toi, Mark.

Lorsque j'aurai fini d'écrire ce journal, j'y ajouterai des instructions rédigées sur un parchemin à part. Comme ça, tu pourras le garder sur toi. Quant au journal, je pense que tu devrais le mettre en sécurité, dans un endroit sûr. Osa avait raison. Je dois absolument relater tout ce qui s'est passé. Si je n'en reviens pas, ce sera tout ce qu'on retiendra de moi. Garde ces parchemins précieusement, mon pote.

Je ne sais pas si j'ai vraiment le droit de te demander ça. Je commence à croire que je ne le mérite pas. Si tu ne peux pas m'aider, je comprendrai. Ce ne sera que justice ; je ne t'en voudrai pas. Quoi qu'il arrive, je vais faire mon devoir. Si tu acceptes de m'aider, je ne suis même pas certain que ça serve à quelque chose. Là, je suis dans le noir. Mon seul joker, c'est Loor. Mais peut-être refusera-t-elle de me donner ma chance et, dans ce cas, je serai vraiment mal barré. Mais tu sais, au fond, ça n'a pas d'importance. D'une façon ou d'une autre, quoi qu'il arrive, ma décision est prise.

Dès demain, j'irai chercher l'oncle Press. Avec ou sans elle.

Fin du deuxième journal

Seconde Terre

Courtney termina de lire ce passage du journal de Bobby et le posa sur la table. Mark avait fini le sien depuis quelques minutes déjà et cherchait la feuille de parchemin supplémentaire que Bobby avait incluse dans son deuxième envoi. Courtney resta un long moment sans rien dire. Cette histoire devenait de plus en plus fantastique à chaque paragraphe, et il lui fallait un peu de temps pour tout assimiler. Finalement, elle regarda Mark et demanda :

– Que veut-il que tu fasses ?

Mark se leva et se mit à tourner comme un lion en cage dans l'atelier du père de Courtney pendant que son esprit tentait de prendre toute la mesure de sa tâche. Sur la feuille additionnelle, Bobby lui avait tracé les grands traits d'un travail relativement simple, mais dangereux tout de même.

– C'est une liste, répondit-il. Il veut que je rassemble un certain nombre de trucs et que je les lui envoie.

Elle s'empara du papier et parcourut la liste des yeux.

– Lui envoyer ? Comment ?

Il lui reprit la liste et l'agita sous son nez.

– C'est ça le p-p-plus dur, déclara-t-il nerveusement. Il m'a donné les instructions nécessaires. D'abord, je dois essayer d'utiliser l'anneau comme Osa l'a fait. Mais si ça ne marche pas, ce qui est probable puisque je ne suis pas un Voyageur, il veut que je trouve la porte de la station de métro, celle qui mène au flume.

– Tu veux dire la station abandonnée du Bronx, celle où rôdent des chiens féroces ? demanda-t-elle incrédule. C'est du suicide !

– Ouais, t-t-tu peux le dire.

155

Ils se turent, plongés dans leurs pensées. Bobby avait raison : ce qu'il lui demandait était dangereux. Finalement, Courtney lui demanda :

– Mais tu vas le faire ?

– Bien sûr ! s'empressa de dire Mark, comme offusqué par sa question. Tu crois vraiment que je vais laisser tomber mon meilleur ami ?

– Dans ce cas, je vais avec toi, affirma-t-elle.

– P-p-pas question, rétorqua-t-il.

– Oh, si ! Tu as besoin de quelqu'un pour couvrir tes arrières.

– Et qui couvrira *tes* arrières ?

– Je peux me débrouiller toute seule, répondit-elle avec sa morgue habituelle.

Ça, il n'en doutait pas un instant. Courtney pouvait indéniablement se débrouiller toute seule. Mais il doutait qu'elle ait un jour dû affronter un endroit aussi dangereux que le sud du Bronx, se retrouver face à une meute de chiens, de quigs ou quel que soit le nom qu'on leur donne, et un démon meurtrier se faisant appeler Saint Dane. Non, c'était peu probable. D'un autre côté, il n'avait aucune envie de s'aventurer seul dans cet enfer. Cette idée le terrifiait. Il réfléchit pendant au moins cinq secondes, puis demanda :

– Tu es sûre de vouloir m'aider ?

– Tout à fait.

Elle reprit la liste de Bobby, la parcourut des yeux et déclara :

– Je comprends qu'il ait besoin de certains de ces trucs… Une torche électrique, une montre… Mais que compte-t-il faire d'un lecteur CD ?

– Parce que tu crois que moi, je le sais ? fit Mark sarcastique. Je n'y comprends rien.

Courtney examina la liste une seconde fois et dit :

– Mince. Il veut qu'on aille chercher certaines affaires chez lui.

– Oui, j'ai vu. Mais on peut peut-être trouver les mêmes ailleurs.

Ce qui posait un nouveau problème. Courtney regarda Mark et déclara :

– Si nous pouvons envoyer des objets à Bobby, nous pouvons aussi lui faire savoir ce qui est arrivé à sa famille.

Mark y réfléchit un instant. Elle avait raison. Bobby devait être mis au courant de ce qui s'était passé, même s'ils ne le savaient pas trop eux-mêmes. Leur seule certitude, c'est que les Pendragon avaient disparu de la surface de la terre.

– Il faut que Bobby le sache, fit-il alors même qu'il y réfléchissait. Mais pas tout de suite. Pour l'instant, il ne peut rien y changer.

– Mais c'est sa famille ! lui rétorqua-t-elle.

– Je sais. Mais son oncle Press aussi. J'ignore ce que prépare Bobby, mais il a une chance de sauver son oncle. Je doute qu'ici, il puisse nous aider à retrouver les siens.

Mark avait raison. Bobby devait faire ce qu'il avait à faire sur Denduron. Ensuite, il aurait tout le temps de mener ses propres recherches. En outre, la police était déjà sur l'affaire. Qu'est-ce que Bobby pourrait faire de plus ?

– Nous lui raconterons tout à son retour, conclut-il.

– Et s'il ne revient pas ? demanda Courtney. Mark, je crois que nous devrions avertir nos parents de ce qui se passe.

– Non ! Ce n'est p-p-pas possible !

– Pourquoi ? insista-t-elle, pleine d'espoir. Peut-être qu'ils pourront nous aider. On prendrait moins de risques si on descendait *tous* dans ce métro avec le colis, non ?

Mark aurait voulu pouvoir accepter. Il aurait voulu se confier à un adulte, quelqu'un qui avait plus d'autorité que lui. Mais s'il racontait tout à ses parents, il ne savait que trop ce qui se passerait. Choisissant ses mots avec soin, il dit :

– Courtney, j'adorerais pouvoir tout dire à nos parents, m'assurer de leur aide et descendre dans cette station avec eux, le capitaine Hirsch et les policiers de Stony Brook avec leurs flingues et leurs fusils. Mais si nous leur racontons cette histoire, tu sais ce qui se passera ? Ils nous empêcheront d'agir. Peut-être même qu'ils nous enfermeront dans nos chambres. Ensuite, ils s'assiéront tous ensemble et chercheront une solution logique à tout ça, et quand ils auront fini de discuter, il sera trop tard pour Bobby... et pour Press.

Courtney prit le temps de digérer ce que lui disait Mark. Ce type était un boutonneux, mais un boutonneux intelligent. S'ils en parlaient à leurs parents, tout était terminé. Ils devaient se débrouiller par eux-mêmes. Mark s'empressa de rassembler les parchemins et les enroula sur eux-mêmes.

– On peut rassembler tout ça en deux heures, dit-il. Le plus dur, ce sera de faire le mur sans que nos parents le remarquent…

– Hé là ! interrompit Courtney. Tu ne comptes tout de même pas faire ça ce soir ?

– Ben, pourquoi pas ? répondit-il innocemment.

Elle lui parla lentement, en détachant les syllabes, comme on s'adresse à un enfant. Elle voulait qu'il la comprenne bien.

– C'est important. Mais d'ici à ce que nous ayons rassemblé tout ça, il fera noir, et mon petit doigt me dit que, vu l'endroit où nous devons aller, il vaut mieux ne pas s'y aventurer de nuit.

Mark y réfléchit. En effet, la station se trouvait dans un quartier chaud, et ces endroits étaient encore plus dangereux après le coucher du soleil. Ils avaient plus de chances d'y arriver à la lumière du jour. Il était plus important de réussir que de se précipiter.

– Tu as raison, dit-il. Je me laisse emporter.

– En effet, acquiesça-t-elle. C'est normal, on est sur les nerfs. Partageons-nous la liste, rassemblons le tout et retrouvons-nous demain matin.

Cela semblait raisonnable. Demain serait un autre jour – le grand jour. Courtney partit à la recherche d'une feuille de papier et d'un stylo afin que chacun des deux puisse rédiger sa propre liste. Elle ramassa le parchemin où Bobby avait rédigé ses instructions et fixa longuement son écriture maladroite. Mark comprit qu'elle avait une idée en tête. Il attendit qu'elle ait fini de réfléchir. Finalement, elle se tourna vers lui et demanda :

– Comment était-elle ?

– Qui ça ?

– Osa. C'est elle qui t'a donné l'anneau, non ? Comment était-elle ?

C'était vrai. Mark l'avait presque oublié. Il avait effectivement rencontré un des protagonistes de l'aventure que vivait Bobby. Il reposa le rouleau de parchemin et revit la scène de la nuit dernière.

– On aurait dit un rêve, fit-il doucement. Mais ce dont je me souviens le mieux, c'est ce que j'ai ressenti lorsqu'elle m'a regardé. Je me suis senti… en sécurité. (Il regarda l'anneau passé à son doigt et continua :) Et maintenant, elle est morte. J'imagine qu'elle n'a pas pu tout arranger, en fin de compte.

Tous deux observèrent une minute de silence spontanée pour cette femme qu'ils ne connaissaient qu'à travers le journal de Bobby. Puis Courtney prit son stylo et se mit à écrire. Ils avaient à faire. Ils se penchèrent sur la liste de Bobby et choisirent les objets qu'ils pourraient se procurer le plus facilement. Elle établit deux listes, ils convinrent de se retrouver chez elle à 7 heures le lendemain matin, puis ils partirent chacun de son côté.

Mark rentra chez lui. Il avait emporté les parchemins de Bobby. Son ami lui avait demandé d'en prendre soin, et c'est ce qu'il entendait faire. Mark avait une cachette inconnue des autres membres de sa famille. Leur grenier était rempli de vieux meubles. Tout au fond, il y avait un bureau à cylindre qui était là au moins depuis sa naissance. Ses tiroirs étaient fermés à clé et, comme ses parents n'avaient pas la clé, ils n'avaient jamais essayé de les ouvrir. Mais Mark, lui, avait trouvé cette clé cachée sous le bureau lorsqu'il avait huit ans. Il ne l'avait jamais dit à ses parents, qui ne s'en préoccupaient guère, mais y avait vu l'endroit rêvé pour cacher ses trésors. Il y avait amassé des exemplaires de *Mad Magazine* en parfait état, des cartes de stars du base-ball, des figurines de *La Guerre des étoiles* dans leur emballage d'origine, un vieux bulletin scolaire avec quatre zéros (pour se rappeler comme il est facile d'échouer) et d'autres objets qui n'avaient de valeur que pour lui.

De temps en temps, il montait au grenier pour contempler ses trésors. Cela lui faisait du bien, comme s'il rendait visite à de vieux amis. Il aimait surtout regarder ses jouets. Il avait passé l'âge de s'amuser avec, mais ils lui rappelaient de bons moments, aussi passagers soient-ils. C'était un plaisir qu'il n'avait à partager avec personne.

Mais cette fois, lorsqu'il ouvrit le tiroir, il ne ressentit pas cette nostalgie familière. En regardant ses trésors, il eut l'étrange impression qu'ils appartenaient à un autre. Et d'une certaine façon, c'était le cas. Ils appartenaient au Mark d'avant, un gamin innocent qui, pas plus tard qu'hier, n'avait pas d'autres préoccupations que de terminer ses devoirs à temps et de lutter contre l'acné qui ravageait son visage. Oui, c'était déjà du passé. Aujourd'hui, il devait affronter des questions qui affectaient la vie et la mort d'une peuplade située à l'autre bout de l'univers et, en plus, qui remettaient en question la texture même de sa réalité à lui. Ce n'est qu'en ouvrant ce tiroir que Mark comprit à quel point il avait changé en l'espace de quelques heures. Il aurait voulu prendre la figurine de Chewbacca et le faire rugir. Il aurait voulu ouvrir un *Mad Magazine* et rire de bon cœur en lisant « Espion contre espion », des épisodes d'une page où un espion noir et un espion blanc se jouaient des tours pendables. Il aurait voulu actionner le yo-yo siffleur qu'il avait gagné à la foire lorsqu'il avait six ans. Mais lorsqu'il eut trouvé la boîte en carton recelant ses trésors, il déversa son contenu du tiroir, puis la referma et la fourra sous le bureau, à côtés de cartons poussiéreux oubliés depuis longtemps et dont le contenu était tout aussi oublié. Il eut l'impression de vider son ancienne existence afin de faire de la place pour la nouvelle.

Le bureau à cylindre resterait le réceptacle des biens les plus précieux de Mark, mais ce ne seraient plus des reliques évoquant ses meilleurs souvenirs d'enfance. Désormais, il contiendrait le récit de Bobby. Il déposa soigneusement les parchemins dans le tiroir de bois. Ils s'y logèrent parfaitement comme s'il avait été fait pour les recevoir. Mark prit note qu'il y avait largement la place pour d'autres rouleaux – *plein* d'autres rouleaux. En général, il mettait la clé dans le bureau de sa chambre, mais maintenant l'endroit ne lui semblait plus assez sûr. Sa mère lui avait un jour donné une chaîne d'argent avec un signe de la paix en médaillon qu'elle-même portait lorsqu'elle avait son âge. Il l'avait suspendue au miroir de sa chambre. Il décrocha la chaîne et remplaça le médaillon par la clé, puis il passa le collier autour de son cou avec la ferme intention de ne jamais l'en retirer. À présent, il était à peu près sûr que le manuscrit de Bobby était en sécurité. Ou du moins autant qu'il puisse l'être.

À 7 heures précises, on sonna à la porte de Courtney. Lorsqu'elle l'ouvrit, elle trouva Mark sur le seuil, muni d'un gros sac à dos.

– Tu as pu fermer l'œil ? demanda-t-il.

– Non. Tu as reçu d'autres carnets ?

– Non. Bon, c'est l'heure d'y aller.

Ils descendirent dans l'atelier du père de Courtney, où elle avait déposé tous les objets de sa demi-liste.

– Où sont tes parents ? demanda Mark.

– Ils sont partis au travail.

– Tu sais que nous allons devoir sécher l'école ?

– C'est vraiment si grave ?

Mark n'avait pas besoin de répondre. Tous deux restèrent là, à fixer les objets sans trop savoir que faire. Courtney rompit le silence :

– Essaie d'actionner ton anneau, dit-elle.

Il examina les objets et ramassa la torche. Elle faisait à peu près la même taille que les rouleaux de parchemin : elle devrait convenir. Il retira son anneau et le posa sur le sol. Il se mit à genoux, posa son doigt sur la pierre grise et regarda Courtney.

– Vas-y, dit-elle, encourageante.

– Denduron, murmura Mark, sans résultat. Denduron, répéta-t-il un peu plus fort, mais l'anneau resta là, inerte.

– Laisse-moi essayer, fit Courtney.

Elle s'agenouilla, toucha l'anneau et hurla :

– Denduron !

Tous deux fixèrent l'anneau, mais celui-ci resta sans réactions.

– Je crois qu'on est b-b-bons pour la station de métro, dit sobrement Mark.

Courtney sauta sur ses pieds et entreprit d'emballer les affaires dans le sac de Mark. Ses gestes étaient rapides, comme si elle redoutait de penser à ce qui les attendait de peur de se dégonfler.

– J'ai pris un horaire des chemins de fer, dit-elle. On peut prendre le train de banlieue jusqu'à la 125e Rue et, de là, continuer en métro.

Lorsqu'elle eut fini d'entasser les objets, elle referma les attaches du sac et regarda Mark. Il était temps de partir.

– Courtney, j'ai peur, fit-il d'une petite voix.

Ils laissèrent planer cette déclaration pendant un moment, puis Courtney se redressa :

– Tu sais quoi ? Pas moi. On va réussir.

Sans doute n'était-ce que du bluff, mais en la voyant si confiante, Mark reprit de l'espoir. Peut-être qu'ils étaient capables de remplir cette mission. Elle l'aida à enfiler le sac, et ils partirent vers la gare.

Celle de Stony Brook se situait tout au bout de l'Ave. Comme il était encore tôt, le quai était bondé de cadres en costard-cravate en partance vers New York City. Courtney et Mark durent ouvrir l'œil pour repérer d'éventuels parents qui pourraient les connaître et se demander pourquoi ils n'étaient pas à l'école. Ils remarquèrent un type que Mark avait connu chez les boy-scouts et, lorsque la rame finit par arriver, s'arrangèrent pour monter dans une autre voiture que lui. Mais ils n'avaient pas besoin de s'entourer d'un tel luxe de précautions. Les voyageurs avaient tous le nez dans leurs journaux et ne s'intéressaient pas à leurs voisins.

Leur voyage fut plutôt tranquille. Tous ceux qui ne lisaient pas le journal faisaient un somme. Courtney et Mark préféraient ne pas débattre de leur mission de peur qu'on ne les entende. Mark regarda les voyageurs plongés dans leur édition du matin et ne put s'empêcher de rire. Tous lisaient des articles consacrés aux cours de la Bourse, aux sports ou au dernier discours du président. Mais quelles que soient les nouvelles, elles n'avaient aucune mesure avec l'aventure bien réelle que Courtney et lui vivaient à l'insu de tous. Il pouvait s'imaginer les manchettes : « UN GARCON DU CONNECTICUT PART À L'AUTRE BOUT DE L'UNIVERS POUR Y FAIRE LA RÉVOLUTION. » *Ça*, c'est un titre, coco !

Courtney profitait de ces quelques minutes pour se reposer. Elle savait que, lorsqu'ils descendraient de ce wagon, leur aventure commencerait pour de bon, et elle voulait pouvoir affronter calmement ce qui adviendrait. Elle s'adossa à son siège, ferma les yeux et tenta d'apaiser les battements de son cœur affolé.

Ils ne tardèrent pas à arriver à destination : la 125e Rue, sur Manhattan. De là, le train continuerait jusqu'à la gare de Grand Central, où se rendaient la plupart des voyageurs. Mais la 125e Rue était plus proche du Bronx : Courtney et Mark se regardèrent, hochèrent la tête et descendirent à cette station.

Ils avaient déjà entendu leurs parents dire que c'était un quartier « mal famé ». Ils ne savaient pas trop ce qu'ils voulaient dire par là, mais n'en étaient pas moins nerveux pour autant. En tout cas, ce coin n'avait rien à voir avec leur banlieue du Connecticut. Ils étaient à New York, avec ses embouteillages légendaires, son bruit et ses trottoirs surpeuplés. Courtney disposait d'une carte du métro de la ville et avait soigneusement défini un itinéraire qui les amènerait tout près de la station abandonnée de Bobby. De la 125e Rue, ils n'eurent pas beaucoup à marcher pour atteindre la station la plus proche. Ils y descendirent, achetèrent des billets et montèrent dans une rame, le tout sans problème.

Leur trajet en métro vers le Bronx se déroula aussi sans heurts. Dans les quartiers qu'ils traversaient habitaient des gens de toutes les nationalités et de toutes les ethnies, mais ils n'avaient rien de monstrueux. Il s'agissait juste de gens normaux qui allaient au travail ou à l'école, ou vivaient leur vie. Dans d'autres circonstances, Courtney et Mark auraient trouvé ça plutôt sympa. Mais ce n'était pas un jour comme les autres : ils étaient en mission.

Après avoir changé deux fois de ligne, ils arrivèrent à la station la plus proche de celle que Bobby avait décrite. Ils sortirent en plein soleil pour se retrouver dans un quartier aussi populeux et varié que le monde du métro.

D'après leur carte, la station abandonnée de Bobby se trouvait vers l'est, à trois rues de là. Alors qu'ils marchaient dans cette direction, chacun espérait en secret que cet endroit où Boby et l'oncle Press étaient descendus ne serait pas là. Ils ne l'auraient jamais exprimé à voix haute, mais ils gardaient un vague espoir que rien de tout ça n'était vrai et que Bobby les faisait marcher. Espoirs vite douchés lorsqu'ils tournèrent le coin d'une artère bien encombrée.

– On y est, n'est-ce p-p-pas ? demanda Mark, nerveux.

Courtney n'avait pas besoin de répondre. La station était exactement telle que Bobby l'avait décrite. C'était un petit kiosque couvert d'une peinture verte craquelée. Mark jeta à Courtney un regard nerveux, mais celle-ci n'avait d'yeux que pour le bâtiment. Elle ne voulait pas lui montrer qu'elle-même commençait à angoisser. Elle préféra descendre du trottoir et se diriger vers la bouche de métro. Mark n'avait pas d'autre solution que la suivre. Lorsqu'ils atteignirent le kiosque, ils baissèrent les yeux pour voir un escalier couvert d'ordures et de débris. Pas de doute, c'était bien une station abandonnée. Ils jetèrent un regard autour d'eux pour s'assurer que personne ne les regardait, puis descendirent les marches en courant. Ils atteignirent le palier et se tournèrent pour se retrouver face à l'entrée condamnée par des planches que Bobby avait décrite.

Courtney s'empara d'une des planches et l'écarta avec la même facilité que l'oncle Press. Elle venait de leur ouvrir un chemin vers ce monde souterrain. Avant qu'ils ne puissent changer d'avis, elle se baissa et disparut dans l'ouverture. Mark inspira profondément, tenta d'oublier sa frayeur et la suivit. Il dut forcer pour faire passer le sac à dos, mais il y arriva et referma la planche derrière lui. Tout se passait exactement comme lorsque Bobby avait entrepris ce même trajet. Mais Courtney et Mark espéraient tous deux que les similarités s'arrêteraient là. Ils ne voulaient pas tomber sur Saint Dane ou les quigs. Ils descendirent les dernières marches menant à la station abandonnée et restèrent là, épaule contre épaule, tous les sens aux aguets.

– J'ai l'impression d'être déjà venu ici, dit Mark, stupéfait.

En effet, la description que Bobby en avait faite était d'une précision photographique. C'était une station déserte qui n'avait pas vu le moindre passager depuis des lustres. Puis ils entendirent le grondement d'une rame qui se dirigeait vers eux. Quelques secondes plus tard, le métro jaillit à toute allure et la traversa sans faire mine de ralentir. Cette vision les tira de leur transe.

– Viens, dit Courtney, et elle courut vers l'autre extrémité de la plate-forme.

– Un instant !

Mark se pencha, ouvrit le sac et plongea la main dedans.

– Qu'est-ce que tu fais ? demanda-t-elle.

– J'ai préféré prendre mes précautions, répondit-il en continuant de fourrager au fond du sac.

Il trouva ce qu'il cherchait et sortit un paquet enveloppé dans du papier brun.

– C'était sur la liste ? demanda Courtney avec curiosité.

– Non, c'est un petit ajout personnel.

Il déplia le papier, dévoilant deux énormes steaks juteux. Il les tendit fièrement.

– Si nous croisons des quigs affamés, dit-il, ils accepteront peut-être ce cadeau.

Courtney ne put s'empêcher de sourire.

– Tu es loin d'être bête, quoi qu'en disent les autres.

Elle s'empara des pièces de viande et reprit son chemin. Mark eut un sourire de fierté, mais qui se fana lorsqu'il s'aperçut que ce n'était peut-être pas un compliment si flatteur que ça. Il ramassa son sac et courut pour la rattraper.

Ils atteignirent le bout du quai et virent le petit escalier qui descendait vers les rails.

– Voilà qui ne me dit rien qui vaille, remarqua Mark. Et si la porte n'est pas là ?

– Jusque-là, tout est exactement comme il nous l'a décrit. Je présume que ça ne va pas s'arrêter là.

C'est alors qu'ils entendirent approcher une autre rame. Ils firent deux pas en arrière ; quelques secondes plus tard, le métro passa devant eux dans un rugissement de tonnerre. L'idée de se trouver sur ces rails lorsqu'un autre train s'annoncerait leur donna le frisson.

– Hem, fit Mark.

– Ne réfléchis pas, agis ! s'écria Courtney.

Elle courut jusqu'au bord du quai et disparut sur les rails. C'était comme de plonger dans de l'eau froide : plus on attend, plus on trouve de raisons pour ne pas y aller. Mieux valait foncer sans trop réfléchir, comme elle venait de le faire.

Mark la suivit donc. Il courut le long du quai et dévala les marches pour trouver Courtney en bas, adossée au mur.

– J'ai du mal à croire que j'y suis arrivée, dit-elle, à bout de souffle.

– Oui, moi aussi, ajouta-t-il, mais ne nous arrêtons pas en si bon chemin.

Tous deux s'aventurèrent dans le tunnel, Courtney en tête. Il faisait noir et ils ne voulaient pas s'aventurer sur les rails. Elle garda une main contre le mur crasseux pour ne pas dévier du chemin.

– D'après lui, à quelle distance se trouve la porte ? demanda-t-elle.

– Je ne me rappelle pas. Continue…

C'est alors qu'il entendit un bruit.

– Qu'est-ce que c'était ? fit-il.

– Quoi ?

– J'ai entendu quelque chose. On aurait dit un grondement. (Mark prit un des steaks que tenait Courtney et le tendit.) Hé, le toutou ! Gentil toutou !

Courtney l'entendit à son tour. Étouffé, mais facile à identifier.

– Ce n'est pas un grondement, c'est une rame ! Un autre métro approche !

Un coup de klaxon le lui confirma. Un autre train arrivait. Ils étaient pris au piège. Ils ne savaient par où s'échapper.

– Faisons demi-tour ! cria-t-il.

Et il tourna les talons pour courir vers le quai. Mais elle le retint par une lanière du sac.

– Non ! ordonna-t-elle. On n'est plus très loin !

Elle se retourna et continua de marcher le long du mur tandis que Mark la poussait. Le métro passa un tournant, et la lumière de ses phares les éblouit. Et la rame était lancée à pleine vitesse.

– Dépêche-toi ! supplia-t-il.

Elle continua de tâtonner désespérément, puis trébucha sur un levier et tomba à genoux. Il la releva et la poussa en avant. Maintenant, la rame était dangereusement proche. Le bruit des roues métalliques était assourdissant. Il n'y avait pas beaucoup d'espace entre la paroi et les rails.

– Nous n'y arriverons jamais ! cria Courtney. Colle-toi contre le mur !

Mark retira son sac pour gagner de la place. La rame n'était plus qu'à quelques mètres. Les deux adolescents se prirent par la main. Il ferma les yeux. Elle rentra son ventre et, de son autre main, palpa le mur en une ultime tentative désespérée. Elle se pencha de quelques centimètres… et ses doigts palpèrent quelque chose.

– Je l'ai trouvée ! cria-t-elle.

Le train était sur eux. Un coup de klaxon résonna entre les parois du tunnel. Courtney serra la main de Mark et plongea vers ce qu'elle espérait être la porte. Elle poussa le battant, qui céda sous son poids. Ils tombèrent dans le réduit au moment même où la rame passait. En quelques secondes, elle était loin, et le silence retomba comme s'il ne s'était rien passé. Ils restèrent allongés sur le sol, à bout de souffle. Il leur fallut une minute pour reprendre leurs esprits. Alors ils levèrent les yeux et le virent en même temps.

– Dis donc ! fit-il d'une voix pleine d'admiration.

C'était bien le tunnel gris taillé dans la roche. Ils se levèrent sans quitter le portail des yeux. Puis elle courut vers la porte de bois qu'ils venaient de franchir et passa sa tête au-dehors.

– L'étoile est bien là, sur le panneau, comme Bobby l'avait dit, remarqua-t-elle.

Elle revint auprès de Mark, qui fixait toujours le portail.

– C'est donc la vérité ! dit-il avec un enthousiasme croissant. Tout ce que Bobby nous a dit est vrai !

Mais les instructions de Bobby ne les mèneraient pas plus loin. Dans sa lettre, il leur demandait de se rendre à la porte et d'attendre. Mais attendre quoi ? Ils restèrent plantés là durant plusieurs minutes, sans trop savoir ce qu'il convenait de faire. Finalement, Courtney se tourna vers Mark et dit avec un sourire malicieux :

– Je vais l'essayer.

Elle fit un pas vers l'embouchure du couloir gris, mais il la tira en arrière.

– Non ! s'écria-t-il.

– Pourquoi pas ? Si Bobby peut le faire, moi aussi.

C'était une réponse typique de Courtney. Elle repoussa Mark et s'encadra dans l'embouchure du flume. Mal à l'aise, il recula et la regarda faire. Elle se tint face à l'entrée du tunnel sombre, jeta un dernier coup d'œil en direction de Mark, puis se tourna vers les ténèbres et cria :

– Denduron !

Rien ne se passa. Zéro. Rien que l'écho de ce mot ricochant contre les parois du tunnel.

– Ce doit être la même chose que pour l'anneau, remarqua Mark. Si tu n'es pas un Voyageur, tu n'as pas le pouvoir de l'activer.

Courtney recula d'un air déçu. Elle était toute disposée à emprunter ce toboggan magique plein de lumières que Bobby lui avait décrit, mais l'accès lui était refusé.

– Alors pourquoi Bobby a ce pouvoir, lui ? fit-elle d'un ton furieux. Qu'a-t-il de si particulier pour…

– Chut !

Mark leva la main pour la faire taire.

– Quoi ?

– Tu n'entends pas ?

Elle tendit l'oreille.

– Ce doit être une autre rame.

– Non, répondit-il. Ce n'est pas ça. C'est… On dirait… de la musique.

Courtney ne tarda pas à l'entendre, elle aussi. C'était bien de la musique. Très lointaine. Mais elle ne jouait aucune mélodie connue. On aurait plutôt dit des notes aiguës enchevêtrées.

– J'ai déjà entendu quelque chose comme ça, fit-il. Lorsque l'anneau s'est ouvert.

Il jeta un coup d'œil à ce même anneau passé à son doigt, mais la pierre restait inerte. Non, cette musique-là ne provenait pas de l'anneau. Courtney regarda dans le flume, et ce qu'elle y vit la laissa bouche bée.

– Heu… Mark, dit-elle d'une voix atone, tu as vu ça ?

Il regarda dans la même direction et eut la même réaction de surprise. Quelque chose montait vers eux. C'était un petit point de lumière, comme le phare d'un train dans le lointain. Alors qu'il se rapprochait, la lumière s'accrut et la musique se fit plus forte.

– T-t-tu crois qu'on doit filer ? demanda-t-il.

– Oui. Mais on ne peut pas.

Au fur et à mesure que la lumière se rapprochait, les murs gris du tunnel se modifiaient. On aurait dit qu'ils disparaissaient. Les cloisons de roche mal dégrossie devinrent transparentes comme du cristal, comme l'anneau avant elles. Au-delà s'étendait un immense champ d'étoiles. La lumière se fit si vive qu'ils durent se protéger les yeux. La musique s'amplifia, elle aussi. Instinctivement, tous deux reculèrent jusqu'à heurter le mur d'en face. Ils étaient pris au piège. Il était trop tard pour chercher la porte et décamper d'ici. Ils ne pouvaient que s'accroupir, fermer les yeux et espérer que ça se termine bientôt.

Il y eut un dernier éclair de lumière, puis la pièce redevint obscure et la lumière se tut. Tout fut à nouveau calme et tranquille. Mark et Courtney baissèrent lentement les bras qui protégeaient leurs yeux. Mais le spectacle qui se présenta à eux était encore plus improbable que tout ce qu'ils avaient vu jusque-là. Et pourtant, il était bien là, devant eux, en chair et en os.

C'était Bobby. Il se tenait debout devant l'entrée du tunnel, l'air étourdi. Il regarda autour de lui pour reprendre ses esprits, puis vit Mark et Courtney blottis contre le mur. Personne ne savait que dire ; ils restèrent là, à se regarder en chien de faïence. Puis Bobby dit simplement :

– Salut.

Ce mot suffit à rompre la glace. Mark et Courtney se levèrent d'un bond, se précipitèrent vers lui et l'étreignirent tous les deux. Les mots étaient inutiles. Cet acte spontané était bien assez éloquent. Ils se déchargeaient ainsi de la peur, de l'incertitude et de la tristesse qui s'amassaient sur eux depuis le début de l'aventure. Ils restèrent un bout de temps ainsi embrassés, puis Bobby finit par dire :

– Hé, j'étouffe !

Ils le lâchèrent à contrecœur et firent un pas en arrière. Ils attendirent une seconde, puis ne purent résister à l'envie de l'étreindre à nouveau. Cette fois-ci, tous trois se mirent à rire.

– Vous êtes les meilleurs, les gars, dit Bobby.

Soudain, une idée le frappa, et il se dépêtra du groupe. Il regarda Courtney dans les yeux et dit :

– D'abord, qu'est-ce que tu fais là ?

– Je lui ai fait lire le journal, admit Mark. Désolé, mais je n'aurais jamais pu m'en sortir tout seul.

Bobby y réfléchit un instant. Il pensait écrire à Mark et lui seul. Mais c'était une sacrée responsabilité qu'il avait mise sur les épaules de son ami, et il se dit que, peut-être, Mark avait eu raison de la partager. Si quelqu'un pouvait l'aider, c'était bien Courtney. Il décocha à son ami un sourire rassurant et dit :

– Tu as bien fait, Mark. C'était une bonne idée. Quelqu'un d'autre est au courant ?

– Non, rien que nous, répondit Courtney.

– Parfait. D'abord, je me suis dit que le monde entier devait être mis au courant, mais maintenant je n'en suis plus si sûr. C'est quand même dur à avaler.

– C'est ce qu'on a pensé, ajouta Mark.

– Un jour, renchérit Bobby, il faudra tout dévoiler, mais pas maintenant, d'accord ?

Courtney et Mark acquiescèrent. Ils étaient sur la même longueur d'ondes.

– Est-ce que mes parents se sont inquiétés ? demanda Bobby.

Aïe. Voilà la question à laquelle ils ne voulaient pas répondre. Mark et Courtney échangèrent un coup d'œil. Ils avaient déjà décidé de ne pas dire à Bobby que sa famille avait disparu. Il avait assez de soucis comme ça. Mais ils ne voulaient pas lui mentir non plus. Comme Mark ne savait que dire, Courtney attaqua :

– Tout le monde s'inquiète pour toi.

Ce n'était pas un mensonge : tout le monde se faisait du souci. Mais ce n'était pas non plus toute la vérité. Apparemment, c'était la bonne réponse, car Bobby reprit :

– Je n'aime pas les laisser dans l'ignorance, mais je crois qu'ils s'inquiéteraient encore plus s'ils savaient ce qui se passe. Donc, ne leur dites rien, d'accord ?

Courtney et Mark s'empressèrent d'acquiescer. Ouf. Ils venaient de se tirer d'un mauvais pas. Bobby remarqua alors le sac à dos qu'ils avaient apporté.

– Vous avez tout trouvé ? demanda-t-il en inspectant le contenu.

– Absolument tout, répondit Mark.

– Vous avez eu du mal à arriver jusqu'ici ?

– Du gâteau, affirma Courtney.

Bobby regarda ses amis comme s'il les voyait pour la première fois. Il contempla deux jeunes gens qui l'avaient aidé alors que rien ne les y obligeait.

– Je ne sais pas comment vous remercier, les gars, dit-il sincèrement. Je ne mérite pas d'avoir des amis comme vous.

Courtney et Mark lui rendirent son sourire.

– Bobby, est-ce que c'est vrai ? demanda Mark. Je veux dire, tout ce que tu as raconté ?

– Oui. C'est dingue, hein ?

Courtney et Mark allaient le bombarder de questions, mais il les éluda en disant :

– Les gars, je n'en sais pas plus maintenant que lorsque j'ai écrit tout ça. Je ne sais pas pourquoi je suis un Voyageur. Je ne sais pas où est Denduron. Je ne sais pas *quand* est Denduron. J'ai des millions de questions en tête et pas une seule réponse. Et j'ai la frousse.

En effet, aucun d'entre eux ne pouvait y répondre. Finalement, Courtney fit un pas vers Bobby. Elle hésita, comme si ce qu'elle avait à dire lui était pénible. Elle eut enfin la force de dire :

– Reste avec nous. Ce n'est pas ton monde là-bas. Ce n'est pas ta vie. C'est *ici* chez toi. Tout ce que tu as à faire, c'est de passer cette porte avec nous. Personne n'en saura rien. Je t'en prie, Bobby, ne repars pas.

Bobby regarda Mark, qui hocha la tête, comme pour dire qu'il était d'accord avec Courtney.

– Tu es rentré chez toi, dit-il. Restes-y.

Bobby n'avait pas considéré cette éventualité. Ce serait si facile ! Il n'avait qu'à s'en aller. Il était chez lui, hors de danger. Comme c'était tentant ! Il ne répondit pas tout de suite, car c'était la décision la plus importante de toute sa vie. Il regarda autour de lui, scruta le tunnel noir, puis revint au sac à dos rempli des affaires que ses amis lui avaient apportées. Il avait pris sa décision.

– Il y a bien des choses que j'ignore, dit-il d'un ton sombre, mais je suis sûr d'une chose. Si je ne fais rien, l'oncle Press va mourir.

Les autres baissèrent la tête. Il avait raison. S'il restait, l'oncle Press était condamné.

– Et ce n'est pas tout. Je ne suis pas celui qui doit mener leur révolution. Je ne sais pas pourquoi ces gens en sont persuadés, mais ils se trompent. C'est la tâche de l'oncle Press. S'il est exécuté, ils n'ont pas une chance. S'il faut que je retourne sauver l'oncle Press, c'est aussi pour les Milagos.

Bobby ramassa le sac et l'accrocha à son dos.

– Que vas-tu faire de tout ça ? demanda Mark.

– Je ne sais pas trop, mais j'ai intérêt à trouver quelque chose, et vite. (Il régla les bretelles et fit un pas vers l'entrée du flume.) Je ne suis pas un héros. Je vais essayer de sauver la vie de l'oncle Press et, ensuite, me tirer en vitesse. Je préfère ne pas être dans le secteur quand ça va chauffer pour de bon.

– On t'attendra, affirma Mark.

Tous se regardèrent sans savoir quoi dire. Pour Bobby, c'était le moment du départ.

– Je n'ai pas de mots assez forts pour vous remercier de ce que vous avez fait pour moi, et aussi d'avoir accepté de conserver mon journal, dit-il.

– Continue d'écrire, mon vieux, répondit Mark en souriant.

Bobby lui rendit son sourire, et les trois amis s'étreignirent à nouveau.

– Je vous écrirai dès que possible, dit Bobby.

Tous retenaient leurs larmes. Lorsqu'il se tourna vers l'entrée du flume, Courtney demanda :

– Loor est vraiment si belle que ça ?

Bobby fit la grimace. Coincé.

– Tu n'étais pas censé lire ça, fit-il d'un ton penaud. Elle n'est pas mon genre.

– Vraiment ? renchérit Courtney avec un petit sourire. Je pense qu'elle et moi avons quelque chose en commun. Toute les deux, nous sommes parfaitement capables de te casser la figure.

Bobby éclata de rire. Elle avait raison, bien sûr.

– Reviens-nous vite, ajouta-t-elle.

– Le plus tôt possible, répondit-il.

Mark agita la main, et Bobby se tourna à nouveau vers le flume. Il entra dedans, inspira profondément, puis dit :

– Denduron !

Aussitôt, le portail reprit vie. Les murs se mirent à luire, les notes musicales résonnèrent haut et clair et une lumière éblouissante jaillit de ses tréfonds. Bobby se tourna vers ses amis et fit un petit signe de la main :

– À bientôt !

Puis, en un éclair, il disparut. La lumière et la musique s'éloignèrent, emportant Bobby vers sa destination d'outre-espace. Le silence ne tarda pas à retomber. Les deux adolescents se retrouvèrent plantés là, à fixer le tunnel sombre et inerte. Il ne leur restait plus qu'à entamer le long voyage qui les ramènerait chez eux.

– Aïe, dit Mark.

– Qu'y a-t-il ? demanda nerveusement Courtney.

Il tendit la main. La pierre grise de l'anneau s'était mise à luire. Il s'empressa de retirer le bijou et le posa par terre. Tous deux firent un pas en arrière. Sous leurs yeux, l'anneau se mit à grandir dans un jaillissement de lumière. Alors que celle-ci gagnait en intensité, ils entendirent à nouveau ces notes familières. Puis, en un ultime éclair, tout fut terminé. L'anneau gisait à nouveau sur le sol. À côté de lui, un rouleau de parchemin.

– Comment peut-il avoir écrit si vite ? demanda Courtney.

Mark ramassa le rouleau et le déplia.

– Je pense que le temps *ici* et le temps *là-bas* ne sont pas relatifs.

– Hein ? Tu peux me traduire ça ?

– Je crois que Denduron n'est pas seulement situé ailleurs dans l'espace, expliqua Mark. Ce monde est aussi sur un autre plan temporel. Il pourrait se situer dans mille ans dans le futur. Ou un million d'années. Je suis sûr que les flumes permettent de traverser non seulement l'espace, mais aussi le temps.

Courtney n'était pas sûre de tout comprendre, mais de toute façon, ce qui leur arrivait dépassait son entendement. Mark jeta un coup d'œil rapide aux feuilles qu'il venait de déplier, puis regarda Courtney en souriant.

– J'avais raison. C'est bien de Bobby.

Journal n° 3

DENDURON

Alors là, les gars, j'ai vraiment tout fait foirer.

J'ai essayé de reprendre le dessus et de faire ce qu'on attendait de moi, mais j'ai bien peur d'avoir envenimé les choses. Depuis que je vous ai retrouvés dans le métro, les événements se sont précipités, mais pour tout résumer, au moment où j'écris ce journal, nous sommes au bord de la catastrophe, et Denduron pourrait bien ne jamais s'en remettre. Ce n'est pas vraiment de ma faute, mais disons que j'ai accéléré le processus. Enfin, je dois d'abord vous raconter ce qui s'est passé depuis notre dernière rencontre. Mon dernier journal se terminait bien avant : il faut donc que je vous raconte ce qui s'est passé *avant* mon voyage sur Seconde Terre, quand j'ai récupéré le sac à dos. J'étais enchanté de vous voir, c'est sûr, mais avec le recul je regrette d'être venu, car c'est une des raisons pour lesquelles nous sommes au bord du désastre.

Quand Osa s'est fait tuer, quelque chose a craqué dans ma tête et j'ai retrouvé ma lucidité. Rien de mélodramatique : je n'ai pas eu d'illumination mystique et il n'y a pas eu de voix céleste pour me dire que je devais suivre ma destinée de Voyageur et mener les Milagos à la victoire. Soyons sérieux ! J'ai surtout pensé à l'oncle Press. J'ai eu honte de ne pas avoir tenté de l'aider. Ma seule excuse, c'est que j'étais allé de découverte en découverte en un minimum de temps, sans pouvoir faire le point, et que mon esprit était en surcharge. Mais la mort d'Osa m'a remis les pieds sur terre. Et la douleur que j'ai ressentie ne pouvait aucunement se comparer à celle de Loor. Osa était sa mère. J'imagine ce que je ressentirais si je devais perdre la mienne. Non, effacez ça. Je ne peux même pas imaginer ce que je ressentirais si je perdais ma mère. Cette simple idée est trop horrible.

Osa ne méritait pas la mort. Elle cherchait juste à améliorer l'existence des Milagos. Tout comme l'oncle Press. Il avait voulu aider ces pauvres bougres et, rien que pour ça, il allait être mis à mort. Était-ce juste ? Pas vraiment. J'ai alors compris que quelqu'un devait se lever pour le dire haut et fort. Et malheureusement, ai-je aussi réalisé, j'étais la seule personne qui puisse le faire. Je dis « malheureusement », pas parce que je ne voulais pas les aider, mais parce que je n'étais pas vraiment le plus qualifié pour mener un assaut à la Schwarzenegger sur le palais des Bedoowans et en ressortir avec l'oncle Press sous le bras. Ce serait du pur fantasme. Et pourtant, il fallait faire quelque chose. Et si je voulais avoir au moins une chance de réussir, j'avais besoin d'aide. Ce qui voulait dire que je devais embaucher Loor. Rien de ce que je pouvais lui dire ne la consolerait de la perte de sa mère. Bon sang, elle devait rêver de m'arracher les yeux ! Mais elle était la seule personne susceptible de m'aider. Il fallait tenter le coup.

Je suis rentré dans la caverne principale de la mine pour me lancer à sa recherche. Je l'ai trouvée à l'autre bout, assise les jambes croisées, toute seule, en train de graver un morceau de bois. On aurait dit qu'elle sculptait un visage mi-soleil, mi-lune. Elle était totalement concentrée sur son travail, et je n'ai pas voulu la déranger. J'ai donc attendu qu'elle soit la première à prendre la parole. Elle m'a ignoré pendant plusieurs minutes, toute à son ouvrage. Finalement, elle a dû comprendre que je ne m'en irais pas et a expliqué :

– C'est un szshaszha. Dans mon territoire, ça symbolise la fin d'une vie et le commencement d'une autre. Je vais le donner à ma mère, car on dit qu'il lui portera bonheur dans sa prochaine existence.

– C'est plutôt cool, ai-je dit.

– Ce ne sont que des histoires de bonnes femmes sans signification, a-t-elle rétorqué sèchement. Mais ma mère y croyait, et je respecte sa foi.

175

J'avais encore donné la mauvaise réponse. J'étais prêt à me dégonfler et à la laisser en paix, mais me suis forcé à rester et à en finir.

– Je ne rentrerai pas chez moi demain, ai-je dit d'une voix qui se voulait énergique. Je vais chercher l'oncle Press.

Loor a interrompu son ouvrage et levé les yeux. J'ai fait de mon mieux pour soutenir son regard sans ciller. Je voulais qu'elle comprenne que j'étais sérieux. Mais elle a éclaté de rire. De toute évidence, l'idée de me voir me dresser contre les chevaliers bedoowans lui paraissait hilarante.

Elle a cessé de rire et dit d'un ton sarcastique :

– Pourquoi, Pendragon ? Pour regarder mourir ton oncle comme ma mère avant lui ?

Pan. Prends ça dans les dents.

Elle commençait à me taper sur les nerfs. D'accord, elle en avait pas mal bavé, mais ce n'était pas une raison pour me traiter comme un chien. J'ai tenu bon et déclaré :

– Tu m'as dit que je me fichais pas mal de mon oncle. Eh bien, tu te trompes. Il compte beaucoup pour moi. Assez pour que j'entre dans cette forteresse et que je le sorte de là.

Elle a fait une grimace de dérision.

– Les chevaliers te mettraient en pièces avant que tu n'aies pu t'approcher de lui.

– Tu as sans doute raison, ai-je renchéri. C'est pour ça que tu vas m'aider.

Loor m'a décoché un regard surpris. J'y allais peut-être un peu fort. Elle s'est relevée lentement et m'a toisé. J'ai dû me forcer à ne pas reculer, car sinon, tout aurait été fichu.

– Pourquoi devrais-je t'aider à sauver ton oncle alors que ma mère est morte pour te protéger ? a-t-elle demandé avec une intensité haineuse que je ne lui connaissais pas.

– C'est précisément pour ça que tu dois m'aider, ai-je renchéri d'une voix ferme – du moins je l'espérais. Toi et moi, nous savons très bien que je ne suis pas taillé pour mener la révolte des Milagos. Mais l'oncle Press, si. Je veux le sauver parce qu'il est de ma famille. Et si tu tiens vraiment à aider les Milagos, comme tu n'arrêtes pas de le répéter, tu vas m'aider, parce que ces gens ont besoin de lui.

Tout d'abord, Loor n'a pas fait un geste. J'ai cru voir passer quelque chose dans son regard. Était-ce un léger doute ? Elle s'est reculée et a ramassé son arme posée sur le sol de la caverne.

– Les Milagos vont tenir conseil, a-t-elle dit froidement. Je t'autorise à y assister.

Un conseil. Cool. Je ne sais pas de quoi ils allaient débattre, mais au moins elle s'était un peu dégelée, enfin, suffisamment pour ne pas m'en exclure. C'était un bon début. Elle a fait un pas en avant et m'a menacé de la pointe de son arme :

– Mais je te préviens, Pendragon : moi, je ne te protégerai pas. Si tu viens avec moi, tu devras te débrouiller tout seul.

Sur cette promesse réconfortante, elle a tourné les talons. Comme je restais indécis, elle a tourné la tête et aboyé :

– Suis-moi !

Je ne savais pas où nous allions, mais je voulais bien la suivre et le découvrir par moi-même. Nous avons emprunté les échelles qui menaient à la surface. La nuit était tombée, mais les étoiles dégageaient assez de lumière pour permettre d'y voir. Loor s'est empressée de regarder autour d'elle, sans doute pour voir si les chevaliers lancés à notre recherche traînaient toujours dans le coin. Bonne idée. J'ai fait de même, mais tout était calme. Je l'ai suivie vers le village milago, où nous sommes allés tout droit vers la hutte où je m'étais réveillé. Quand j'ai franchi la porte, j'ai constaté que ma première impression était la bonne : c'était bien une sorte d'hôpital. Maintenant, deux des bancs de bois étaient occupés. Mais les deux personnes qui gisaient dessus n'étaient pas là pour guérir. C'était Osa et le mineur tué dans le puits de mine. C'était donc l'endroit où ils conservaient leurs morts avant d'en disposer selon leurs coutumes. J'imagine que j'aurais dû être dégoûté, mais ça n'a pas été pas le cas.

Il y avait aussi deux autres personnes dans la pièce, bien vivantes celles-là : Alder, le chevalier qui, selon Loor, était le Voyageur de Denduron, et Rellin, le chef des mineurs. Ils étaient assis, les jambes croisées, devant l'âtre où brûlait une bonne flambée. Loor s'est assise à côté d'eux. J'en ai déduit que ce devait être le conseil auquel elle m'avait invité. Je suis donc allé m'asseoir face à elle.

Rellin a entamé la réunion en disant :

– Je suis désolé pour ta mère, Loor. C'était quelqu'un de bien. Je pense pouvoir parler au nom de tous les Milagos en disant que nous vous sommes reconnaissants, à toi et aux tiens, d'être venus nous aider. Cela m'attriste de voir que tout doit se terminer ainsi.

Loor s'empressa de répondre :

– Je vous remercie de votre compassion, mais la mort de ma mère n'est pas la fin. Nous continuerons nos efforts pour libérer les Milagos de leurs oppresseurs.

Ces mots ont paru mettre Rellin sur les nerfs. Soudain, une tension presque palpable a imprégné la pièce. Je l'ai sentie, et Loor aussi. Pour Alder, je ne sais pas, car je ne le connaissais pas encore assez bien.

– Non, a déclaré Rellin d'un ton sans réplique. C'est fini. La révolte n'aura pas lieu.

Il s'est alors levé pour repartir. Mais Loor a bondi sur ses pieds et s'est interposée. Le commentaire de Rellin l'avait prise de court.

– Comment pouvez-vous dire une chose pareille, Rellin ? a-t-elle demandé. Si les Milagos ne se libèrent pas du joug des Bedoowans, vous allez tous mourir !

– Et si nous les affrontons, nous périrons beaucoup plus vite. Nous ne sommes pas un peuple de guerriers. Tu le sais bien, Alder.

Il a regardé le chevalier, qui a baissé la tête. Puis Rellin s'est retourné vers Loor et a déclaré :

– Et tu le sais aussi, Loor. Si nous devions combattre les chevaliers bedoowans, nous n'aurions pas une chance. Nous serions tous massacrés.

Elle n'a pas voulu en démordre :

– Vous vous souvenez de ce que prétendait Press ? Vous n'êtes peut-être pas des guerriers, mais vous êtes forts. Il a dit que si les Milagos se révoltaient, les Bedoowans n'auraient pas assez de caractère pour résister. Il a dit…

– Press n'est plus là ! a crié Rellin. Et maintenant, nous avons aussi perdu Osa. Qui reste-t-il pour continuer cette quête démentielle ? Toi ? Lui ? (Là, c'est moi qu'il a désigné du doigt.) Vous n'êtes que des enfants. Vous partez d'un sentiment généreux, mais il est temps de mettre un terme à ces rêves idiots.

Sur ce, il est sorti de la hutte à grandes enjambées furieuses. Le conseil était fini. Manifestement, Loor aurait bien voulu le suivre, mais elle est restée là. C'était peut-être une guerrière, mais elle n'avait pas les mots pour le faire changer d'avis.

– Il se trompe, a déclaré doucement Alder. Les Bedoowans ne sont pas aussi puissants que le croit Rellin.

Loor s'est lentement dirigée vers le corps de sa mère. Elle a contemplé la femme abattue, puis lui a touché le bras comme pour y puiser un surcroît de force. Elle a alors pris le szshaszsha qu'elle avait sculpté et l'a mis dans la main inerte de sa mère. Bon sang, ce spectacle m'a brisé le cœur. Je peux à peine imaginer ce qu'elle devait ressentir.

– Il ment, a-t-elle affirmé.

Alder a levé les yeux. Il était aussi surpris que moi.

– Pardon ?

C'est tout ce que j'ai pu répondre.

– Rellin a toujours désiré combattre les Bedoowans, a-t-elle expliqué. Chez lui, la colère et la haine sont plus puissantes que la peur. Je ne crois pas qu'il ait pu changer d'avis si vite.

Alder s'est levé. Il semblait aussi bouleversé que moi.

– Alors pourquoi prétendre que la révolte n'aurait pas lieu ? a-t-il demandé.

Loor a répondu sans quitter des yeux le corps de sa mère :

– Je ne sais pas, mais il y a quelque chose de changé. Quelque chose dont il ne nous a pas parlé. Peut-être se méfie-t-il de nous parce que nous sommes jeunes.

J'ai repassé dans ma tête les deux autres occasions où j'avais vu Rellin. La première fois, c'était lors de la cérémonie du Transfert. J'étais loin de lui, mais j'ai ressenti sa haine des Bedoowans. La seconde fois, c'était dans les mines, après l'explosion. Lorsque le mineur l'a sorti du tunnel, il a eu ce drôle de rire qui semblait déplacé. Loor avait raison. Il y avait quelque chose de louche.

– Il avait confiance en ta mère, n'est-ce pas ? ai-je demandé.

– Bien sûr, s'est-elle empressée de répondre.

– Dans ce cas, si quelque chose avait changé, il le lui aurait dit, et elle te l'aurait répété ?

– Veux-tu dire que je me trompe ?

– Non ! Juste que si tu as raison, c'est bizarre. Si quelque chose avait changé, pourquoi l'aurait-il caché à ta mère ? Ce n'est pas logique.

Nous avons laissé planer le doute pendant quelques secondes. Finalement, Alder a dit :

– Alors que pouvons-nous faire ?

Je connaissais la réponse à sa question. Loor aussi, mais je voulais être le premier à la formuler :

– Nous allons chercher l'oncle Press. Nous devons le ramener au village.

J'ai jeté un coup d'œil à Loor. Elle n'a pas eu à dire un mot. Je savais ce qu'elle pensait. Sauver l'oncle Press était bien la seule solution, et elle avait décidé de m'aider. Elle a regardé Alder :

– Ce combat sera difficile. Tu vas devoir leur révéler que tu es un Voyageur.

Alder s'est levé et a déclaré fièrement :

– Je savais que ce jour viendrait. Je suis prêt.

– Hé, doucement ! suis-je intervenu, me plaçant entre les deux. Qui a parlé de combattre ?

Loor m'a lancé un sourire méprisant.

– Si tu penses pouvoir t'introduire dans la forteresse des Bedoowans, trouver Press, le libérer et en ressortir sans combattre, tu es non seulement un lâche, mais aussi un idiot !

L'attitude macho de Loor commençait à me courir sur le haricot, mais je n'ai pas voulu le lui dire de peur de la mettre en colère. Je devais faire face, où elle continuerait de me défier.

– Ah oui ? ai-je dit, tentant d'imiter son ton bravache. Notre but, c'est de libérer l'oncle Press, et si tu crois qu'à nous trois nous avons une chance d'y parvenir en affrontant les chevaliers de Kagan, c'est *toi* l'idiote !

Loor en est restée sans voix. Cerise sur le gâteau, Alder s'est rangé de mon côté :

– Il a raison, Loor. Si nous les attaquons comme des brutes, ils nous tueront avant que nous n'ayons pu retrouver Press.

Voilà qui la dérangeait. De toute évidence, lorsqu'un problème se présentait, sa première idée était de foncer dans le tas. Mais elle était loin d'être bête, et elle commençait à comprendre que cette fois-ci, ce n'était pas la bonne solution.

– Alors que faire ? a-t-elle demandé. Nous allons trouver Kagan et lui demander poliment de libérer Press ? Peut-être suffira-t-il de dire « s'il vous plaît » ?

Tiens donc ! Miss Muscles était capable de sarcasme. Peut-être l'avais-je sous-estimée.

– Notre seule chance est de nous y introduire sans nous faire remarquer, ai-je dit. Si nous réussissons à rester invisibles, nous aurons toutes nos chances de libérer l'oncle Press.

Alder commençait à s'échauffer.

– Oui ! s'est-il écrié. J'ai un moyen d'entrer dans la forteresse. Et je la connais de fond en comble. Il y a tout un réseau de tunnels et de passages que personne n'emprunte jamais.

Loor n'aimait pas qu'on lui dise qu'elle avait tort, surtout quelqu'un pour qui elle n'éprouvait pas le moindre respect, en l'occurrence moi. Mais elle était assez intelligente pour comprendre que j'avais raison.

– Et as-tu un plan pour ce qui va se passer *après* que nous serons entrés dans le palais ? a-t-elle demandé.

En fait, la réponse était oui. En quelque sorte. C'était plus une accumulation d'idées qu'un véritable plan. Malheureusement, elles nécessitaient des équipements qui n'existaient pas sur Denduron. J'avais besoin de les faire venir de chez moi.

– Si j'ai pu envoyer un message à mes amis, ai-je demandé, y a-t-il un moyen pour qu'ils me fassent parvenir quelque chose depuis là-bas ?

Loor s'est écartée de moi. Elle connaissait la réponse, mais je crois qu'elle n'avait pas envie de me la donner. J'étais plutôt nouveau dans le métier de Voyageur. Peut-être pensait-elle qu'il valait mieux ne pas me confier tous ses secrets professionnels.

Mais Alder n'avait pas ce genre de préoccupations :

– Bien sûr ! a-t-il dit innocemment. Tu peux utiliser le flume pour passer d'un territoire à l'autre à volonté.

Ce type commençait à me plaire. Était-ce vraiment aussi simple ? Il me suffisait de retourner au flume pour rentrer chez moi ? Cool. Mais il restait encore un problème : pour arriver à la porte, il me faudrait escalader la montagne. Je ne pourrais jamais y arriver à temps pour rentrer chez moi, puis revenir sauver l'oncle Press avant son exécution. De plus, je finirais probablement dans l'estomac des quigs.

– Ça ne va pas, ai-je dit. Y a-t-il un autre moyen ?

– Tu n'as pas besoin d'escalader la montagne, a dit Loor. Il y a une autre entrée dans les mines, et celle-là n'est pas gardée par les quigs.

Parfait ! Voilà qui s'annonçait de mieux en mieux. Et surtout, en me livrant cette information, Loor me donnait une preuve de confiance. Peut-être que nous arriverions à travailler ensemble. Maintenant que j'étais certain de pouvoir rentrer chez moi, je commençais déjà à calculer tout ce qu'il nous faudrait pour nous introduire dans cette forteresse. Ce qu'il y avait de bien, c'est que les gens de Denduron n'avaient pas la moindre idée de ce qu'était mon monde. Quelque chose d'aussi simple qu'une lampe-torche les laisserait pantois. Vous parlez d'un pouvoir ! Je ne savais pas exactement comment ça pourrait fonctionner, mais je commençais à croire que j'avais vraiment une chance de sortir l'oncle Press de ce pétrin.

Loor m'a ramené à la mine. Nous avions convenu d'une trêve, mais celle-ci restait fragile. Nous savions tous les deux que nous avions besoin l'un de l'autre, mais ça ne nous plaisait pas pour autant. La première chose que j'ai faite, c'est de retourner dans cette minuscule pièce où Loor m'avait déjà fait attendre le temps que je termine mon journal. J'ai aussi rédigé ma liste de fournitures et les instructions que je t'ai envoyées. Une fois prêt, j'ai roulé le parchemin et fait exactement comme Osa lorsqu'elle t'a envoyé mon premier journal. J'ai retiré l'anneau, l'ai posé sur le sol, ai touché la pierre et dit : « Denduron ! »

Mais il ne s'est rien passé. J'ai fait une seconde tentative. En vain. Soudain, une idée terrifiante m'a traversé l'esprit. Et si je n'étais pas vraiment un Voyageur ? Je suivais exactement la même procédure qu'elle, mais l'anneau refusait de fonctionner. En fin de compte, je n'étais peut-être pas un Voyageur !

Loor me regardait depuis l'entrée. Avant que je perde les pédales, elle m'a dit :

– Tu ne viens pas de la Terre, mais de la Seconde Terre.

Oh. Oui. C'est ce qu'avait dit Osa. La Seconde Terre. Cela voulait-il dire qu'il y avait une Première Terre ? Il faudrait que je lui pose la question, un jour. Mais pour l'instant, il y avait plus important. J'ai touché la pierre et dit : « Seconde Terre ! »

Pas de doute, c'était bien le mot magique. La pierre s'est mise à luire, l'anneau a grandi, les notes de musique ont résonné, j'ai jeté mon journal et ma liste dans le vortex. Et hop ! ils ont disparu et tout est redevenu normal. Super. Puis une autre idée m'est passée par l'esprit.

– Loor, ai-je demandé, comment saurai-je quand je devrai emprunter le flume pour regagner la Terre… heu, la Seconde Terre ? Pour se procurer tout ce qu'il y a sur la liste, mes amis peuvent mettre un certain temps.

Loor m'a fait la réponse la plus franche qu'elle ait donnée depuis que j'étais ici. Et pour une fois, elle n'avait pas l'air si sûre d'elle, comme si elle-même n'y comprenait pas grand-chose.

– Je ne sais pas vraiment comment ça marche, a-t-elle commencé. Mais quand un Voyageur emprunte les flumes, il arrive toujours à destination au bon moment.

C'est là que j'ai compris que Loor n'en savait pas plus que moi sur ce que signifiait exactement être un Voyageur. Bon, elle continuait de jouer les dures, mais je pense qu'elle cherchait toujours à comprendre ce que nous étions.

– Donc, tu veux dire que si je prends le flume pour regagner la Terre…

– La Seconde Terre.

– Ouais, peu importe. Quand je partirai pour la Seconde Terre, donc, j'arriverai en même temps que mes amis de leur côté ?

– Oui.

– Est-ce que ça marche dans les deux sens ?

– Que veux-tu dire ?

– Que si je m'en allais là, tout de suite, est-ce que je retrouverais mes amis devant le portail ? Même si je leur ai envoyé ma liste il y a une minute à peine ?

– Je crois, oui.

– Alors allons-y !

Loor m'a escorté jusqu'à la caverne principale, puis a emprunté un tunnel situé à l'autre bout. Celui-ci semblait plus ancien que les autres. Il y avait des bouts de roche éparpillés sur les rails, signe que les mineurs n'étaient pas passés par là depuis longtemps. En outre, les parois étaient plus rugueuses, comme s'ils n'avaient pas encore perfectionné leur technique lorsqu'ils l'avaient foré.

Nous marchions depuis un bout de temps déjà lorsque je lui ai demandé :

– Comment sais-tu que nous allons dans la bonne direction ?

En guise de réponse, Loor a levé la main. Elle portait un anneau identique au mien. Incroyable mais vrai, je ne l'avais pas remarqué jusque-là. J'imagine que lorsqu'on est membre du club des Voyageurs, on reçoit systématiquement le même anneau. Mais le plus important, c'est que la pierre luisait faiblement.

– Ma mère m'a montré ce portail il y a quelques jours à peine, a-t-elle expliqué. Elle m'a aussi montré comment reconnaître la proximité d'un portail. La pierre sert d'indicateur.

Comme vous vous en doutez, j'ai aussitôt regardé mon propre anneau pour constater qu'il était lui aussi devenu phosphorescent. Alors que nous tournions un angle, je l'ai vue. C'était une porte en bois, enchâssée dans la pierre. À quelques mètres de là, il y avait une autre ouverture. Devant, un tas de pierres, comme si elle venait d'être creusée. Par-delà, un vieux wagonnet à minerai sur ses rails. Il n'avait sans doute pas bougé depuis des siècles.

– Comment sais-tu que ce tunnel est le bon, et pas l'autre ? ai-je demandé.

Loor a désigné la porte de bois. Il y avait une étoile gravée dessus, comme sur celle du métro du Bronx. Nous sommes entrés et avons trouvé ce même tunnel qui menait partout et nulle part. J'ai fais quelque pas dans sa direction, puis me suis tourné vers Loor.

– Que dois-je faire ? ai-je demandé.

– Je pense que tu le sais déjà.

En effet. J'ai fait encore quelques pas vers la bouche du tunnel lorsqu'elle m'a appelé :

– Pendragon ?

Je me suis retourné.

– Ton oncle est quelqu'un de bien, a-t-elle continué. Moi aussi, je veux le sauver.

J'ai trouvé ça plutôt chouette de sa part. J'ai hoché la tête, puis me suis retourné face aux ténèbres et ai dit :

– Seconde Terre !

La suite, tu la connais.

Journal n° 3
(suite)

DENDURON

Franchement, les gars, j'aurais tant voulu rester avec vous ! Quand j'ai pris le flume pour retourner dans cette station de métro, je ne pensais qu'à l'oncle Press et à la mission qui m'attendait. Mais une fois sur place, lorsque je vous ai vus tous les deux, je me suis rappelé combien je regrettais ma vraie vie. Le peu de temps que j'avais passé sur Denduron m'avait complètement chamboulé, mais, en vous voyant, j'ai eu l'impression de ne jamais être parti. À un moment donné, j'ai cru que je n'arriverais jamais à monter dans le flume et à retourner à Denduron. Tu avais raison, Courtney ; ç'aurait été si facile. Je n'avais qu'à m'en aller avec vous.

Mais alors, je me suis souvenu de l'oncle Press, et j'ai su ce que je devais faire. Je devais repartir. Peut-être aurais-je mieux fait de rester, car comme ça je n'aurais pas envenimé la situation. Parfois, il ne suffit pas d'avoir de bonnes intentions : il faut aussi faire preuve d'intelligence ; et je crois sincèrement qu'il m'arrive de ne pas être très malin. Je vais vous dire ce qui s'est passé, pour que vous puissiez juger par vous-mêmes.

Quand le flume m'a ramené à Denduron, Loor était là pour m'accueillir. La première chose qu'elle m'a dite, c'est :

— Je n'étais pas sûre que tu reviendrais.

Je suis monté sur mes ergots et ai lancé :

— Hé, pour qui me prends-tu ?

Bien sûr, elle avait tout à fait raison. J'avais bien failli rester sur Seconde Terre, mais je ne voulais pas qu'elle le sache. Je préférais qu'elle croie que j'avais confiance en notre réussite.

– Nous sommes fatigués tous les deux, a-t-elle dit. Nous devons prendre un peu de repos avant de nous y mettre.

– On a le temps ?

Je savais que l'oncle Press devait être exécuté « à l'équinoxe », même si je ne savais pas quand c'était exactement. Pour autant que je sache, ça pouvait se produire dans dix minutes.

– L'équinoxe est pour demain, midi, a-t-elle expliqué. Lorsque les trois soleils ne font plus qu'un dans le ciel. Nous avons le temps de faire un somme.

Je comprenais, maintenant. Loor et moi sommes retournés dans la petite pièce au cœur de la mine. Elle ne m'a pas demandé ce qu'il y avait dans le sac à dos et je n'avais pas l'intention de lui expliquer. Je gardais ça pour plus tard. Mais j'avais besoin d'un objet, que j'ai donc sorti. C'était ma montre digitale. Je n'avais pas la moindre idée de l'heure qu'il était, mais si je devais dormir un peu, je ne voulais pas avoir une panne d'oreiller, ronfler pendant dix heures et me réveiller trop tard. J'ai réglé l'alarme sur deux heures plus tard. C'était une sieste prolongée, tout au plus, et j'étais à bout de forces. Mais c'était toujours mieux que rien.

Loor m'a regardé avec curiosité pendant que je réglais ma montre. Le bip l'a même fait bondir de surprise. J'imagine que, là d'où elle venait, il n'y avait pas de montres. Pour une fois, j'ai eu l'impression d'avoir une longueur d'avance sur elle. Mais surtout, sa réaction m'a montré que j'avais raison. Tout ce qui sortirait de ce sac, même les objets les plus banals, sembleraient magiques aux yeux des gens de Denduron. Or bénéficier de l'effet de surprise, même si ce n'est qu'un instant, peut faire toute la différence entre le succès et l'échec. Ou entre la vie et la mort.

Quand j'ai sorti ma montre du sac, j'y ai aussi trouvé la surprise que tu me réservais, Mark. Tu es le meilleur. Tu sais que j'adore les Milky-Ways, et celui que tu as placé dans le sac a été le plus délicieux des festins de toute l'histoire des festins. Merci. J'en ai même proposé un morceau à Loor. Ce qui m'a semblé plutôt sympa de ma part, étant donné que je n'avais pas beaucoup d'espoir d'en trouver un autre dans le coin. Elle en a pris un petit bout, à peine une bouchée, l'a mis sur son palais et l'a aussitôt recraché. Quel gâchis ! J'imagine que sur son territoire on ne connaît pas le chocolat non plus.

– La prochaine fois que tu me donnes du poison, préviens-moi d'abord ! a-t-elle déclaré.

– Qu'est-ce que tu racontes ? ai-je répondu en riant. D'où je viens, c'est un régal !

– Alors tu habites un bien drôle de monde, Pendragon.

Elle a pris une gorgée d'eau et l'a fait tournoyer dans sa bouche pour enlever le goût. On aurait dit que je lui avais passé un chou de Bruxelles ou quelque chose comme ça.

C'était la première fois que Loor et moi étions seul à seul sans qu'elle fasse mine de vouloir me sauter à la gorge. On aurait dit deux personnes normales faisant des gestes normaux. Bon, nous n'étions pas encore copains comme cochons, mais cette atmosphère d'apaisement m'a encouragé à poser une question :

– Ta mère t'a-t-elle dit autre chose sur les Voyageurs ?

Plus j'avais d'information, plus j'avais de chances de m'en sortir vivant.

Loor n'a pas répondu tout de suite. Elle s'est affairée, étendant les fourrures de son côté de la salle. Elle m'avait entendu, je le savais, donc je n'ai pas répété ma question. C'est au moment où j'allais y renoncer qu'elle a répondu :

– Ce que j'ai à dire risque de ne pas te plaire.

Super. Encore des bonnes nouvelles.

– Si c'est important, ai-je insisté, je préfère le savoir, que ça me plaise ou non.

Elle s'est assise sur les fourrures et adossée au mur. Malgré ce que je venais de dire, je n'étais pas sûr de vouloir l'écouter. Mais je n'avais pas le choix.

– Cela fait peu de temps que j'ai appris que je suis une Voyageuse, a-t-elle commencé. Je n'en sais guère plus que toi. Mais ma mère m'a dit quelque chose d'important. Peut-être plus encore que de sauver Press et aider les Milagos.

Ce n'était pas rien. Là, elle avait attiré mon attention.

– Tu veux sans doute savoir pourquoi nous sommes des Voyageurs, mais moi-même je n'en ai pas la moindre idée. C'est la vérité. Ma mère m'a dit que je le découvrirais un jour, mais que pour l'instant ça n'avait pas d'importance. Par contre, d'après ce qu'elle m'a dit, il faut que nous comprenions le sens de notre mission.

– Notre mission ? ai-je répété. Tu veux dire qu'aider les Milagos n'est pas une fin en soi ?

– Oui, a-t-elle répondu. Ma mère m'a expliqué qu'il y a bien des territoires en ce monde, et que tous sont sur le point d'atteindre un moment crucial. Elle l'a appelé « un moment de vérité ». Et selon la voie qu'ils choisiront, soit ils connaîtront la paix et la prospérité, soit ils plongeront leurs peuples dans le chaos et la destruction.

– Donc, le combat des Milagos contre les Bedoowans est une sorte de moment de vérité dont dépend l'avenir de Denduron ?

– C'est ce qu'a dit ma mère, a-t-elle continué. Si les Milagos se libèrent du joug des Bedoowans, Denduron connaîtra la paix. Mais si les Bedoowans triomphent, ce sera un désastre aux conséquences catastrophiques pour le territoire tout entier.

En effet, c'était une sacrée nouvelle. Il ne s'agissait pas uniquement de sauver ces malheureux mineurs, mais d'assurer l'avenir de Denduron.

– Comment pouvait-elle savoir tout ça ? ai-je demandé. Elle était capable de prédire l'avenir ?

Loor a haussé les épaules.

– Cela fait partie du rôle d'un Voyageur. Un jour, nous comprendrons tout ça. Mais pour l'instant, il faut savoir que la mission d'un Voyageur est d'aller dans des territoires sur le point d'atteindre leur moment de vérité et de faire son possible pour que les événements prennent la bonne direction. C'est pour ça que ma mère était là, tout comme Press.

Tout ça devenait un peu trop cosmique pour moi. Moi qui croyais commencer à comprendre ce qui se passait, je ne faisais que gratter la surface.

– Alors qui est Saint Dane ? ai-je demandé.

– C'est un Voyageur, lui aussi, mais il n'a cessé d'œuvrer contre nous. Il veut orienter les territoires dans la mauvaise direction et provoquer le chaos.

– Mais… pourquoi ?

– Quand nous aurons la réponse à cette question, nous saurons tout ce qu'il y a à savoir. Mais pour l'instant, je n'en ai pas la moindre idée. Dors maintenant.

Ouais. Dormir. Elle venait de me révéler que l'avenir de Denduron était entre nos mains, sans oublier les autres territoires qui pouvaient mal tourner, et j'étais censé glisser dans les bras de Morphée ? Et pour corser l'affaire, un tueur cherchait à nous stopper. Je savais de quoi ce Saint Dane était capable. Fais de beaux rêves, Bobby ! J'étais au bord de l'hémorragie cérébrale et devais absolument me calmer. Je me suis dit que tout cela ne me concernait pas. Je n'avais qu'un but et un seul : sauver l'oncle Press. Ensuite, je pourrais filer à l'anglaise. Si l'oncle Press voulait rester et changer le cours de l'histoire, c'était son affaire. Quant à moi, je prendrais le prochain flume qui me ramènerait chez moi.

Cette idée m'a rassuré, enfin quelque peu, et j'ai essayé de dormir. Mais avant de poser ma tête sur l'oreiller, j'ai dit :

– C'est tout ? M'as-tu vraiment tout dévoilé, où est-ce que tu me caches encore quelque chose ?

Loor n'a même pas ouvert les yeux. Elle était presque endormie. Mais elle a réussi à dire :

– C'est tout ce que je sais, Pendragon. Ça ne te suffit pas ?

Oh, si. C'était déjà bien assez. C'était l'heure du couvre-feu. J'ai cru que j'aurais du mal à m'endormir mais, à vrai dire, j'étais si crevé que je n'ai même pas senti ma tête contre l'oreiller. C'était très bien, sauf que j'ai eu l'impression d'avoir à peine fermé les yeux lorsque l'alarme a sonné. Deux heures ? Deux secondes, oui ! Et j'ai eu bien du mal à émerger. J'ai connu un de ces drôles de moment où l'on sort du sommeil sans savoir où l'on est. J'ai eu l'impression d'être chez moi, dans mon lit, et ma première idée a été : « Il faut que je sorte Marley. » Mais je n'ai pas tardé à revenir à ma situation présente. Je me suis assis sur ma couche et ai tenté de m'éclaircir les idées.

Loor n'était pas là. Je me suis étiré, ai bâillé et suis allé faire l'inventaire de mon sac. J'ai tout de suite vu que les attaches étaient défaites. Quelqu'un avait fouillé mes affaires ! Je l'ai vite ouvert et ai inspecté le contenu. Pas de doute, quelqu'un avait fouillé dedans, mais à première vue tout était là. Ça m'a mis en rogne. J'ai refermé le sac et suis parti chercher Loor.

Je me suis dirigé vers la mine et cette caverne qui, désormais, m'étais familière. Là en bas, tout était comme d'habitude. Ces pauvres bougres ne s'arrêtaient jamais. Brièvement, je me suis demandé ce qui s'était produit à la dernière cérémonie du Transfert et s'ils avaient extrait assez d'azur pour compenser le poids de la femme que Mallos avait choisie. Je l'espérais, mais ne pouvais rien y faire. Je devais retrouver Loor et lancer notre petite mission de sauvetage.

Lorsque j'ai examiné les cavernes, quelque chose a attiré mon attention. Rellin est sorti d'un tunnel situé à ma gauche. Il marchait d'un pas vif tout en discutant avec un des mineurs. Mais ce qu'il y avait d'étrange, c'est qu'ils avaient l'air bien joyeux. Rellin a donné une claque sur le dos de son interlocuteur comme s'ils venaient d'échanger une blague, puis l'autre est parti Dieu sait où. Pourtant, ces gens n'avaient pas de quoi rire. La dernière fois que j'avais discuté avec Rellin, il avait condamné la tribu tout entière à une mort lente en refusant de se soulever contre Kagan. Pourquoi était-il si joyeux tout à coup ? J'ai attendu qu'il se soit éloigné, puis suis allé jeter un œil dans le tunnel dont il venait de sortir.

Apparemment, ce n'était qu'un boyau abandonné. Les rails étaient vieux et rouillés. Ce devait être une des premières galeries qu'ils avaient creusées à partir de la caverne. Je me suis demandé à quand elle pouvait bien remonter. Des années ? Des décennies ? Des siècles ? Je me suis aussi demandé ce que Rellin et l'autre mineur faisaient là-dedans. Au bout de quelques mètres, j'ai eu la réponse à ma question. Comme dans la majorité des galeries, celle-ci comportait une cellule creusée dans le roc, sur le côté. Mais contrairement à celle où j'avais dormi, celle-ci était pourvue d'une porte en bois. J'ai regardé autour de moi pour vérifier qu'il n'y avait personne, puis j'ai ouvert la porte et suis entré.

Cette pièce était deux fois plus grande que celle où je venais de me réveiller, et elle était remplie d'équipements. D'abord, j'ai cru que c'était là qu'ils conservaient leurs outils de forage, mais, en y regardant d'un peu plus près, j'ai constaté que je me trompais. J'étais tombé sur une armurerie ! Il y avait des centaines de lances semblables à celles que l'oncle Press avait chargées sur notre traîneau. À mon grand étonnement, j'ai vu luire leurs pointes de métal. Les Milagos n'avaient pourtant pas le droit d'employer des outils de métal en dehors des mines. Mais je présume qu'ils n'étaient pas non plus autorisés à avoir des armes.

Si l'un des côtés de la salle était bourré de lances, il y avait aussi d'innombrables brassées de flèches. Il devait bien y en avoir des milliers. Les arcs, eux, étaient entreposés en face. Une centaine environ. Voilà qui faisait un arsenal impressionnant. Puis j'ai vu quelque chose qui tranchait sur le reste. Une série de grands paniers était repoussée contre le mur du fonds. J'ai reconnu ceux qu'ils employaient pour remonter l'azur à la surface. Ils étaient pleins, mais pas de minerai. Je suis allé prendre un des objets qu'ils contenaient. C'était un petit bâton épais d'une dizaine de centimètres. Sur un des côtés, il y avait deux minces lanières de cuir d'une trentaine de centimètres. À leur extrémité, une sorte de bourse en cuir de la taille d'une carte à jouer. J'ai fixé cet étrange appareil en me demandant à quoi il pouvait bien servir. Puis j'ai fini par comprendre. C'était une fronde ! Une bonne vieille fronde ! Comme ces gars ne connaissaient pas le caoutchouc, ils ne pouvaient pas fabriquer des lance-pierres comme nous les connaissons. Avec cet appareil, il suffisait de prendre le manche et de lâcher le tout. Il devait y en avoir deux cents dans les paniers.

Alors que j'étais là, à brandir une fronde, une idée déplaisante m'a traversé l'esprit. Rellin avait raison. Les Milagos n'étaient pas prêts à affronter les chevaliers de Kagan. Ces frondes étaient pitoyables. Bon, on connaît tous l'histoire de David et Goliath, mais ce n'est qu'un conte. Croyaient-ils vraiment avoir une chance contre ces tueurs bien entraînés et revêtus d'une armure ? Avec ces jouets ? Les lances semblaient un peu plus dangereuses. Les arcs et les flèches aussi, mais les Milagos savaient-ils s'en servir ? Soudain, les scrupules de Rellin me semblaient justifiés. S'ils tentaient de se soulever contre les Bedoowans, ils seraient massacrés jusqu'au dernier.

J'allais reposer la fronde dans le panier lorsque quelqu'un me l'a arrachée des doigts !

Je me suis retourné, surpris. C'était Figgis ! Il s'est éloigné de moi d'un geste souple en faisant tournoyer la fronde au-dessus de sa tête.

– Tu as changé d'avis ? a-t-il piaillé. Tu es prêt à faire affaire ?

– Je ne veux rien, ai-je répondu avec fermeté.

– Non ? J'ai bien des choses qui pourraient te servir, pourtant, a-t-il insisté avec un sourire édenté. Ceci, par exemple.

Il a tiré quelque chose de sa sacoche et me l'a tendu. C'était un couteau suisse.

– C'est à moi ! ai-je crié en le lui arrachant des mains. C'est toi qui as fouillé mon sac ! Que m'as-tu volé d'autre ?

Ça faisait déjà un mystère de résolu. Figgis n'a pas tenté de se dérober. Il a juste eu un rire désagréable, comme un caquètement de vautour.

– Je sais ce dont tu as vraiment besoin, a-t-il affirmé. Je le sais, je le sais !

– De quoi ai-je donc besoin ? ai-je répondu, perdant peu à peu patience.

– Du tak. Et je suis le seul qui puisse t'en procurer.

Du tak. Encore ce mot.

– Qu'est-ce que c'est ?

Il a éclaté de rire et fouillé dans la sacoche qu'il portait à la ceinture.

– Le tak est la réponse, a-t-il dit avec révérence. Le tak est l'espoir.

Quoi que ce soit, ce tak ne pouvait être bien gros s'il tenait dans sa sacoche. Il allait l'en sortir… Lorsque Rellin est entré dans la pièce.

– Figgis ! s'est-il écrié.

Figgis a aussitôt tiré sa main, vide, de sa sacoche. Il a pris un air consterné.

– Tu n'aurais pas dû l'amener ici, vieil homme, a déclaré Rellin d'un ton lourd de reproches.

Figgis s'est reculé et a filé doux comme un chiot qui a fait une bêtise. Je ne savais toujours pas ce qu'était le tak, mais il ne voulait pas que Rellin sache qu'il avait essayé de m'en vendre.

— Je regrette que tu aies vu cette salle, a-t-il dit d'un ton las. Je ne veux pas que tu t'imagines que nous avons une chance d'affronter les Bedoowans. Ces armes ne tarderont pas à être détruites.

Il y avait un os. Rellin ne me disait pas toute la vérité. Et s'il n'était pas tout à fait honnête avec moi, j'avais intérêt à bien peser mes mots. C'est pourquoi je n'ai pas mentionné le tak que Figgis voulait me vendre.

— J'imagine que vous savez ce que vous faites, ai-je dit sans trop m'avancer.

Je n'aimais pas me trouver dans cette pièce, surtout maintenant qu'il se passait quelque chose que j'ignorais. Le mieux que j'avais à faire, c'était de m'en aller. Je suis donc passé devant Rellin et ai franchi le seuil. Il n'a pas fait le moindre commentaire.

Une fois sorti de là, je me suis à nouveau concentré sur le problème du jour, à savoir l'oncle Press. Je suis donc retourné dans la chambre où j'avais laissé mes affaires. Quand je suis entré, Loor et Alder étaient revenus. Et ils fouillaient le contenu de mon sac, qu'ils avaient vidé par terre ! Il n'y avait donc rien de sacré dans le coin ?

— Hé ! me suis-je écrié.

Alder a fait un bond, gêné. Mais Loor a continué son examen sans sourciller.

— Je cherche les armes que tu as rapportées, a-t-elle dit sans faire mine de s'excuser. Et je n'en vois pas une seule, a-t-elle ajouté en secouant l'un des talkie-walkies jaunes que vous m'aviez apportés.

Je le lui ai pris des mains.

— Je n'ai pas rapporté d'armes. Je ne serais même pas fichu de m'en servir.

— Alors tout ça ne sert à rien, a-t-elle craché.

— C'est ce que tu crois.

Je lui ai rendu le talkie-walkie. Puis j'ai pris l'autre et marché jusqu'à l'autre bout de la pièce. Je l'ai porté à ma bouche, ai appuyé sur le bouton d'envoi et fait :

– Bouh.

Loor et Adler ont sursauté tous les deux. Loor a balancé le talkie-walkie comme s'il l'avait brûlé. Alder l'a ramassé et rejeté à son tour. Le pied ! C'était exactement la réaction que j'attendais.

– Quelle est cette magie ? a demandé Alder, les yeux écarquillés.

– Ce n'est pas de la magie. Comprenez-moi bien, mon territoire est beaucoup plus avancé que celui-ci. Là d'où je viens, des objets comme celui-ci sont monnaie courante. C'est de la science, pas de la magie.

J'ai ramassé le petit lecteur de CD avec ampli incorporé que vous m'aviez envoyé et ai appuyé sur « Play ». Aussitôt, il a attaqué le premier titre. C'était du rock bourrin avec de grosses guitares qui a poussé Loor et Alder au bord de la panique. Ils se sont bouché les oreilles et ont couru à l'autre bout de la pièce comme des lapins affolés. C'était formidable. Comme je ne voulais pas prolonger leur souffrance, j'ai éteint le lecteur. Ils sont restés là, à me regarder avec de grands yeux pleins d'effroi.

– Tu penses toujours que nous avons besoin d'armes ? ai-je demandé avec un léger sourire.

Alors j'ai vu quelque chose qui m'a presque fait tomber sur le derrière. Loor m'a regardé et, croyez-le ou non, elle m'a souri !

– Cette science me plaît bien, a-t-elle dit.

– Moi aussi, a renchéri Alder.

Jusque-là, tout se passait bien. Leurs réactions m'ont donné de l'espoir. Ça pouvait marcher. L'important, c'était d'utiliser correctement tous ces appareils, et ce serait bientôt le moment d'agir. J'ai fait un rapide inventaire et constaté que vous aviez pu vous procurer tout ce qu'il y avait sur la liste, à l'exception de la lampe-torche. Vous êtes incroyables, les gars. Par contre, j'ai été étonné de constater que rien de tout ça n'était à moi. Mark, je ne voulais pas que vous alliez acheter de nouveaux appareils ou que vous m'envoyiez les vôtres. Mais après un moment de réflexion, j'ai réalisé que vous auriez eu du mal à les sortir de chez moi. Mes parents n'auraient pas manqué de poser des questions. Dès que je le pourrai, je vous rembourserai le tout.

J'ai donné un des talkie-walkies à Loor et lui ai montré comment s'en servir. Si nous étions séparés, ils pourraient jouer un rôle crucial. J'ai fourré tout le reste dans mon sac. Alder y a ajouté quelque chose d'un peu surprenant. Il nous a donné des vêtements semblables à ceux que portent les Bedoowans dans le palais. C'étaient des pantalons et des vestes à manches longues. Les pantalons étaient pourvus de poches et se refermaient à l'aide d'une ficelle, les vestes de morceaux de bois servant de boutons. Le tout dans des tons vert et bleu clair, presque pastels. Mais ce qui m'a le plus étonné, c'est de constater qu'ils étaient doux. Le tissu était une sorte de coton, et ces vêtements étaient vraiment confortables, y compris les chaussures de cuir. On aurait pu croire que les Bedoowans faisaient leurs courses chez Gap. Et dire que les Milagos étaient réduits à porter des peaux de bêtes rugueuses et puantes, comme des hommes des cavernes, alors que les Bedoowans se réservaient ces fringues confortables comme des pyjamas ! Le contraste était saisissant.

Loor n'avait aucune envie de se déguiser. Elle aurait préféré qu'Alder nous procure des armures comme celles des soldats. Mais il lui a expliqué que les chevaliers n'avaient pas le droit de les porter à l'intérieur du palais. Si nous nous y aventurions en armure, nous nous ferions aussitôt repérer. Ces vêtements étaient notre meilleure chance de passer inaperçus. Quoi qu'en pensait Loor, c'était d'une logique imparable. Nous avons donc tous endossé les tenues bedoowans.

Alder avait aussi récupéré quelque chose de précieux : une carte du palais. Elle était grossière et dessinée à grands traits sur un parchemin quelconque, mais nous nous en contenterions. Elle ne nous dévoilait pas tous les recoins du château, mais il y avait les zones clés : la prison où l'oncle Press était détenu et les quartiers des chevaliers. Nous étions parés, à part un petit détail. Peut-être le plus important de tous.

– C'est très bien, tout ça, mais par où allons-nous entrer ? ai-je demandé.

– Il y a un passage, a répondu Alder. Les Bedoowans ignorent son existence et bien peu de Milagos sont au courant. Mon frère me l'a montré un jour avant sa mort.

Voilà une nouvelle information. Alder avait un frère qui était mort. J'aurais bien voulu en savoir plus, mais ce n'était pas le moment de discuter.

– Alors allons-y, ai-je dit.

J'ai mis le sac sur mon dos et suivi les autres dans la galerie. Plutôt que de regagner le puits principal pour remonter à la surface, Alder nous a conduits jusqu'à l'un des wagonnets.

– Nous n'avons pas besoin de marcher tout du long, dit-il. Sautez à bord.

Quelle que soit notre destination, elle se trouvait sous terre. Loor et moi sommes montés dans le wagonnet, et Alder l'a poussé. Heureusement, le tunnel était à l'horizontale : ça n'a donc pas été trop pénible. Nous avons cheminé un bon moment et nous sommes enfoncés dans les profondeurs de la mine. Au bout d'un moment, la lumière a disparu, mais apparemment le conduit était rectiligne : Alder a continué de pousser au cœur des ténèbres. Alors que la lumière revenait peu à peu, j'ai regardé droit devant et vu un petit point brillant dans le lointain. Avant que j'aie pu demander ce que c'était, Alder a dit :

– Les galeries mènent à la mer. Nous atteindrons bientôt la fin de celle-ci. On ne peut pas y entrer de l'extérieur, car l'ouverture est tout en haut d'une falaise. C'est comme ça qu'on ventile les mines.

Ben voyons. Sauf qu'il n'y avait pas assez d'aération pour dissiper le gaz empoisonné qui décimait les mineurs. J'ai alors remarqué encore un détail bizarre. Tout au long de la galerie, les murs étaient restés les mêmes : de la roche dure qu'on avait gravée à la main. Mais là, tout était différent. D'un côté du tunnel, il y avait des colonnes rondes en pierre. Et larges aussi, presque un mètre de diamètre. On se serait cru dans des ruines grecques.

– Les mineurs les ont découvertes accidentellement il y a quelques années, a dit Alder. Ce sont les fondations du palais bedoowan.

Ouah ! Ça voulait dire que nous étions juste en dessous de la forteresse !

– Les Bedoowans ne savent pas que les Milagos ont creusé juste en dessous de leur forteresse, a ajouté Alder. Sinon, ils auraient fermé ce tunnel et tué quelques mineurs en représailles.

Il devait y avoir une vingtaine de ces piliers à moins de vingt centimètres l'un de l'autre. En regardant sur le côté, j'ai vu qu'un autre tunnel s'ouvrait directement entre deux de ces colonnes. En fait, on aurait plutôt dit un réduit. À l'intérieur se trouvait une échelle. Ce devait être le passage qui menait à l'intérieur du palais. Le plus dur restait à faire.

— Nul ne sait pourquoi on a creusé cette entrée secrète, a dit Alder pendant que nous descendions du wagon. Elle est plus ancienne que le plus vieux des mineurs, et personne ne s'en souvient.

Je suis allé au pied de l'échelle et ai levé les yeux. Puis je me suis tourné vers les autres. C'était le moment d'entrer en scène.

— Assurons-nous que nous sommes sur la même longueur d'ondes, ai-je dit. Notre plan est d'arriver jusqu'à la cellule où est enfermé l'oncle Press le plus discrètement possible. Si nous devons nous battre, nous sommes fichus, ai-je ajouté en regardant Loor droit dans les yeux.

Elle a détourné son regard. Même si ça lui arrachait les tripes, elle savait que j'avais raison.

— Alder ! Tu peux nous guider jusqu'à la prison ? ai-je demandé.

— Oui, je pense.

— Tu le penses ou tu le sais ?

Je ne voulais pas laisser une part de hasard.

— Je le sais, a-t-il répondu avec une confiance renouvelée.

— Bien.

— Mais il sera difficile de revenir en arrière sans se faire repérer, a-t-il ajouté.

— Et c'est là que nous devrons combattre, a renchéri Loor.

— Ouais, si tu le dis.

Je me suis tourné vers l'échelle. Bon sang, cette fille était têtue comme trente-six mules rouges. Ce n'est qu'une fois arrivé à mi-chemin que j'ai réalisé que je ne voulais pas être le premier arrivé en haut. Qu'est-ce que j'avais dans la tête ? Je ne savais pas ce qui m'attendait à l'étage supérieur. Mais il était trop tard à présent ; nous n'allions pas changer de place en cours de route, suspendus comme nous l'étions entre ciel et terre. Donc, j'ai continué mon ascension et fini sur une avancée rocheuse sombre. Le plafond de pierre était si bas que je ne pouvais pas me redresser de toute ma taille. Les autres m'ont vite rejoint.

– Et maintenant ? ai-je demandé.

Alder connaissait très bien le chemin à prendre. Il a parcouru quelques mètres le long de la corniche, puis a levé les mains. Au-dessus de sa tête, il y avait une porte en bois. Une trappe ! Alder l'a repoussée sans peine, puis s'est hissé dans l'étroit espace. Loor est passée en second, et avec une facilité déconcertante. Mais je n'aurais pu en dire autant. Non seulement j'étais plus petit, mais je portais le sac. Je suis resté sous la trappe, ai levé les yeux et dit :

– Heu… pardon ? Quelqu'un veut bien m'aider ?

Loor et Alder ont tendu le bras tous les deux, ont pris mes mains et m'ont hissé sans forcer, comme si je n'étais qu'un fétu de paille. Nous nous sommes retrouvés dans une autre pièce sombre.

– Ça mène à un débarras qui s'ouvre lui-même sur les cuisines, a murmuré Alder.

J'en ai conclu que, s'il parlait à voix basse, c'est qu'on pouvait s'attendre à croiser des Bedoowans d'un moment à l'autre.

Alder nous a fait traverser la petite pièce, puis a palpé l'un des murs. Je n'aurais pu dire ce qu'il cherchait, mais il l'a trouvé. Il y avait une petite encoche gravée dans la pierre. Alder y a passé ses doigts et a tiré. Soudain, le mur a coulissé comme une porte ! Nous sommes vite passés et Alder a refermé le passage secret derrière nous. Lorsque j'ai regardé en arrière, j'ai vu qu'une fois la porte close on voyait à peine la rainure trahissant sa présence. La cloison était aussi lisse que si elle était de plâtre. Bizarre. Jusque-là, tout ce que j'avais vu sur Denduron était rugueux et mal dégrossi. Ce mur semblait presque moderne.

J'ai regardé autour de moi pour constater que nous étions dans une espèce d'entrepôt. Partout, il y avait des paniers et des sacs de jute remplis de provisions, plus des rangées entières de pots de terre cuite. J'ai aussi remarqué des odeurs nouvelles. Ces dernières heures, j'avais respiré le relent doucereux de la mine.

Mais maintenant, il s'agissait d'arômes de cuisine. Je ne savais pas ce qui mijotait, mais j'en ai eu l'eau à la bouche. Ça m'a rappelé l'odeur qui planait dans ma maison à Noël. Mon estomac a gargouillé. Et – je suis heureux de le préciser – celui de Loor en a fait autant.

Tout au bout, il y avait une porte en bois. Alder est allé l'ouvrir sur la pointe des pieds. À peine a-t-elle été ouverte qu'un vacarme de casseroles et de friture a empli la pièce, comme si nous étions tombés sur les cuisines d'un restaurant à l'heure de pointe. Mon estomac a gargouillé de nouveau. Je voulais m'en aller le plus vite possible de cet endroit. C'était un véritable supplice. Alder nous a fait signe de venir jeter un coup d'œil. Loor et moi l'avons rejoint à côté de la porte et avons regardé de l'autre côté. J'en suis resté bouche bée.

C'était bien une cuisine. Plusieurs cuistots couraient dans tous les sens, portant de grandes dindes rôties à la peau roussie qui avaient l'air succulentes. D'autres épluchaient des légumes et découpaient des patates sur de grandes tables en bois. D'autres encore remuaient des marmites de soupe bouillonnant sur le feu. Mais ce qui m'a choqué, c'est plutôt de voir comme cette cuisine était moderne. Selon nos critères, elle restait vieillotte, mais rien à voir avec tout ce que j'avais vu jusque-là sur Denduron. Les plats étaient en métal noir grossièrement mis en forme, les fours de pierre abritaient de grandes flambées. Les chefs en sortaient les dindes et les autres mets à l'aide de grandes spatules. Les ustensiles n'avaient pas vraiment l'air de venir du supermarché du coin. Ils étaient certes très rudimentaires, mais néanmoins à des années-lumière de ce dont disposaient les Milagos.

J'ai remarqué un appareil qui ressemblait à un monte-plats. Les chefs déposaient de grandes soupières débordant de mets somptueux dans un trou dans le mur, puis tiraient une corde qui faisait monter le petit ascenseur et sa cargaison jusqu'au palais. Ils avaient même l'eau courante ! J'ai vu des éviers d'acier avec des pompes à main d'où sortait de l'eau claire. Incroyable. Et dire qu'en guise d'égouts les Milagos devaient se contenter d'ignobles trous dans leurs huttes grossières !

C'est alors que j'ai remarqué que les cuisiniers eux-mêmes, qui continuaient à s'affairer, ne ressemblaient à aucun des hommes que j'avais vus sur Denduron. Leurs traits étaient fins et délicats, comme des poupées de porcelaine. Tout en eux était réduit : leurs mains, leurs pieds et même leur taille. Leurs yeux aussi étaient différents. Ils étaient légèrement bridés, comme s'ils avaient du sang asiatique. Tous portaient une tenue semblable à la nôtre, mais en blanc. Par contre, ce qui m'a sauté aux yeux, c'est leur peau. Elle était totalement blanche. Pas simplement blême comme celle des Milagos, mais d'un blanc éblouissant. Crois-le ou non, c'était assez angoissant. À leur façon, ils ne manquaient pas d'une certaine beauté. Mais ils ressemblaient à des poupées de porcelaine.

Alder a dû lire mes pensées, car il a dit :

— Les employés qui travaillent dans le palais ne sont pas bedoowans. Ils sont achetés dans un pays situé de l'autre côté de l'océan, qu'on appelle Nova.

— Pourquoi les Milagos ne s'en chargent-ils pas ? ai-je demandé. Puisqu'on leur fait faire tout le reste.

— Parce que les Bedoowans ne veulent pas que les Milagos aient une idée de leur mode de vie, a répondu Alder d'une voix fielleuse. Ils craignent qu'ils ne se révoltent.

Ce n'était rien de le dire. Si j'avais été un Milago et vu ces tyrans se vautrer dans le luxe, j'aurais été furax. Hé, j'étais déjà furieux ! Et affamé. Ces dindes sentaient bon.

— Regarde, a dit Loor en désignant l'autre bout de la cuisine.

Le type qui se dressait devant la porte n'était certainement pas de Nova. Il était si grand et si large qu'il bouchait toute l'ouverture. Il portait des vêtements semblables aux nôtres et restait planté là, les mains sur les hanches, à surveiller la cuisine. Il portait autour de la taille une ceinture de cuir à laquelle était accrochée une matraque d'allure peu engageante. J'ai senti Alder se crisper.

— C'est un chevalier bedoowan, a-t-il chuchoté. Je n'aime pas ça. Ils ne viennent jamais dans les cuisines. Celui-ci doit chercher quelque chose.

— Tu crois qu'ils savent que nous sommes là ? ai-je demandé, mal à l'aise.

— Je ne sais pas. Mais s'ils nous attrapent, tout sera fini avant même d'avoir commencé.

Le chevalier s'est avancé dans la cuisine et a marché lentement le long des allées pour surveiller ce qui se passait. Les Novans ne lui ont prêté aucune attention et n'ont même pas fait mine de remarquer sa présence. Ses yeux scrutaient lentement la pièce pour enregistrer les moindres détails. Nous étions pris au piège. Il ne tarderait pas à entrer dans ce réduit et à tomber sur nous.

— Nous devrions retourner aux mines, a suggéré Alder. Nous n'avons qu'à attendre qu'il s'en aille pour remonter.

— Nous n'avons pas le temps, a rétorqué Loor. Dès qu'il passera la porte, nous allons le neutraliser et le jeter dans la mine.

Ce n'était pas non plus une bonne idée. Nous n'avions aucune envie de tuer ce type, enfin, pas moi. Mais s'il reprenait connaissance, il trouverait bien un moyen de donner l'alarme. Et qui sait ce que feraient les Novans si un chevalier entrait dans leur garde-manger et n'en ressortait pas ? Non, assommer ce type ne nous aurait mené nulle part. Je me suis empressé de poser mon sac sur le sol et ai fouillé l'une des poches à la recherche d'une solution bien meilleure.

— Que fais-tu ? a demandé Loor.

— J'ai une idée. Si ça ne marche pas, nous ferons comme tu as dit.

J'ai trouvé ce que je cherchais et me suis empressé de retourner à la porte. Le chevalier n'était plus qu'à quelques mètres. Je n'avais pas beaucoup de temps devant moi. Il a regardé une grande marmite de soupe et a tendu la main pour y tremper un doigt, le goinfre. C'est alors que j'ai saisi ma chance.

Pour ça, je me suis servi du pointeur laser que tu m'avais procuré. Je l'ai allumé et ai dirigé le faisceau vers la marmite. De là où je me trouvais, il était facile de voir le point rouge sur le métal noir. Je ne pouvais qu'espérer que le chevalier le verrait aussi. Il a retiré son doigt de la marmite et l'a mis dans sa bouche pour goûter la soupe, mais sans remarquer le laser. Alder et Loor regardaient la scène par-dessus mon épaule. Bien sûr, ils n'avaient pas la moindre idée de ce qu'était un laser, mais ce n'était pas le moment de poser des questions.

J'ai secoué un peu l'appareil pour que le point rouge danse sur la marmite. Le chevalier s'est léché le doigt et penché pour en reprendre... et c'est alors qu'il l'a vu. Il a scruté d'un œil curieux le point qui s'agitait comme un pois sauteur sans même retirer son doigt de sa bouche. Quel idiot ! Puis j'ai lentement baissé le point de la marmite jusqu'au four. Le chevalier a suivi le mouvement. C'était comme lorsque je jouais avec Marley et ma torche. Je n'avais qu'à diriger le faisceau sur le sol pour que Marley saute dessus. Ce pauvre toutou n'a jamais compris qu'il ne pouvait pas attraper un rond de lumière, ce qui ne l'empêchait pas d'essayer.

Et c'est exactement ce qui s'est produit avec le chevalier. J'ai fait lentement passer le point rouge par-dessus les miches de pain, les marmites bouillonnantes, les tables de bois, pour descendre sur le sol avant d'escalader le mur. Le chevalier curieux ne l'a pas quitté des yeux. Il a suivi la lumière rouge magique comme... eh bien, comme un chien poursuivant un faisceau de lampe-torche. Ce qu'il ne savait pas, c'est qu'en agissant ainsi il s'éloignait de nous et nous laissait le champ libre.

Quand il nous a tourné le dos, j'ai fait signe aux autres d'y aller. Lentement, silencieusement, ils ont ouvert la porte du garde-manger pour s'engager dans la cuisine. Je les ai suivis tout en faisant de mon mieux pour garder le faisceau droit afin de détourner l'attention du garde stupéfait. Nous nous sommes dirigés vers la sortie. Les Novans nous ont à peine regardés. Je suis sorti le dernier. Mon corps était déjà de l'autre côté de l'ouverture, mais je me suis penché pour diriger le faisceau. J'ai alors éteint le laser et n'ai pu m'empêcher de rester là un instant pour voir la réaction du chevalier. Cette andouille est restée un instant immobile, puis s'est mise à regarder frénétiquement autour d'elle. Même Marley n'était pas assez bête pour faire ça. J'avais envie d'éclater de rire, mais ne pouvais pas rester là, à profiter du spectacle. Nous devions aller de l'avant ; j'ai donc suivi les autres dans le palais.

Nous avions réussi. Nous étions là, au cœur de la forteresse. Maintenant, il nous fallait gagner la cellule où l'oncle Press était détenu. Alder consultait déjà la carte. Loor et moi n'avions rien d'autre à faire que le suivre en essayant de ne pas trop faire tache. En fait, ça n'a pas été tellement difficile. Le palais bourdonnait de Bedoowans qui, tous, nous ressemblaient plus ou moins. Certes Loor avait la peau plus sombre que la majorité d'entre eux, mais pas assez pour qu'elle tranche vraiment. Si personne ne nous reconnaissait, nous avions une chance d'y arriver. Alors que nous traversions les couloirs, ce que j'ai vu m'a surpris, mais a aussi fait croître en moi une colère sourde, brûlante dont je me serais cru incapable.

La forteresse n'étais pas telle que je l'imaginais. De l'extérieur, elle ressemblait à un vieux château médiéval. J'avais vu des photos de ces bâtiments tels qu'on en trouvait en Angleterre, et l'intérieur en était aussi grossier que l'extérieur. Je m'attendais à tomber sur des couloirs de pierre et de petites salles et chambres, à des sols de terre éclairés par des fenêtres ou des torches. Mais ce n'est pas du tout ce que j'y ai trouvé.

La cuisine m'avait fourni un indice : tout ne serait pas semblable à l'idée que je m'en faisais. Franchement, Mark et Courtney, je vous le dis, cet endroit était magnifique ! Les murs étaient lisses et peints de couleurs douces. Près des plafonds, on avait dessiné des frises décoratives directement sur la cloison. Certains couloirs s'ornaient de vignes et de fleurs peintes sur toute la surface du mur et d'autres de portraits de gens qui devaient être des Beedowans célèbres du passé. Les plafonds étaient décorés de fragments de verre multicolores sculptés et disposés pour former de très belles figures. Les sols étaient dallés avec des ornements complexes. Et tout ça était d'une propreté impeccable. De temps en temps, nous passions devant un serviteur novan à quatre pattes en train de frotter le sol ou époussetant les statues posées sur les tables, comme dans un musée.

Loor et moi avons échangé un coup d'œil. Visiblement, nous pensions la même chose. Comment ses gens pouvaient-ils vivre dans un tel luxe aux dépens des Milagos ? Loor a serré la mâchoire. Elle aussi était en colère.

Nous avons entendu de la musique provenant d'une chambre devant laquelle nous allions passer. J'ai vu qu'il s'y déroulait un mini-concert. Trois musiciens assis sur des chaises jouaient de leurs instruments, tous plus bizarres les uns que les autres. Je n'avais jamais rien vu de tel. C'étaient des instruments à vent, mais de forme vaguement humaine. La musique qu'ils jouaient était douce et apaisante. Plusieurs Bedoowans les écoutaient, allongés sur de gros coussins. Des coussins ! Ces gens avaient des coussins ! Et pour couronner le tout, des serviteurs novans faisaient circuler de grands plateaux de fruits.

Plus j'examinais les Bedoowans, plus je me disais qu'ils étaient plutôt mous... à part les chevaliers, bien sûr. Les autres étaient tous un peu grassouillets. Les hommes, les femmes, même les enfants... Tous auraient eu bien besoin de prendre un peu d'exercice. J'imagine que c'est ce qui arrive quand on n'a rien à faire de son temps, sinon rester allongé, manger et écouter de la musique soporifique.

Et j'ai gardé le meilleur pour la fin. Dans chaque couloir, le long des murs, il y avait de petits tubes de verre du diamètre d'une pièce de monnaie. Ils s'étendaient sur toute la hauteur des parois et diffusaient de la lumière. De la lumière ! Les Bedoowans n'avaient pas l'électricité, mais avaient trouvé un moyen d'obtenir une lumière artificielle. En conclusion, ces gens étaient incroyablement avancés. D'après nos standards, ils restaient arriérés, mais comparés aux Milagos, c'était le comble du modernisme !

Tout d'abord, j'en suis resté soufflé, mais mon étonnement s'est vite changé en colère. Les Milagos vivaient et mouraient dans un cloaque pour que ces gens puissent s'engraisser et se vautrer dans le luxe. Ce n'était pas juste. Plus j'en apprenais sur leur mode de vie, plus j'étais déterminé à libérer l'oncle Press pour qu'il puisse aider les Milagos à égaliser les plateaux de la balance.

Et durant tout ce temps, alors que je découvrais ce décor luxueux, Alder n'avait cessé de nous guider à travers ce labyrinthe de couloirs. La cuisine était au niveau le plus bas du palais. Nous avons escaladé un grand escalier en spirale pour atteindre l'étage suivant. D'après la carte, c'était là qu'on gardait les prisonniers. Finalement, nous sommes arrivés dans un endroit plus fonctionnel que le reste de la forteresse. Il n'y avait pas la moindre fioriture aux murs et les sols comme les plafonds étaient nus. J'imagine que c'était là leur prison. En tout cas, elle était toujours plus vivable que le village des Milagos. À l'angle d'un couloir, Alder nous a fait signe de nous arrêter. Il a jeté un œil prudent de l'autre côté du mur, puis s'est tourné vers nous.

— J'ai une bonne et une mauvaise nouvelle, dit-il. La cellule de l'oncle Press est sous bonne garde. Ça veut dire qu'il y est toujours.

— D'accord, ai-je dit. Et la mauvaise nouvelle ?

— C'est qu'il y a au moins six chevaliers pour la garder.

À mon tour, j'ai jeté un coup d'œil de l'autre côté du mur. Alder avait raison. Ces six gardes n'étaient pas des Bedoowans gras et mous. Ils avaient l'air de vrais soldats. Ils étaient tous habillés de la même façon que nous et portaient à leur ceinture une matraque semblable à celle de l'homme de la cuisine. Cela ne me disait rien qui vaille. Nous ne pourrions jamais passer sous le nez de ces gars-là. J'ai rejoint les deux autres, regardé Loor droit dans les yeux et dit :

— Inutile d'envisager de les combattre.

— Et pourtant, a rétorqué Loor, nous devons faire quelque chose. Sinon, tous nos efforts n'auront servi à rien.

— Et l'équinoxe est pour bientôt, a ajouté Alder.

— Nous devons les éloigner de cette porte, ai-je dit. Alder, tu sais comment fonctionne cet endroit. Qu'est-ce qui pourrait les pousser à quitter leur poste ?

Alder y a réfléchi, puis a dit :

— Il faudrait une urgence. Quelque chose qui nécessiterait une action rapide.

— Continue, ai-je dit. Réfléchis.

Il a regardé autour de lui. Il n'en avait pas la moindre idée. Puis il a aperçu quelque chose près du plafond. Il l'a fixé un moment, puis a souri. Loor et moi avons suivi son regard. Nous avons vu une sorte de tuyau d'une dizaine de centimètres de diamètre qui longeait le plafond.

— Qu'est-ce que c'est ? ai-je demandé.

— Tu as quelque chose dans ton sac, dit Alder. Une lame de métal dentée avec une sorte de poignée.

J'ai tout de suite compris de quoi il parlait. J'ai fouillé dans mon sac et en ai tiré ma scie. Elle était encore mieux que celle que je t'avais demandée, Mark. Je voulais juste la petite scie que mon père avait dans son atelier. Mais tu m'as trouvé ce super-outil qui se repliait comme un couteau pour tenir dans le sac. Alder l'a ouvert, a verrouillé la lame et passé le doigt sur les dents acérées.

– Ça sert à découper ? a-t-il demandé.

– Oui. Qu'est-ce que tu as en tête ?

Il a regardé le tuyau au plafond et dit :

– C'est par là que l'eau circule dans la forteresse.

Puis il nous a regardés avec un sourire d'ogre. J'ai mis une seconde avant de comprendre son plan et lui ai rendu son sourire.

– Tu penses pouvoir découper ce machin ?

– Comme dans du beurre, a-t-il répondu, confiant.

Loor n'avait pas l'air de percuter.

– Pourquoi veux-tu faire ça ? a-t-elle demandé d'un ton vibrant de colère.

Apparemment, elle n'aimait pas que nous ayons une longueur d'avance sur elle. Alder lui a répondu :

– Je vais aller un peu plus loin et couper une portion de la cana-lisation d'eau.

– Ça va déclencher une belle pagaille, ai-je ajouté avec délice.

– En effet, a-t-il répondu avec le même enthousiasme. Et bien sûr, personne ne pourra trouver la partie manquante.

– C'est parfait. Vas-y !

Alder s'est mis à courir dans la direction opposée, loin du couloir de la prison. Loor et moi nous sommes cachés dans une petite chambre non loin de là et avons attendu que le spectacle commence.

– Je ne croyais pas que nous arriverions jusque-là, a-t-elle dit.

– Moi non plus.

Nous avons attendu quelques minutes, mais rien ne se produisit. Je commençais à m'inquiéter. Loor, elle, semblait garder son calme. Elle avait pris son expression de chasseresse. Peut-être avait-elle l'habitude de ces moments de calme avant la tempête, mais moi, j'avais l'estomac noué par l'appréhension. Lorsque je n'ai plus pu tenir, j'ai bondi :

— Je vais voir ce qu'il fait.

— Non, Pendragon ! a-t-elle sifflé en essayant de me retenir.

Mais je n'allais pas attendre plus longtemps. Je suis parti dans la direction qu'Adler avait empruntée en regardant dans les couloirs à chaque intersection dans l'espoir de le retrouver. Finalement, après un dernier tournant, je suis tombé sur lui. Il était debout sur une table et sciait la canalisation. Il avait déjà traversé le métal à une extrémité, et l'eau lui cascadait dessus tandis qu'une flaque s'étendait sur le sol. Mais le meilleur restait à venir. En quelques coups de scie, il a taillladé la canalisation à un autre endroit et en a retiré un morceau de soixante bons centimètres. À la seconde même où il l'a retiré, l'eau s'est mise à gicler comme d'une borne à incendie fracassée. La force du jet a bien failli le déséquilibrer. J'espère pour lui qu'il ne s'agissait pas des eaux usées. Ç'aurait été assez écœurant ; efficace, mais écœurant. Trempé, Alder a repris son équilibre, m'a vu et a brandi triomphalement son bout de tuyau.

Et soudain : *ahhhhh !* Une femme bedoowan a passé le coin du couloir et aperçu le carnage. L'alarme était officiellement donnée. Alder a rejeté le bout de tuyau et couru vers moi. À présent j'étais en mauvaise posture : j'ai tourné les talons pour revenir auprès de Loor. J'ai dû me forcer à marcher tout tranquillement. Je ne voulais pas que quelqu'un s'imagine que je m'enfuyais du lieu du crime, même si c'était exactement ce que j'étais en train de faire. Et j'ai bien fait, car à peine ai-je ralenti mon allure que j'ai vu les six chevaliers qui gardaient l'oncle Press se précipiter vers moi. Ou plutôt, devrais-je dire, vers la femme qui avait crié. Ils sont passés devant moi comme si je n'existais pas. J'aurais bien voulu rester pour les voir tenter d'arrêter l'inondation, mais je n'étais pas là pour ça. Il était temps de libérer l'oncle Press.

Lorsque je suis retourné auprès de Loor, elle s'était relevée et scrutait le couloir donnant sur la cellule. Elle a dû sentir ma présence, car elle s'est retournée.

– Ils n'ont laissé qu'un garde, a-t-elle dit. À moi de jouer.

Elle a passé la main dans son dos, sous sa veste, et a tiré une version plus courte de son fidèle bâton. Je ne savais même pas qu'elle avait une arme sur elle. Vous parlez d'une cachottière. Elle était prête à passer à l'assaut, mais je l'ai arrêtée.

– Non, ai-je dit le plus fermement possible. Ils ne savent pas encore que nous sommes là. Le plus tard ils s'en apercevront, plus nous aurons de chances de réussir.

– Il n'y a pas d'autre solution, Pendragon, a-t-elle craché.

Pas de doute, elle voulait en découdre.

J'ai jeté un coup d'œil dans le couloir pour voir le garde qui se tenait là. Un peu plus loin, le corridor se terminait sur un petit balcon. J'imagine qu'il devait surplomber l'océan.

Ça m'a donné une idée.

– Est-ce que tu peux atteindre ce balcon sans qu'il te voie ? ai-je demandé.

Loor a jeté un coup d'œil, s'est retournée pour voir qu'il y avait un couloir parallèle derrière nous, et a répondu :

– Oui.

– Alors vas-y. Je vais te l'envoyer.

Elle aurait bien voulu me demander comment je comptais m'y prendre, mais avant qu'elle n'ait pu insister, je l'ai poussée. Je me disais que si le coup du laser avait marché une fois, il pouvait toujours resservir. J'ai donc attendu quelques minutes le temps que Loor se mette en position, puis ai tiré le pointeur de ma poche. Mais quand je l'ai allumé, le faisceau a refusé de marcher ! J'ai cliqué dessus plusieurs fois, tapé dessus, retiré la pile pour la nettoyer, en vain. Cet appareil à la noix était mort, et moi aussi. Pas moyen de savoir combien de temps les chevaliers resteraient auprès de la canalisation d'eau. Et Loor qui attendait que je fasse quelque chose.

J'ai fouillé mes poches à la recherche d'une solution... Et je l'ai trouvée. C'était la moto de cascadeur radiocontrôlée. Si cet engin était lui aussi en panne de piles, c'est que nous n'avions vraiment pas de chance. Je ne maîtrisais pas cette moto aussi bien que mon Humvee à quatre roues, mais je sais bien que vous ne pouviez pas aller le chercher chez moi. Ce serait la moto ou rien.

Je me rappelle encore le jour où tu l'as reçue pour ton anniversaire, Mark. Nous avons vite maîtrisé les commandes et l'avons fait sauter des rampes. Le casque de plastique du pilote porte encore les stigmates de toutes ces fois où il a atterri sur la tête. Mais aujourd'hui, je ne voulais pas lui faire faire de tours. Je préférais qu'elle aille tout droit. Si j'y parvenais, nous aurions peut-être une chance.

J'ai donc tiré la petite moto de mon sac et l'ai posée au-delà de l'angle du mur. Je comptais la faire passer lentement devant le garde, mais il ne fallait pas qu'il me voie, moi et mon tableau de contrôle. Il me faudrait piloter sans visibilité. J'ai inspiré profondément, puis poussé la manette qui la faisait avancer. La moto a émis son gémissement bien particulier. Je ne savais pas à quelle vitesse elle allait, mais je ne pouvais courir le risque de regarder. Si je la faisais dévier de sa course, j'étais mort. Si je la faisais rouler trop lentement, le chevalier n'aurait qu'à la ramasser. Je me suis donc forcé à compter jusqu'à dix avant de regarder de l'autre côté.

Tout était comme je le désirais. Le garde est resté planté là, stupéfait, à fixer le petit bonhomme sur sa moto. Pas moyen de deviner ce qu'il pouvait bien penser. J'ignore s'il était curieux ou effrayé. Un peu des deux, sans doute. La moto roulait en ligne droite vers l'autre bout du couloir. Jusque-là, tout allait bien. Mais au moment où l'appareil allait passer devant lui, le garde a fait un pas en avant et a tenté de l'attraper.

Je me suis dépêché de mettre les gaz. La moto a bondi hors de sa portée. Peut-être étais-je plus doué que je le croyais. En tout cas, la curiosité du garde était piquée au vif : il s'est lancé à la poursuite de l'engin. Parfait. C'était comme de pêcher un poisson. J'ai ralenti afin de l'aiguillonner un brin. Lorsqu'il s'est penché pour la ramasser, j'ai remis plein gaz. J'ai répété l'opération. À chaque fois, il se rapprochait du balcon où l'attendait Loor, tout au bout du couloir.

D'un dernier coup d'accélérateur, j'ai aiguillonné la moto, qui a filé sur le balcon. Le garde l'a suivie. Il a baissé les yeux et eu une hésitation : il s'attendait sans doute à ce qu'elle reparte sans crier gare. Mais elle est restée là. Il l'a fixée une seconde, puis s'est soudain penché et l'a attrapée d'un geste rapide. Sa victoire devait être de courte durée, car il ne s'est jamais relevé. Loor a jailli de sa cachette et l'a cogné de son petit bâton. En deux gestes, elle a fait pivoter l'homme, puis l'a fait passer par-dessus la rambarde et tomber dans l'océan. Mission accomplie, et nous ne nous étions pas trahis.

Je me suis empressé de prendre mon talkie-walkie dans ma poche.

– Va chercher Alder, ai-je dit dans l'écouteur.

Loor m'a entendu, pas de doute, car elle a jailli du balcon pour partir en courant. J'ai reposé mon talkie-walkie et regardé la porte de la cellule. Désormais, c'était tout ce qui me séparait de l'oncle Press. Je me suis donc dépêché de ramasser mon sac et de courir vers elle.

Je ne m'attendais pas à la trouver ouverte, et, en effet, elle était bouclée à double tour. J'ai vu une serrure d'aspect démodé, mais pas de clé, bien sûr. J'ai donc fouillé dans mon sac, cherchant de quoi ouvrir cette porte. Tout ce que j'ai trouvé, c'est le couteau suisse que j'avais repris à Figgis. J'ai ouvert le poinçon et l'ai fourré dans le trou de serrure dans l'espoir de réussir à faire tourner le loquet. Mais ça n'a pas marché. J'ai trituré le verrou avec la lame en pensant que si je n'arrivais pas à l'actionner, je pouvais toujours le casser. Je présume que c'est ce qui s'est passé, car j'ai donné un dernier tour de poignet, le loquet a bougé et la porte s'est ouverte. J'avais réussi à entrer ! Et maintenant, je n'avais plus qu'à faire sortir l'oncle Press.

– Oncle Press ! ai-je crié en fonçant dans la cellule. C'est moi ! Il faut que nous…

La petite cellule était vide. L'oncle Press n'était pas là ! Mais pourquoi aurait-on mis six chevaliers devant cette porte s'il n'y avait personne à garder ? Je n'ai pas tardé à avoir la réponse à ma question.

– Ahhhhhh !

Quelqu'un m'a sauté dessus par derrière. Il s'est accroché à mon dos, a passé ses jambes autour de ma taille et tenté de me faire perdre l'équilibre.

– Laisse-moi sortir, sale cochon de Bedoowan ! a crié mon adversaire inconnu.

Mon agresseur n'était pas très lourd, ni très fort. Je n'ai eu qu'à tourner sur moi-même pour l'envoyer bouler. Il a atterri sur le sol avec un choc sourd qui a dû lui couper le souffle. En baissant les yeux, j'ai constaté que ce n'était certainement pas l'oncle Press. C'était un petit bonhomme crasseux vêtu de peaux de bêtes, comme un Milago. Ses cheveux et sa barbe étaient incroyablement longs, ce qui voulait dire qu'il était là depuis un bail.

– Où est mon oncle ? ai-je demandé.

Ce drôle de petit bonhomme m'a regardé d'un air interdit.

– Tu… tu n'es pas un Bedoowan.

– Non ! Je suis venu chercher mon oncle. Où est-il ?

Il a mis un certain temps à répondre. Il n'était sans doute pas habitué à une telle agitation. Et à vrai dire, moi non plus.

– Tu dois être… Pendragon, a-t-il marmonné.

– Oui ! Et je cherche mon oncle. Sais-tu où il se trouve ?

– Ils l'ont emmené, a répondu le captif milago. Tôt, avant le lever des soleils. Il doit être exécuté aujourd'hui même.

Ouais, ça, j'étais au courant. Ce type ne m'était pas d'un grand secours. Je ne savais pas où aller chercher l'oncle Press. Dieu sait où il pouvait se trouver. Mon esprit battait la campagne, mais je n'avais pas la moindre solution de rechange. C'est alors que mon talkie-walkie s'est manifesté.

– Pendragon, a grésillé la voix d'Alder, j'ai trouvé Press. Il n'est pas dans sa cellule.

J'ai agrippé mon propre appareil.

– Oui, je sais. Où est-il ?

– Il est avec moi, a-t-il répondu. Je vais te guider à nous. Dépêche-toi.

Nous étions à nouveau en piste. J'ai regardé le prisonnier milago et dit :

– Allez, sauve-toi ! Profite de l'occasion !

Puis j'ai tourné les talons et couru hors de la cellule. J'ai foncé vers le chaos qu'Alder avait provoqué. L'eau jaillissait toujours dans le couloir, désormais complètement inondé. Les chevaliers et les Novans s'affairaient pour tenter d'arrêter le flot, mais ils s'y prenaient comme des manches. Tant mieux. Au moins, ça les occuperait.

La voix d'Alder s'est à nouveau élevée du talkie-walkie :

— Retourne aux escaliers et monte encore deux étages.

Pigé. J'ai fait ce qu'il m'a dit. Mais lorsque je suis entré dans la cage d'escalier, j'ai regardé en bas et ce que j'y ai vu a failli me coller une crise cardiaque. Une douzaine de chevaliers venus des niveaux inférieurs grimpaient les marches quatre à quatre. Et ils étaient en tenue de combat, lances comprises. Quelqu'un avait dû donner l'alarme. Ils savaient que nous étions là.

L'un d'entre eux a levé les yeux et m'a repéré.

— Le voilà ! a-t-il crié.

Pas de doute, on était cuits. Les chevaliers se sont mis à courir. Je ne pouvais pas espérer les distancer. J'ai donc choisi de jouer ma dernière carte. J'ai tiré mon lecteur de CD de mon sac, l'ai brandi devant moi, ai mis le volume à fond et l'ai allumé. Aussitôt, le fracas des guitares a jailli des haut-parleurs.

On aurait dit que je leur avais balancé une bombe. De surprise, ils se sont figés sur place, les yeux écarquillés. Ils n'avaient jamais rien entendu de tel et ne l'entendraient probablement jamais plus. Pris de panique, ils ont tourné les talons et dévalé les marches. Dans d'autres circonstances, j'aurais trouvé ce spectacle plutôt marrant. Mais à ce moment, ça m'est apparu comme une grande victoire. J'ai laissé l'appareil sur l'escalier. Ça les garderait sans doute à distance mieux que le ferait une barrière.

— Dépêche-toi, Pendragon, a fait la voix d'Alder dans le talkie-walkie.

Alors que j'allais partir en courant dans les escaliers, j'ai pris l'appareil et me suis écrié :

— Je suis presque arrivé au quatrième !

— Une fois sur le palier, va tout au bout du couloir. Nous nous cachons dans la dernière chambre à gauche, juste avant le balcon.

J'ai remis le talkie-walkie à sa place et suivi ses instructions. Mon esprit cherchait à calculer ce qu'on devait faire ensuite. Il fallait aller chercher Loor et sortir d'ici. Mais on ne pouvait plus passer par la cuisine, parce que j'y avais piégé les chevaliers. Il devait bien y avoir une autre porte de sortie. J'espérais qu'Alder savait où la trouver, parce que moi, je n'en avais pas la moindre idée.

Je suis arrivé au sommet de l'escalier, ai viré de bord et couru le long du couloir. En un éclair, je me suis aperçu qu'il était plus décoré que tous ceux que j'avais vus jusque-là. Aux murs, il y avait de grandes sculptures et d'immenses peintures. J'aurais pu apprécier cette exposition si je n'avais pas été malade d'épouvante. Mais je suis arrivé à destination. La dernière chambre sur la gauche, là où m'attendaient Alder et l'oncle Press. Pourvu que Loor s'y trouve aussi ! Je suis entré dans la pièce en coup de vent, et me suis arrêté net.

J'ai mis à peine une demi-seconde pour comprendre que notre aventure venait de tourner au vinaigre. J'ai tourné les talons pour repartir, mais deux chevaliers bedoowans se sont interposés, bloquant la porte. J'étais pris au piège. Je me suis retourné lentement pour voir Alder, le talkie-walkie en main. Un chevalier tenait une lance posée sur sa gorge. Alder semblait au bord des larmes.

– Je… je suis désolé, Pendragon, s'est-il écrié. Ils allaient la tuer !

Deux autres chevaliers s'étaient chargés de Loor. L'un lui tenait les bras, l'autre la menaçait de son coutelas.

– Tu aurais dû les laisser faire ! a-t-elle crié.

Il y avait encore du monde dans cette pièce. Et c'est en les voyant que j'ai compris que tout était fichu. L'un d'entre eux était Saint Dane, ou Mallos, puisque c'est le nom qu'il se donnait dans ce territoire. Il restait là, les bras croisés, avec un sourire empreint d'autosatisfaction. Mais c'est la dernière personne que j'ai vue qui m'a vraiment pris de court. Elle était assise sur un grand trône ouvragé incrusté de fragments d'azur. Inutile de me décliner son identité. C'était l'héritier du trône des Bedoowans. Le monarque qui avait fait tuer son père afin de pouvoir régner sans partage. Le tyran qui provoquait la mort des Milagos en fixant les quotas d'azur à extraire. Je me trouvais dans la salle du trône, et Kagan était assis sur ce même trône.

Mais à ma grande surprise, j'ai constaté que Kagan était une femme.

– Salut, Pendragon, a dit Saint Dane. C'est une belle journée pour une exécution, non ?

Il ne manquait qu'une seule personne à l'appel : l'oncle Press.

Journal n° 3
(suite)

DENDURON

— C'est ça, ce jeune Milago dont j'ai tant entendu parler ? a fait Kagan d'un ton railleur. Il sent mauvais.

Merci bien, m'dame. Moi aussi, je suis heureux de vous rencontrer. Bon, il faut que je vous décrive Kagan des pieds à la tête, car croyez-moi, ce n'était pas rien. D'abord, elle était grosse. Et pas quelques bourrelets, non ; obèse serait plus proche de la vérité. J'imagine qu'elle profitait amplement de ses cuisines dernier cri. Elle portait une sorte de toge jaune très ample, mais qui ne cachait nullement ses plis de graisse. Heureusement, sa robe descendait jusqu'aux chevilles et avait des manches longues, car ses bras et ses jambes n'étaient certainement pas très beaux à voir. Par contre, elle portait des sandales qui faisaient ressortir ses doigts de pieds comme des saucisses apéritif. Pas très ragoûtant. Elle avait aussi un double menton qui débordait sur le col de sa robe. Beurk.

Impossible de lui donner un âge. Elle pouvait aussi bien avoir dix-huit ans, ou trente, ou n'importe quel chiffre entre ces deux extrêmes. Sa peau étirée sur ses rondeurs lui donnait un aspect poupin. Mais elle n'avait rien d'un bébé : c'était une reine monstrueuse, maléfique, aux doigts boudinés. Tout en elle était surdimensionné. Ses mains, ses pieds, même ses yeux. Et pourtant, sa bouche était étonnamment mince. Un si petit orifice buccal n'avait pas sa place sur un visage aussi grand. Elle avait aussi de longs cheveux. Mais ils n'étaient pas brillants et bien peignés ; au contraire, ils tombaient sur ses épaules et semblaient ne pas avoir été lavés depuis des mois. Appétissant, non ? C'était une sorte de catcheuse sumo de bande dessinée, grotesque et difforme.

Elle portait plusieurs colliers d'argent, des bracelets couvrant la moitié de ses bras et des anneaux à chaque doigt. Plus une tiare sur sa tête qui lui donnait l'air ridicule, car elle était bien trop petite. Elle aurait convenu à une tête normale, mais sur son front haut et gras et surdimensionné, elle ressemblait à un accessoire de poupée posé sur la tête d'une géante. Bien sûr, tous ses bijoux d'argent étaient rehaussés d'azur, de toutes les tailles et les formes imaginables. Pour extraire tout ça, les mineurs avaient dû travailler au moins pendant une semaine. Son trône aussi était orné d'azur. Des pierres de la taille d'une balle de tennis étaient incrustées dans le fauteuil doré.

Tout en contemplant ce spectacle, je n'ai pas arrêté de penser à cette cérémonie où un mineur avait perdu la vie pour ne pas avoir extrait assez de ce précieux minerai. Jusque-là, je n'avais jamais éprouvé de haine envers qui que ce soit, mais il y a un début à tout. De toutes mes forces, je me suis mis à haïr cette monarque d'opérette.

— Montre-moi le jouet, a-t-elle ordonné.

Sa voix était aiguë et criarde, comme des ongles sur un tableau noir.

Le chevalier qui s'était emparé d'Alder a pris son talkie-walkie pour le tendre à Kagan avec une révérence pleine de soumission. Elle l'a pris et l'a étudié sous tous les anges.

— Quelle est cette magie ? a-t-elle demandé.

Je n'ai pas pu résister. J'ai pris mon propre talkie, appuyé sur le bouton « envoi » et craché :

— Reposez-le !

Mauvais plan. Kagan a poussé un petit cri et laissé tomber l'appareil comme s'il était vivant. Il est tombé au sol, où un chevalier l'a aussitôt écrasé sous sa botte comme un insecte gênant. Je suis resté là, à tenir le second talkie-walkie (désormais totalement inutile) en me disant que je n'aurais pas dû tenter ce coup-là. Kagan s'est levée de son trône et s'est dirigée vers moi en faisant tinter ses bijoux. Elle m'a regardé de ses grands yeux ronds et noirs, a levé une main grassouillette et m'a balancé une gifle monumentale.

Ouille. Ma joue brûlait. Mais je refusais de lui montrer ma douleur. J'ai donc serré les dents et ravalé mes larmes. J'ai regardé Kagan et, bizarrement, on aurait dit qu'elle aussi avait envie de pleurer. Elle a regardé sa main, levé les yeux sur moi avec un air sincèrement surpris, et s'est exclamée :

– Tu m'as fait mal à la main !

Ben voyons ! C'était ma faute, peut-être ? Il faut croire que oui, car aussitôt deux chevaliers m'ont sauté dessus et collé la pointe de leurs lances contre ma gorge.

– Hé là, un instant ! ai-je crié. Je m'excuse. Ça ne se reproduira plus !

En fait, j'avais plutôt envie de dire : « Désolé d'avoir frappé ta main avec ma joue, grosse pleine de soupe. » Mais ce n'était pas le moment de faire le malin. Surtout avec deux lames prêtes à me trancher la gorge.

– Laissez-le, a dit Mallos/Saint Dane.

Les chevaliers ont retiré leurs lances, mais sont restés de chaque côté de moi. Kagan s'est laissée retomber sur son trône en sanglotant comme un bébé capricieux. Mallos l'a réconfortée :

– Dois-je appeler le chirurgien, Votre Majesté ?

– Non, a-t-elle reniflé. Je serai courageuse.

Oh, pitié. Vous parlez d'un cas.

– Il sera puni, a affirmé Mallos. En même temps que son oncle.

La cata. On était venus sauver l'oncle Press et, maintenant, tout indiquait qu'on devrait partager le sort horrible qu'ils lui réservaient. Vous parlez d'un commando ! Mallos a alors quitté Kagan et s'est dirigé vers moi.

– Press sera content de te voir, a-t-il dit avec un sourire onctueux.

– Où est-il ? ai-je demandé en cachant de mon mieux le fait que j'étais pétrifié par la peur.

Mallos m'a répondu d'un éclat de rire. Il s'est tourné vers Kagan et a dit :

– Ce gamin est un espion, comme son oncle et cette fille… (Il s'est dirigé vers Alder et l'a regardé droit dans les yeux.) Et ce traître bedoowan.

Mallos s'est penché sur Alder jusqu'à ce que leurs nez se touchent presque. Alder avait aussi peur que moi, mais s'est contrôlé pour ne pas fléchir.

– J'ai toujours su que tu étais un traître, a craché Mallos, mais j'avais besoin de toi pour m'amener Pendragon.

Alder a baissé la tête, rouge de honte et de gêne.

En un brusque accès de colère, Loor s'est débattue, mais malgré sa force, les deux chevaliers qui la maîtrisaient n'ont pas relâché leur prise. L'un d'entre eux lui a décoché un coup sec avec le poignard qu'il tenait contre sa gorge. En voyant un filet de sang couler le long de son cou, mon cœur s'est soulevé. Mais Loor n'a même pas frémi. Elle préférait mourir que leur montrer sa douleur. Ça ne m'étonnait pas d'elle.

Mallos a marché vers le trône en déclarant :

– Tous ces gens conspirent pour pousser les Milagos à la révolte contre nous, Votre Majesté. Et pour cela, ils méritent la mort.

On courait à la catastrophe. Je me suis tourné vers Mallos :

– Comment ça, « nous » ? ai-je crié. (Je me suis tourné vers Kagan et ai ajouté :) Ce type n'est pas un Bedoowan ! Demandez-lui d'où il vient !

Kagan a regardé Mallos. Avait-elle vraiment des doutes ? Si je pouvais forcer son conseiller à révéler qu'il était un Voyageur venu d'une autre dimension, peut-être Kagan cesserait-elle de croire tout ce qu'il lui disait. C'était tiré par les cheveux, mais je n'avais pas d'autre argument sous la main.

– C'est vrai, et je peux le prouver. Qui a pu comploter pour me faire venir ici ? C'est forcément Mallos. Personne d'autre ne sait comment marchent ces talkie-walkies, n'est-ce pas ? Un Bedoowan serait incapable d'invoquer une telle magie.

Kagan a regardé l'appareil écrasé, puis Mallos. Apparemment, elle commençait à piger.

– Mallos n'est pas un Bedoowan, ai-je affirmé. Vous ne pouvez pas lui faire confiance !

Elle a reniflé, regardé Mallos, souri et dit :

– Bien sûr que Mallos n'est pas un Bedoowan. Il y a quelques années, il a traversé l'océan pour arriver chez nous. Depuis, il est mon fidèle conseiller, et il a toute ma confiance. Pourquoi me dis-tu ce que je sais déjà ?

Au temps pour mon plan génial. Elle était déjà au courant. Kagan a pris un morceau d'un fruit violet sur la table posée à côté de son trône. Elle avait dû sauter son repas, celui qu'elle prenait toute les dix minutes environ. Elle a mordu un bon coup, laissant le jus violet dégouliner sur son double menton puis sur sa poitrine. Beurk. Quand elle a parlé, sa bouche était pleine de fruit. Ai-je précisé que j'avais envie de vomir ?

– Pourquoi voulez-vous pousser les Milagos à se révolter contre nous ? a-t-elle demandé de sa voix irritante de perruche.

Bizarre : elle avait l'air innocente comme une fillette de trois ans demandant pourquoi le ciel est bleu. Pouvait-elle ignorer l'existence horrible que menaient les Milagos ? Mallos était-il le véritable chef, et se servait-il de cette femme-enfant comme d'un pantin ? J'ai soigneusement étudié ma réponse.

– Parce qu'ils vivent dans la misère, ai-je dit. Ils habitent dans des huttes crasseuses faites de terre et n'ont pas assez à manger. S'ils n'extraient pas assez d'azur, ils se font assassiner. Mais le pire, c'est qu'ils sont en train de s'éteindre. L'air des mines les empoisonne. S'ils veulent se battre, c'est pour améliorer leurs conditions de vie !

C'était un résumé assez convaincant. Je ne voulais pas risquer d'encourir sa colère en accusant les Bedoowans de les exploiter. Mais il fallait que je lui fasse comprendre à quel point l'existence des Milagos était sordide. Si Sa Graisseuse Majesté ne savait pas tout ça, peut-être que, maintenant, elle y réfléchirait à deux fois et montrerait un peu plus de compassion.

Elle a mordu de nouveau dans son fruit juteux et m'a regardé fixement. À quoi pouvait-elle penser ? Alder et Loor l'ont dévisagée, eux aussi, en attendant sa réaction. Mallos avait l'air de s'ennuyer à mourir. Kagan a jeté son fruit par terre. Aussitôt, un servant novan a jailli de derrière le trône pour tout nettoyer avant de disparaître à nouveau. J'ai compris pourquoi cette femme était si grosse. Elle n'avait pas à lever le petit doigt : ses serviteurs se chargeaient de tout.

— Il en a toujours été ainsi, a dit Kagan d'un ton innocent. Les Milagos extraient l'azur pour que les Bedoowans l'échangent contre de jolis objets. C'est dans l'ordre des choses.

Servez chaud. Pouvait-elle vraiment être aussi innocente ? Le fait que les Milagos souffrent et meurent pour elle lui semblait tout à fait normal. J'ai jeté un coup d'œil à Loor : elle arborait le même air étonné que moi. Alder fixait toujours le sol. D'après moi, il savait déjà ce que pensait Kagan. Je ne savais trop quoi faire, mais il fallait que je dise quelque chose :

— Et qu'est-ce que les Bedoowans ont à offrir aux Milagos en échange de tout ce dur labeur ?

Kagan a penché la tête d'un air surpris, comme si elle ne s'était encore jamais posé la question. Elle m'a rappelé la façon dont Marley tournait la tête et dressait les oreilles lorsqu'elle entendait un bruit inhabituel. Avant de répondre, elle a pris un autre morceau de fruit et mordu dedans. Elle ne cessait d'émettre ces bruits de mastication et d'aspiration qui me retournaient l'estomac. Quelle truie ! Durant tout ce temps, elle a regardé dans le vide, comme si elle réfléchissait sérieusement à la question que je lui avais posée. Or j'avais hâte d'entendre sa réponse, car de mon point de vue, les Bedoowans ne faisaient rien pour les Milagos. Ils se contentaient de les exploiter. Alder et Loor ont attendu, eux aussi. Même Mallos s'est tourné vers la reine pour entendre sa sentence.

Kagan a mordu une fois de plus dans son fruit, a avalé, puis m'a regardé droit dans les yeux et dit :

— Tes questions me donnent mal à la tête. (Elle s'est tournée vers Mallos et a dit :) Tue-les.

Mauvaise réponse. Les chevaliers se sont emparés de moi et m'ont traîné vers la porte, tout comme Loor et Alder.

Loor s'est débattue avec vigueur. Elle s'est tournée vers Kagan et a hurlé :

— Peu importe le sort que vous nous réservez ! Les Milagos ne resteront pas éternellement vos esclaves !

Son geste ne manquait pas de bravoure, mais je ne pouvais m'empêcher de penser… qu'est-ce qui allait advenir de *nous* ? Les chevaliers nous ont entraînés dans le couloir et au-delà des escaliers. La voix de Mallos s'est élevée, pleine d'autorité :

– Attendez ! Je veux parler avec celui-là !

Autrement dit, moi. Les chevaliers se sont immobilisés et Mallos s'est approché de moi. Il m'a dévisagé, longuement, comme s'il prenait ma mesure.

– Rappelle-toi ce qui s'est passé aujourd'hui, Pendragon, a-t-il dit, très sérieux. Car c'est ce qui doit arriver. Pour toi, il n'y a plus d'espoir. Halla va tomber, et toi avec elle.

Il s'est alors tourné vers les chevaliers et a dit :

– Emmenez-les au trou !

Et alors que ces brutes m'emportaient, il a ajouté :

– Souviens-toi, Pendragon !

Que voulait-il dire par là ? De lui, j'attendais plutôt quelque chose du genre « Les Milagos sont condamnés » ou « Vous allez tous mourir dans d'atroces souffrances », ou toute autre réplique digne d'un vrai méchant. Mais ce qu'il me disait n'avait rien de logique. Qu'est-ce que Halla ? Osa avait prononcé ce mot avant de mourir, mais je ne savais pas de quoi elle parlait. De plus, si je devais être exécuté prochainement, pourquoi devrais-je me rappeler ce qui allait arriver ? De la façon dont tournaient les événements, je ne vivrais pas assez longtemps pour avoir le temps d'oublier. Croyez-le ou non, tout terrifié que j'étais, ces mots m'ont redonné un peu d'espoir. Mallos venait de me rappeler que cette bataille était plus importante qu'il n'y semblait. Ce n'était pas qu'une question entre Milagos et Bedoowans. L'avenir du territoire de Denduron tout entier était en jeu. Si Mallos prétendait qu'il pouvait me vaincre, il devait s'attendre à ce qu'il y ait d'autres batailles. Donc, peut-être qu'il n'allait pas nous tuer, en fin de compte, ou pas sur-le-champ. Du moins je l'espérais.

Les chevaliers nous ont entraînés vers l'escalier en spirale. Je m'attendais à ce qu'ils nous fassent descendre vers la prison, mais, en fait, nous avons monté les marches. Nous avons gravi deux étages, puis on nous a dirigés vers une porte de bois dotée d'un lourd verrou. L'un des chevaliers a tiré une énorme clé antique, a ouvert le panneau et nous a poussés à l'intérieur. La porte s'est refermée sur nous avec un fracas de tonnerre, et nous nous sommes retrouvés dans le noir. J'imagine que nous étions tous les trois trop choqués et effrayés pour examiner les alentours. De toute façon, il n'y avait pas grand-chose à voir.

– C'est la fin ? a demandé Loor avec sa bravade habituelle. Est-ce que nous allons y rester ?

– Non, a répondu Alder, nous ne mourrons pas dans cette pièce.

Il restait d'un calme olympien. Bizarre. En général, Alder est plutôt du genre nerveux, et maintenant, confronté à la promesse d'une mort certaine, il faisait bonne figure. De nous trois, c'était sans doute le seul à ne pas avoir peur. Ce n'était pas normal.

– Comment peux-tu rester si calme ? ai-je demandé.

Sa réponse ne m'a guère enchanté :

– Parce que nous sommes en détention. Tant que nous sommes ici, il ne peut rien nous arriver. Lorsqu'ils seront prêts, ils nous emmèneront vers notre destin.

En fait, Alder n'était pas si paisible que ça. C'est plutôt qu'il était en état de choc. Nous étions dans l'œil du cyclone, il le savait. Et le sort qui nous attendait le terrifiait au point de le faire sombrer dans l'apathie.

– Que vont-ils faire de nous ? a demandé Loor.

Elle n'a pas eu à attendre une réponse. À l'autre bout de la pièce, une porte s'est ouverte en grinçant, et la clarté solaire a illuminé la salle. J'ai pu voir qu'il s'agissait d'une geôle, avec des chaînes aux murs et des fers au sol. Deux chevaliers en tenue de combat se sont postés de chaque côté de la porte. L'un d'entre eux nous a fait signe de sortir. Nous n'avions pas le choix : nous avons obéi et nous sommes retrouvés sous les feux du soleil. Loor est passée en premier, mais avant de franchir la porte, elle s'est retournée et a déclaré :

– Je ne mourrai pas sans emmener avec moi quelques-uns de ces animaux de Bedoowans.

Puis elle s'est retournée et s'en est allée, Alder et moi sur ses talons.

Quand nous sommes sortis de la geôle, le soleil m'a aveuglé : j'ai dû me protéger les yeux. Avant qu'ils se soient accoutumés à la lumière, j'ai eu une drôle d'impression. Peut-être était-ce à cause du bruit, mais il m'a semblé que nous n'étions pas seuls.

Quand j'ai pu y voir de plus près, j'ai constaté que non seulement nous n'étions pas seuls, mais nous nous tenions au centre d'un grand stade bondé. Il devait y avoir plusieurs milliers de spectateurs. C'était la version bedoowan d'une arène à ciel ouvert. Au-dessus de nos têtes, il n'y avait que du ciel bleu – nous devions être sur le toit du palais. Deux jours plus tôt, lorsque j'avais regardé de l'autre côté de la crique pour voir ce qui s'étendait au-dessus du palais, j'avais cru qu'il n'y avait que des terres désolées. Mais maintenant, je comprenais que je n'avais pu voir cette arène creusée sous la surface.

Le stade était carré. Il m'a fait penser à un court de tennis. À vue de nez, il y avait de quoi accueillir quelques milliers de spectateurs. Et il était plein à craquer. Chaque côté abritait une tribu différente. L'un était réservé aux Bedoowans, assis sur des coussins. L'autre section était réservée aux serviteurs novans, installés sur de longs gradins. C'était étrange de voir tous ces gens au visage aussi immaculé que leurs uniformes. La section suivante était peuplée de Milagos. Ils étaient faciles à reconnaître avec leurs vêtements crasseux. En plus, ils n'avaient pas l'autorisation de s'asseoir : ils restaient debout sur les galeries de pierre. J'imagine qu'ils avaient gagné l'arène par en haut, puisqu'ils n'avaient pas le droit d'entrer dans le palais. Le quatrième côté était presque vide. Au milieu des gradins, j'ai vu une loge pourvue d'un trône. Ce devait être la place de Kagan.

Les sections étaient séparées par de hauts murs pourvus de pointes afin que les tribus ne puissent pas se mélanger. Mais même si les Milagos voulaient faire du raffut, ça leur était impossible : des chevaliers en armes entouraient le haut du stade. Ils restaient là, en sentinelles, lance au poing, gardant les gradins supérieurs.

Nous nous trouvions à côté du terrain de jeux, sous la loge de Kagan. Là, il n'y avait pas de sièges, juste une barrière entre le terrain et nous. Enfin, j'ai pensé qu'il s'agissait d'un terrain de jeux, même si je n'aurais pu dire lesquels. Il était à peu près de la taille d'un terrain de base-ball. La surface était couverte d'herbe, mais il n'y avait pas de traits ou de marquages quelconques pour définir les positions des joueurs. Ce n'était qu'un simple rectangle de gazon.

J'ai regardé les tribus et constaté que chaque groupe agissait de façon différente. Les Bedoowans semblaient détendus et discutaient entre eux. Certains souriaient, d'autres riaient franchement. Ils avaient amené des enfants. L'impression générale était celle d'un stade de basket avant le commencement de la partie. Les Novans restaient assis tout tranquillement et regardaient le champ. La plupart avaient les mains sagement croisées sur leurs genoux et ne bougeaient pas d'un poil. Leurs visages ne reflétaient pas la moindre expression. Impossible de dire s'ils étaient contents d'être là ou pas. Les Milagos étaient plus faciles à décrypter. Ils ne tenaient pas en place. Ils n'arrêtaient pas de regarder les gardes qui encerclaient le stade. De toute évidence, ils n'étaient pas là de leur plein gré et pas non plus pour s'amuser.

Malheureusement, j'avais bien peur que Loor et Alder ne soient la principale attraction. Je me suis penché vers Alder et ai dit :

– À quoi joue-t-on ici ?

Alder a continué de fixer le terrain.

– Ce n'est pas un jeu, Pendragon, a-t-il répondu d'une voix douce.

Avant que j'aie pu l'interroger, j'ai entendu des carillons. Ce n'était que trois notes répétées, bruyantes mais agréables, qui semblaient venir d'un xylophone géant. Tous les yeux se sont tournés vers la loge libre au-dessus du terrain. J'ai fait de même et vu deux chevaliers entrer dans la loge, suivis de Mallos, et enfin de Kagan. Elle n'a pas agité la main, ni salué ses sujets à la façon d'une reine. Elle s'est contentée de marcher d'un pas lourd vers le trône, puis de s'y laisser tomber comme une gamine gâtée morte d'ennui. Et elle mangeait encore. Comme c'est étonnant. On aurait dit qu'elle rongeait une patte de dinde. Le silence est retombé sur le stade, uniquement rompu par les bruits de bouche écœurants de Kagan. Mais je ne m'en souciais guère : je savais que le spectacle, quoi qu'il puisse être, ne tarderait pas à commencer. Mon cœur s'est mis à battre la chamade. Je n'aurais pu dire ce qui était le pire : savoir ce qui nous attendait ou rester dans l'ignorance. La peur de l'inconnu est terrifiante. Quoi qu'il en soit, je ne tarderais pas à être fixé.

Kagan s'est tournée vers Mallos :

– Alors ? a-t-elle dit, impatiente.

Mallos a fait quelques pas en avant et désigné le terrain. Aussitôt, une petite porte s'est ouverte à l'autre bout du champ. Quelques secondes plus tard, on a poussé quelqu'un au-dehors, et il s'est effondré sur l'herbe. De toute évidence, ce type aurait préféré être ailleurs. J'ai mis quelques secondes à le reconnaître : c'était le prisonnier milago qui occupait la cellule de l'oncle Press. J'imagine qu'il n'avait pas profité de l'occasion pour s'évader. Le pauvre bougre avait l'air terrifié. Il s'est relevé et a regardé tout autour du stade en se protégeant les yeux du soleil.

Aussitôt, les spectateurs bedoowans ont poussé de grandes acclamations, comme des supporters de foot. Le type a paru surpris de cette réaction et s'est éloigné d'eux pour se diriger vers le centre du stade. Au même moment, les Novans ont applaudi. Ils n'ont pas sifflé ou crié, uniquement ces applaudissements polis qui se sont arrêtés aussi vite qu'ils avaient commencé. Les Milagos, eux, se sont contentés de regarder en silence. Le type a reculé vers le centre du terrain, seul endroit où il pouvait être éloigné de toute cette foule. Il est resté là, tout seul, parcourant des yeux les gradins, terrorisé et complètement perdu. Il semblait chercher de l'aide. Finalement, ses yeux se sont posés sur moi. C'est là qu'il s'est arrêté. Bonjour l'angoisse ! Je ne savais pas pas quoi faire. Étais-je le seul visage familier dans toute cette foule ? Attendait-il que je lui fasse un signe de la main ? Je lui ai rendu son regard, impuissant.

Puis il s'est passé quelque chose de bizarre. C'était un vieux bonhomme courbé, ce qui voulait sans doute dire qu'il avait travaillé toute sa vie dans les mines. Mais alors qu'il me regardait, la peur a quitté son visage. Il s'est redressé, a bombé le torse, puis touché l'emplacement de son cœur et tendu la main vers moi. Il m'a même fait un petit sourire. Je sais, c'est vraiment bizarre, mais on aurait dit que ma vue lui avait redonné des forces. Croyez-moi, ne me demandez pas pourquoi, parce que je n'en ai pas la moindre idée. Je n'ai rien dit ou fait pour l'aider, mais lorsqu'il m'a vu, il a semblé transformé. Quoi qui doive se passer, j'y jouais un rôle, aussi insignifiant soit-il.

Nous n'avons pas dû attendre longtemps pour savoir le sort qu'on lui réservait. À notre droite, il y avait une porte plus grande que celle par laquelle le Milago était entré. Deux chevaliers ont couru vers cette même porte. Il y avait un énorme loquet de bronze si lourd que même ces armoires à glace ont dû se mettre à deux pour le soulever. Ils ont alors ouvert la porte en grand et se sont précipités vers les stands. Ça m'a rappelé une corrida, du moins ce que j'en avais vu à la télévision. J'ai regardé dans les profondeurs ténébreuses au-delà de la porte, m'attendant à en voir sortir un taureau.

En fait, je n'étais pas si loin de la réalité. J'ai remarqué des mouvements dans le noir et entendu des feulements. Tous les yeux, y compris ceux de Loor et Alder, étaient braqués sur l'ouverture. Même les Bedoowans ont cessé de discuter pour regarder ce qui allait se passer.

Soudain, un quig a bondi dans l'embrasure de la porte pour retomber sur le terrain, fermement campé sur ses quatre pattes. Les Bedoowans l'ont acclamé. Les Novans ont applaudi à nouveau et les Milagos ont serré les dents. Certains se sont caché les yeux, d'autres se sont redressés, comme si le moins qu'ils puissent faire pour leur semblable était d'avoir le courage de regarder.

Le quig a scruté les alentours de ses yeux jaunes de prédateur, prêt à bondir dès qu'il aurait localisé sa proie. Il a retroussé ses babines noires, dévoilant plusieurs rangées de crocs acérés. Même de ma position, j'ai aperçu la bave qui dégoulinait sur son menton. J'ai aussitôt revu le quig que l'oncle Press avait blessé et que ses congénères avaient dévoré tout vif.

J'ai regardé Kagan, qui fixait le monstre avec un sourire aux lèvres. Elle a mordu dans sa patte de dinde sans détourner les yeux de l'animal. Décidément, ça n'avait rien d'une corrida. Plutôt un de ces spectacles du Colisée où les Romains jetaient les chrétiens aux lions. Les Bedoowans voulaient du sang, et ils ne tarderaient pas à en avoir.

Depuis l'entrée en scène du quig, le prisonnier milago n'avait pas bougé. Et pourquoi se donner cette peine ? Il ne pouvait rien faire. Il était trop frêle pour combattre et n'avait nulle part où se cacher. Mallos a fait un geste à l'un des chevaliers les plus proches de l'arène. L'homme a jeté quelque chose au Milago. C'était un bâton de combat, comme celui que portait Loor. Mais le Milago ne pourrait jamais se défendre avec une arme aussi insignifiante. J'imagine qu'ils voulaient surtout faire durer le spectacle, du moins un peu plus de cinq secondes. C'était tout ce que ce pauvre bougre pouvait espérer. Il a ramassé l'arme, mais à la façon dont il l'a brandie, j'ai compris qu'il ne savait pas s'en servir. Il aurait aussi bien pu affronter le quig avec un polochon.

La bête ramassée sur elle-même a reniflé l'air. Elle avait flairé le Milago. Tout son corps s'est tendu alors qu'elle localisait sa proie.

J'ai à nouveau regardé Kagan. Elle avait posé son pilon et se penchait sur la rambarde, vibrante d'anticipation. Mallos se tenait derrière elle, les mains croisées dans le dos. Il s'est tourné et m'a regardé droit dans les yeux. Je me suis détourné. Je ne voulais plus voir ce type.

Alors le quig est passé à l'assaut. Il a fléchi les pattes comme un chat et bondi sur le malheureux mineur. Le Milago a tourné les talons et s'est mis à courir. C'était un spectacle déprimant autant que terrifiant. Il s'est précipité vers les murs de l'arène, mais il n'y avait pas la moindre cachette. Il s'est donc mis à cavaler autour du périmètre, traînant le bâton derrière lui.

Loor n'en pouvait plus. Elle a fait mine d'aller sauver ce pauvre mineur, mais Alder l'a aussitôt arrêtée. Il avait raison. Face à un monstre pareil, elle n'avait pas plus de chances que ce malheureux.

Dans les gradins, les Milagos regardaient la scène en silence. J'ai vu leurs visages crispés de douleur. Les Novans aussi ne se manifestaient guère, mais il était impossible de lire ce qui se passait derrière leur masque impassible. Puis je me suis tourné vers les Bedoowans, et ce que j'ai vu m'a empli d'horreur. Ils riaient ! Pour eux, voir un Milago courir pour sauver sa vie était du plus haut comique !

Le quig est resté à bonne distance du mineur, comme pour jouer avec sa proie, tel un chat avec une souris. Au bout d'un instant, le Milago a compris qu'il était futile de tourner en rond. Il s'est arrêté et a fait face à la bête. Il a levé son bâton, même si personne ne pouvait croire sérieusement qu'il le protégerait des assauts du quig. Le temps a paru suspendre son vol. Le Milago est resté là, bien campé sur ses jambes maigres. Le quig était accroupi un peu plus loin et secouait son énorme tête. Toute l'assistance a retenu son souffle.

Puis le quig est passé à l'assaut. Le Milago a levé son bâton. Le quig l'a envoyé bouler d'un seul coup de sa patte griffue. C'est la dernière chose que j'ai vue du carnage. Le bâton a survolé l'arène et, lorsqu'il a atteri dans la poussière, j'ai constaté – ô horreur – que la main du mineur y était encore accrochée.

J'ai regardé Kagan et les autres Bedoowans. Leur réaction était presque aussi effrayante que cette tuerie. Kagan se tenait penchée sur sa chaise et applaudissait joyeusement comme une petite fille devant un spectacle de clowns. Les autres Bedoowans hurlaient de rire comme s'il s'agissait d'une comédie. Et pendant tout ce temps, j'ai entendu le bruit mou de la chair arrachée par les mâchoires du quig. Le mineur a eu un ultime petit cri, puis s'est tu. Au moins, sa mort a été rapide. Il ne restait plus que la curée. J'en avais l'estomac soulevé et n'en haïssait que davantage les Bedoowans. Ils étaient dépourvus de la compassion la plus élémentaire envers un autre être humain.

Mallos m'a regardé et a souri. Et ce moment était peut-être le point culminant de cette accumulation d'horreurs, car j'ai eu l'impression qu'il avait organisé cette mise en scène à mon seul bénéfice. L'idée que j'aie pu être responsable de ce carnage d'une façon ou d'une autre me soulevait le cœur.

Le spectacle s'est vite terminé. Du moins je l'ai su parce que les Bedoowans se sont mis à applaudir, comme si le quig avait offert une interprétation remarquable. Les Novans ont fait de même, poliment, mais avec beaucoup moins d'enthousiasme que leurs maîtres. Les Milagos, eux, sont restés pétrifiés d'horreur. Certains se sont mis à pleurer.

Puis le carillon a retenti de nouveau. Aussitôt, six chevaliers se sont précipités dans l'arène, munis de cordes. Trois d'entre eux ont braqué leurs lances sur le quig tandis que les autres le prenaient au lasso pour l'entraîner vers la grande porte. Maintenant qu'il avait eu son repas, il était beaucoup plus calme. Il s'est laissé emmener sans se débattre. Alors qu'on le ramenait à son enclos, j'ai vu le sang qui dégoulinait de sa gueule. Je me suis tourné vers l'endroit où était mort le Milago. Du pauvre diable, il ne restait plus qu'une grande tache rouge sur l'herbe. Un chevalier bedoowan a rempli un seau de bois à un robinet près de l'entrée des enclos à quigs, puis couru vers l'endroit du massacre et vidé le récipient sur le sol. L'eau a lavé le sang, qui s'est infiltré dans la terre meuble jusqu'à ce qu'il n'y en ait plus la moindre trace.

Puis le carillon a encore résonné, et une abominable pensée a jailli dans mon esprit. Nous étions les suivants. On nous avait montré ce qui nous attendait, et maintenant c'était notre tour. J'ai regardé autour de nous, m'attendant à voir les chevaliers qui nous pousseraient dans l'arène. Mais personne ne s'est dirigé vers nous. Je me suis tourné vers Mallos. Il m'a rendu mon regard et a tendu le doigt vers le ciel. J'ai levé les yeux et compris ce qui allait suivre.

Dans le ciel, les trois soleils se mêlaient. C'était l'équinoxe. Alors j'ai entendu s'ouvrir une porte de l'arène, celle-là même d'où était sorti le mineur. Mais c'était le seul Milago qui devait périr aujourd'hui. En voyant celui qui a passé la porte, mon cœur a loupé un battement. Un homme est entré dans la lumière. Il se tenait très droit, la tête haute. Je pense qu'en le voyant j'ai émis un hoquet de surprise.

C'était l'oncle Press. L'équinoxe venait de marquer l'heure de son exécution.

Journal n° 3
(suite)

DEⴄDVROⴄ

L'oncle Press s'est dirigé vers le centre de l'arène comme pour défier la foule. À peine quelques jours s'étaient écoulés depuis la dernière fois que je l'avais vu, mais avec tout ce qui s'était passé, j'avais l'impression que ça remontait à des mois. C'était bizarre de le voir porter les peaux de cuir des Milagos au lieu de son jean et son long manteau qui battait au vent quand il conduisait sa moto. Mais tout avait changé. C'était toujours mon oncle Press, pourtant, avec sa barbe de trois jours et ses cheveux emmêlés, il ressemblait aux autres mineurs milagos. Par contre, il exsudait la confiance en lui, ce qui n'était pas un trait typique des Milagos. Les Bedoowans ont cessé de rire et de discuter. À présent, une tension nouvelle imprégnait leurs gradins, comme si ce nouveau gladiateur risquait d'être plus coriace que son prédécesseur.

J'ai jeté un coup d'œil aux Milagos pour constater qu'ils regardaient le nouveau venu avec la même expectative. Mais leur expression avait changé. Au lieu de la frayeur qu'ils manifestaient pour le malheureux mineur qui venait de se faire dévorer, ils semblaient rayonner d'espoir, comme s'ils se disaient que peut-être, cette fois-ci, les visiteurs avaient une chance de l'emporter. Seuls les Novans ont réagi de la même façon qu'auparavant. Ils ont salué l'oncle Press en applaudissant poliment, mais sans trahir la moindre émotion.

L'oncle Press avait l'air bien confiant, mais ça ne suffirait pas lorsqu'il devrait affronter un quig affamé. Et pourtant, la façon dont il se déplaçait donnait l'impression que si un seul homme pouvait vaincre un tel monstre, c'était bien lui. Il s'est planté au centre de l'arène et a scruté les rangs de spectateurs. Il a fait un tour complet sur lui-même et s'est arrêté face à la section des Bedoowans. Il a secoué la tête, et je savais bien ce qu'il pensait. Ça le dérangeait de penser que tous ces gens étaient là pour assister à des joutes sanglantes.

Dans la loge royale, Kagan n'a rien remarqué. Elle est restée là, toujours aussi égoïste, à mordiller sa patte de dinde. Mallos s'est penché et lui a murmuré quelque chose à l'oreille. Kagan a répondu d'un haussement d'épaule : quoi qu'ait pu lui demander son conseiller, elle s'en fichait. Mallos s'est courbé devant Sa Ventripotence royale, puis est allé se tenir à l'avant de la loge et a parcouru des yeux la foule. Il a levé les mains et tous se sont tournés vers lui. Même l'oncle Press l'a regardé. Tous ont attendu de voir ce que cette âme damnée avait à déclarer.

– Peuple de Denduron ! a-t-il tonné. L'homme qui se tient devant vous est accusé de trahison. Il est coupable d'avoir comploté pour détruire la paix et l'équilibre de notre société et d'avoir incité les Milagos à renverser notre bien-aimée reine Kagan.

En prononçant ces mots, il s'est tourné vers Kagan. Celle-ci l'a récompensé d'un rot sonore. La grande classe.

Mallos n'a pas bronché. Il a continué :

– Pour ses crimes, il a été condamné à mort. La sentence doit être exécutée au moment de l'équinoxe, quand la lumière est la plus forte, afin que nous soyons tous témoins de son châtiment. Ainsi, vous saurez que nul ne doit bouleverser l'ordre naturel des choses. Tenter de modifier le statu quo est un crime contre l'humanité méritant un châtiment rapide et sévère. Longue vie à Denduron. Longue vie à la reine Kagan. Mort aux ennemis du trône !

Mallos a fait un geste en direction du terrain. Deux chevaliers sont partis en courant vers la porte afin de lâcher un autre quig dans l'arène. Maintenant, tout était clair. Mallos voulait faire un exemple avec l'oncle Press dans le but d'effrayer les Milagos et les faire renoncer à se révolter. Les Milagos avaient confiance en l'oncle Press. Mais, dans quelques secondes, un quig jaillirait par cette porte et passerait à l'attaque. Ce qui marquerait la fin de la rébellion et la mort de mon oncle. Et de la façon dont tournaient les choses, Alder, Loor et moi serions les prochains à périr dans l'arène.

Malgré mon angoisse, j'ai réalisé que cette exécution pourrait avoir des conséquences plus graves encore. L'oncle Press nous avait fait venir ici pour tenter d'apporter la paix aux Bedoowans et aux Milagos. C'était une querelle tribale que Mallos s'ingéniait à attiser. Lorsqu'il nous aurait éliminés, l'oncle Press et nous trois, plus rien ne pourrait empêcher les Bedoowans d'exterminer les Milagos. Le territoire de Denduron serait plongé dans le chaos, et Mallos aurait rempli sa terrible mission.

Du moins si personne ne se levait pour l'arrêter. Je savais très bien ce qu'il me restait à faire. J'étais à moitié fou de terreur, et pourtant je devais agir. Avant d'avoir le temps de me dégonfler, j'ai sauté la barrière qui nous séparait du terrain et couru vers mon oncle.

— Pendragon ! s'est écriée Loor, surprise.

Je crois qu'elle était stupéfaite de voir que, pour une fois, c'était moi le premier à passer à l'action. Je ne lui avais pas parlé de mon plan. Je n'avais pas le temps. Mais elle a dû se douter que j'avais quelque chose en tête, car elle et Alder se sont empressés de me suivre. Je sais ce que tu penses, Mark, et tu te trompes. Je ne m'étais pas transformé d'un coup en super-héros capable de casser la figure à un quig. Non, ce n'était pas ça. Mais j'avais une idée, et si j'avais raison, nous aurions peut-être une chance de nous en sortir en vie.

Je suis allé me tenir aux côtés de l'oncle Press. Je m'attendais à ce qu'il soit surpris et s'écrie : « Non, Bobby ! Va-t'en ! Sauve ta vie ! » ou quelque chose de ce style. Mais en fait, non. Il m'a regardé comme s'il s'attendait à me voir débouler et a dit d'une voix calme :

— J'ai oublié de te dire : cette Courtney Chetwynde est plutôt mignonne.

Il faut l'admettre, ce type est vraiment cool. Un peu cinglé, d'accord, mais cool.

Loor et Alder nous ont vite rejoints. Loor avait récupéré l'arme de bois que le prisonnier milago avait jetée et était prête à s'en

232

servir. À mon grand soulagement, j'ai vu qu'elle en avait arraché la main coupée du pauvre bougre.

Soudain, les Bedoowans nous ont acclamés. Je savais ce que ça signifiait. J'ai regardé l'entrée des bêtes et vu un énorme quig surgir des ténèbres d'un pas lourd. Celui-là était encore plus grand que le premier. Sa crête a égratigné le haut de la porte au passage. Il m'a aussi paru plus lent, peut-être parce que son sang ne bouillonnait pas dans ses veines à la perspective de la chasse.

Du moins pas encore.

Loor a bondi entre le quig et nous.

– Je vais viser les yeux ! a-t-elle crié.

Elle devait penser que nous n'avions pas d'autre solution que combattre. Étonnant, non ? Ainsi, elle a attendu que la bête charge. Elle devait bien comprendre qu'affronter ce monstre équivalait à un suicide. Mais c'était tout ce qu'elle connaissait. La bagarre. Elle était prête.

L'oncle Press semblait ignorer le danger. Il s'est tourné vers moi et a dit :

– J'imagine que ces derniers jours ont été assez intéressants.

Il voulait rire ? On était sur le point de nous faire attaquer par une bête furieuse aux griffes meurtrières et avec un penchant pour la chair humaine, et il papotait comme si de rien n'était ! Peut-être pensait-il que nous n'avions pas une chance face à ce monstre et préférait passer ses derniers instants en paix ?

Il me restait encore un atout, et c'était le moment de m'en servir. C'était un des instruments que vous m'aviez procurés. Je l'avoue, je pensais que vous ne pourriez jamais le dénicher. Je savais que vous auriez du mal à trouver un couteau suisse, un pointeur laser ou une montre-bracelet et tout le reste, mais j'étais sûr que ce dernier vous donnerait encore plus de fil à retordre. J'étais fou de joie en le découvrant dans le sac. À vrai dire, j'aurais préféré ne pas avoir à m'en servir, mais il était là, dans ma poche, et c'était notre dernier espoir. Merci, les gars.

Le quig nous a repérés. Ou peut-être a-t-il flairé notre odeur. Peu importe : en tout cas, il a décrit un arc de cercle pour passer à l'assaut. Ses yeux jaunes étaient braqués sur nous, attendant le bon moment pour attaquer. Nous nous sommes serrés les uns contre les autres pour paraître plus imposants que nous ne l'étions. J'ai regardé les gradins pour constater que tous les yeux étaient braqués sur nous. Ils attendaient le spectacle. Sauf que cette fois, il serait plus agréable, puisqu'il y avait quatre proies au lieu d'une seule.

– Quand il attaquera, mets-toi derrière moi, m'a dit Loor.

– Non, ai-je répondu avec toute l'autorité possible.

Elle m'a jeté un regard surpris, puis s'est tournée à nouveau vers le quig.

– Ne dis pas de bêtises, Pendragon. C'est moi qui ai une arme.

Avant que j'aie pu dire ce que je mijotais, à elle ou à quelqu'un d'autre, le quig s'est dressé sur ses pattes de derrière avec un feulement de rage, puis est parti au galop, droit sur nous. Loor s'est mise à courir pour aller à sa rencontre, mais je l'ai attrapée par la ceinture pour la retenir.

– Pendragon ! a-t-elle hurlé.

Je ne l'ai pas lâchée. Je l'ai maintenue fermement et, de l'autre main, j'ai tiré mon ultime tour de passe-passe : le sifflet pour chiens à ultrasons. Je l'ai porté à mes lèvres et ai soufflé de toutes mes forces. Aussitôt, la bête a freiné des quatres fers en poussant un cri de douleur comme l'avait fait le quig de la montagne, lorsque l'oncle Press et moi partions sur le traîneau. Mais ce sifflet moderne devait produire un son beaucoup plus sec que le bout de bois évidé que j'avais employé sur la montagne. En tout cas, la réaction du quig a été bien plus spectaculaire. Il est tombé à genoux en hurlant si fort que j'ai cru que sa tête allait exploser. Mais je n'allais pas l'épargner. À peine m'étais-je vidé les poumons que j'ai inspiré à fond avant de souffler une seconde fois, encore plus fort.

Le quig a redoublé de hurlements. Dans le public, autour du stade, tout le monde nous fixait, la bouche bée, les yeux écarquillés. Tous, à l'exception de Mallos. Il s'est contenté de pencher la tête comme si ce nouveau développement n'était qu'une surprise mineure et vaguement intéressante.

– Que se passe-t-il ? s'est écrié Alder.

Loor avait l'air tout aussi éberluée. Seul l'oncle Press ne semblait pas surpris. Finalement, il s'est mis en action :

– Vite ! Les enclos des quigs ! a-t-il ordonné, puis il m'a lancé : Tu l'as laissé approcher un peu près, non ?

Il a toujours su que j'avais ce sifflet ! Comment a-t-il pu deviner ? Peut-être ignorait-il que j'avais perdu celui qu'il m'avait donné dans les montagnes. Quoi qu'il en soit, il ne s'était pas laissé impressionner parce qu'il savait que j'allais arrêter le quig à l'aide du sifflet. Décidément, et je le répète, ce type est vraiment cool. Et je me suis réjoui de le voir prêt à l'action, parce que mon plan s'arrêtait au moment où le quig renoncerait à nous dévorer. Je n'avais pas la moindre idée de ce qu'on ferait ensuite. Mais l'oncle Press, lui, avait une solution. Bien. Il allait nous faire emprunter la seule porte de sortie à notre disposition : l'enclos qui abritait les quigs. Ça ne m'enthousiasmait guère, mais il avait raison : il n'y avait pas d'autre issue. Nous nous sommes donc précipités vers la porte.

La foule nous a regardés, muette d'étonnement. C'est Kagan qui a réagi en premier. Elle a bondi de son trône, s'est avancée sans lâcher son pilon de dinde et a piaillé :

– Arrêtez-les !

L'un des spectateurs milagos a crié d'une voix vibrante de passion :

– Courez !

Les autres ont suivi son exemple et nous ont acclamés. On aurait dit qu'ils venaient soudain de se découvrir en supporters de football, et nous encourageaient comme si nous courions vers les buts. C'était la première fois qu'ils témoignaient d'un entrain quelconque depuis notre entrée dans cette arène. Peut-être qu'en nous voyant échapper, ils se disaient pour la première fois que leur camp avait une chance de l'emporter. À ce moment, on aurait dit que chaque Milago était avec nous dans ce terrain, en train de courir vers la liberté.

Mais ce qui nous attendait était tout aussi dangereux que ce à quoi nous venions d'échapper. Tout en courant, j'ai continué de siffler, et le quig de se tordre de douleur. Soudain, j'ai senti une main se poser sur mon épaule et m'arrêter net. C'était l'oncle Press. Et il a bien fait, car si j'avais fait un pas de plus, j'aurais été transpercé par une lance. Un des chevaliers venait de la lancer depuis le haut du stade. Elle a sifflé dans l'air comme un javelot et s'est plantée dans le sol à l'endroit précis où j'aurais dû me trouver. J'étais si concentré sur le quig que j'en oubliais que l'endroit grouillait de gardes bedoowans. J'ai levé les yeux et vu qu'ils dévalaient toutes les marches pour se précipiter sur nous. Pire encore, plusieurs avaient dégainé leurs armes meurtrières, et une pluie de lances s'est abattue sur nous.

– Baissez la tête et continuez de courir, a ordonné l'oncle Press.

Il a eu la présence d'esprit d'attraper la lance qui m'avait raté de peu. Loor s'est emparée d'une autre. J'ai préféré m'abstenir. Le sifflet était une arme tout aussi puissante que ces lances, et je n'allais pas le perdre comme le premier. Autant laisser les instruments tranchants à ceux qui savaient s'en servir.

Sous les acclamations délirantes des Milagos et les lances se fichant dans le sol tout autour de nous, nous avons traversé le champ pour plonger dans le tunnel sombre. Juste avant d'y aller, j'ai jeté un dernier coup d'œil vers la loge royale et Mallos. Ce que j'y ai vu ne m'a pas enthousiasmé. Je m'attendais à le voir se pencher et crier des ordres aux chevaliers. Après tout, c'était sa grande démonstration de force envers les Milagos, et elle était en train de virer au désastre. Mais, à la place, je l'ai vu planté à côté du trône, les bras croisés, très calme. J'aurais juré qu'il arborait même un sourire satisfait. Peut-être extrapolais-je un peu trop, mais j'ai eu l'impression que tout ça ne l'étonnait même pas. Pire encore, qu'il s'en amusait ! Pouvait-il avoir prévu ce qui se passait ? Est-ce que tout se déroulait selon ses désirs ? Je me suis souvenu de ce qu'il m'avait dit dans le palais. Tout en nous envoyant à une mort certaine, il m'avait parlé comme si nous devions nous revoir prochainement. Bien sûr, la question restait posée : si ce n'était pas la dernière bataille, quand celle-ci aurait-elle lieu ?

Je n'ai pas eu le temps d'y réfléchir davantage, car on était en train de passer de Charybde en Scylla, et je devais garder la tête froide. J'ai été le dernier à plonger dans l'ouverture et à échapper aux lances. Mais avant d'avoir pu continuer, j'ai entendu aboyer un ordre derrière moi :

– Stop !

J'ai regardé en arrière et vu deux chevaliers bedoowans s'encadrer dans l'ouverture. Ils brandissaient leurs lances, prêts à les lancer, et ils étaient trop près pour rater leur coup. Les autres avaient déjà disparu dans la pénombre : il ne restait plus que moi et les chevaliers. Après tout ce que j'avais vécu jusque-là, tout allait finir dans quelques instants, lorsqu'ils me transperceraient de leurs lames.

Planté là, à regarder les chevaliers qui s'apprêtaient à me tuer, j'ai arrêté de souffler dans le sifflet. Il était toujours entre mes lèvres, mais j'avais trop peur pour continuer. C'est sans doute ce qui arrive quand on est persuadé de mourir dans quelques secondes.

Les chevaliers ont ramené leurs bras en arrière. Je me suis contenté de retenir mon souffle et de me préparer à l'impact. J'ai à peine eu le temps de penser :

– Oh, misère, j'espère que ça ne fera pas trop mal !

C'est alors que mon sauveur est arrivé. En poussant un cri aigu, le quig de l'arène est entré en scène. Il a chargé les chevaliers et les a aplatis au sol en plantant une patte contre leur dos. Lorsque j'avais cessé d'actionner mon sifflet, il avait vite repris ses esprits… et maintenant, il prenait sa revanche. J'ai eu une pensée pour les chevaliers, qui allaient connaître une mort horrible. Le quig a poussé un rugissement de colère qui a fait trembler la terre. Bien que les deux chevaliers aient été sur le point de me tuer, je ne pouvais pas laisser ce monstre les mettre en pièces. J'ai donc inspiré profondément pour souffler dans mon sifflet et arrêter la bête assoiffée de sang. Mais avant que je n'aie pu m'exécuter, l'oncle Press m'a retenu.

– Sauve-les et ils te tueront, a-t-il déclaré sobrement.

Il avait raison. Si les chevaliers en réchappaient, ils ne me témoigneraient aucune reconnaissance : ils essaieraient à nouveau de me transpercer de leurs lames. Puis ils s'en prendraient aux autres. Non, nous étions en guerre, et ils étaient les prochaines victimes. J'ai regardé l'oncle Press et hoché la tête. Je l'ai suivi au plus profond de la salle. Je pense que je n'oublierai jamais ce que j'ai entendu en courant. Ces bruits étaient trop horribles pour que je vous les décrive. Disons que la mort des deux chevaliers n'a pas été aussi rapide que celle du mineur milago. Sans doute parce que le quig a dû commencer par démolir leurs armures.

Pendant un instant, j'ai ressenti une pointe de culpabilité. Non pas pour les deux chevaliers qui se faisaient dévorer, mais pour le Milago qui était mort dans l'arène. L'accumulation d'événements m'avait tellement étonné que je n'avais pas pensé à me servir du sifflet. Aurais-je pu le sauver ? Impossible à dire. Je ne le saurais jamais. Ma seule consolation venait du fait que si j'avais abattu mes cartes à ce moment-là, nous n'aurions pu rejoindre l'oncle Press, qui à ce moment même nous aidait à nous échapper. Peut-être y avait-il une raison pour que les choses se passent ainsi.

Mais nous n'étions pas encore tirés d'affaire. Maintenant, nous affrontions un danger bien différent. Nous étions au plus profond de l'enclos des quigs. Pourvu qu'il y ait une porte de sortie quelque part ! Il suffisait de rester en vie assez longtemps pour la trouver. Les rayons du soleil s'infiltraient par les interstices des murs et sillonnaient la salle. Ces cônes de lumière étaient si puissants qu'ils créaient des zones d'ombre. C'est bien ce que je redoutais. Les ombres. Des quigs pouvaient s'y cacher, prêts à bondir.

L'enclos n'était qu'une immense caverne creusée à même la roche. Elle était partagée par des murs de pierre bas qui servaient de corrals pour les quigs. Du moins je l'imagine, car certains d'entre eux étaient pourvus de chaînes de métal qui devaient servir à attacher les bêtes. Chacun avait un sol tapissé de bottes de paille, sans doute pour recueillir ce qu'ils y déposaient. Une abominable puanteur régnait sur l'enclos. Vous vous souvenez de la façon dont j'ai décrit l'odeur des latrines dans la hutte des Milagos ? Eh bien, multipliez-le par mille et vous en aurez une idée. C'était un relent d'excréments, de viande pourrie et de mort.

L'oncle Press s'est tourné vers moi et a dit :

– Garde ce sifflet à portée de la main.

Ouais, comme s'il avait besoin de me le rappeler. Si j'avais serré davantage ce bout de métal, je l'aurais cassé en deux.

L'oncle Press s'est avancé prudemment en tenant sa lance devant lui. Je l'ai suivi de près, même si je n'aimais pas être le dernier. Je regardais sans cesse par-dessus mon épaule pour m'assurer que rien ne s'apprêtait à me sauter dessus. Au bout de quelques pas, j'ai entendu un son qui m'a fait m'arrêter net. C'était un grondement, et il venait de l'enclos sur ma droite. J'ai vite tourné la tête pour voir un quig gisant sur le flanc. Ce devait être celui qui avait dévoré le mineur, car il avait l'air endormi. Le monstre ne nous a témoigné aucun intérêt : il était occupé à lécher son énorme patte. En voyant le sang qui la maculait, j'ai eu confirmation que c'était bien le quig qui avait dévoré le mineur. Beurk. J'ai continué de marcher sans quitter le monstre des yeux… et j'ai trébuché sur quelque chose. Quand j'ai regardé de quoi il s'agissait, j'ai bien failli avoir la nausée. C'était un os, celui d'une jambe humaine. J'ai su qu'il était humain parce que le squelette du pied y était encore attaché. En scrutant le sol, j'ai vu qu'il était jonché d'autres ossements. Il était maintemant clair que l'ordinaire des quigs était fourni par les Milagos.

Nous avons continué notre chemin. J'ai pu constater qu'il y avait beaucoup d'autres enclos, mais tous vides. J'imagine qu'ils préféraient ne pas rassembler trop de quigs au même endroit en même temps. Ça me convenait parfaitement. Peut-être les deux bêtes que nous avions vues aujourd'hui étaient les seules à loger dans ce trou. Mais, en regardant mieux ce labyrinthe sombre, j'ai vu de nombreux tunnels débouchant Dieu sait où. N'importe lequel pouvait abriter un monstre susceptible de flairer notre odeur et nous foncer dessus. Tant que nous ne sortirions pas d'ici, je ne me sentirais pas en sécurité.

Puis l'oncle Press s'est arrêté et a tendu la main pour que j'en fasse autant. Il avait entendu quelque chose. J'ai écouté et l'ai saisi à mon tour. Quelque chose venait dans notre direction. Quelque chose de rapide. J'ai porté le sifflet à mes lèvres, prêt à souffler à m'en faire éclater les poumons, mais l'oncle Press m'en a empêché. Il voulait d'abord voir de quoi il s'agissait. Et il avait raison, parce qu'en fin de compte ce n'était pas un ennemi. C'était Alder. Si j'avais utilisé mon sifflet, j'aurais pu réveiller un quig endormi.

Alder a couru vers nous, à bout de souffle, et dit :

– Loor a trouvé une sortie. C'est par là !

Puis il a tourné les talons et est reparti d'où il était venu.

Excellent. Nous allions quitter cet endroit. L'oncle Press a hoché la tête et nous avons suivi Alder en courant. Nous avons traversé ces tunnels sombres le plus silencieusement possible pour ne pas sonner la cloche du dîner. Après quelques tournants, j'ai pu voir de la lumière devant nous. Nous nous dirigions vers une section de l'enclos mieux éclairée que celles que nous avions traversées. Nous avons contourné une avancée rocheuse, et j'ai tout de suite compris d'où venait cette lumière.

Il y avait un immense trou rond dans le plafond. J'ai vu le ciel bleu et même entendu le bruit des vagues. Nous étions au bord de la falaise. Le trou était grand, de la taille de ta piscine, Mark. Juste assez grand pour laisser passer un quig. J'ai alors compris comment ils les faisaient passer dans l'enclos. Ils n'avaient qu'à jeter une bête dans l'ouverture, et elle se retrouvait au sous-sol, prise au piège, sans autre porte de sortie que celle qui donnait sur l'arène. J'imagine qu'une fois qu'un quig échouait ici, il n'en ressortait jamais, car le trou était trop haut pour qu'il puisse regagner la surface. Bien sûr, ça voulait dire que nous non plus ne pouvions l'atteindre. Notre liberté était là, à une dizaine de mètres, mais hors de portée. Je n'avais pas la moindre idée de la façon dont nous pouvions nous en sortir.

Mais Loor y avait pensé. Quand Alder, l'oncle Press et moi sommes arrivés devant l'ouverture, elle était déjà en train d'attacher une longue liane à la lance qu'elle avait prise aux Bedoowans.

– Il y a une corde, a-t-elle dit. Je vais la dérouler pour que vous puissiez monter.

J'ai levé les yeux : en effet, une corde dépassait du rebord du trou. Sans doute une issue de secours pour le malheureux Bedoowan qui y dégringolerait par hasard : l'un de ses collègues pouvait toujours lui lancer la corde pour qu'il remonte aussitôt.

– Fais vite, a dit l'oncle Press. On doit ficher le camp avant que les chevaliers ne nous rattrapent.

Il avait raison. Même si nous sortions d'ici, les Bedoowans pouvaient toujours nous attendre en haut. C'étaient des barbares, mais ils n'étaient pas bêtes. S'il s'agissait de notre seule porte de sortie, ils étaient sûrement déjà en chemin. Le plus vite nous en sortirions, plus nous avions de chances de nous en tirer. Soudain, ce qui nous attendait là en haut m'a paru plus inquiétant que les quigs.

D'une main experte, Loor a noué la liane autour de la lance et s'est relevée. Elle a soupesé l'arme alourdie par le poids de la liane. Puis elle a regardé sa cible. Pour être franc, je n'ai pas douté un seul instant qu'elle l'atteindrait du premier coup. Elle était bien assez douée pour ça. Avec un grognement, elle l'a jetée. La lance, suivie de la liane, a décrit un arc gracieux pour se glisser dans le nœud coulant de la corde. Loor venait de passer un fil dans le chas d'une épingle – à dix mètres de distance. Maintenant, la liane était un prolongement de la corde, et ses deux extrémités traînaient par terre. Alder s'est empressé de la saisir et a tiré dessus pour ramener la corde. Grâce à Loor, notre évasion était en bon chemin. Je vous l'ai dit, elle était vraiment douée.

J'ai regardé notre ticket vers la liberté, et tout ce que j'ai pu penser, c'est à cette fichue corde à nœuds qu'on nous faisait escalader en cours de gym. Bon sang, comme j'avais horreur de ça ! Certains types pouvaient grimper jusqu'au sommet comme des singes. Mais pas moi. Bon, je finissais bien par en venir à bout, bien sûr, mais pas si vite. Et à ce moment, nous devions agir rapidement. Mais je n'avais pas le choix. Il me suffisait d'espérer que l'adrénaline me propulserait tout en haut de cette corde.

Loor est passée en premier. Ça ne m'a pas vraiment étonné de la voir grimper comme un de ces singes précités. J'ai eu l'impression qu'elle ne s'était même pas servie de ses jambes. Elle a escaladé la corde à bout de bras comme si la gravité n'existait pas. En quelques secondes, elle est arrivée au sommet et s'est hissée hors du trou. Elle a scruté les alentours, puis s'est penchée pour nous dire :

– Personne en vue. Dépêchez-vous.

Super. Les chevaliers n'avaient pas encore deviné ce que nous mijotions. Tout compte fait, peut-être étaient-ils aussi bêtes qu'ils en avaient l'air. Loor nous a jeté quelque chose. J'ai dû me pencher pour l'éviter. Quand j'ai regardé derrière moi, j'ai eu un sourire. C'était une échelle de corde. Apparemment, les Bedoowans n'étaient pas tous aussi forts qu'elle. Les mauviettes comme moi avaient besoin d'une solution de facilité. J'avoue que ça ne me causait pas de problèmes existentiels.

L'oncle Press a ramassé le bout de l'échelle et l'a tendue.

— Alder, vas-y, a-t-il ordonné.

Notre ami bedoowan n'a pas hésité un instant. C'était un type grand, costaud et plutôt maladroit, et il n'est pas allé aussi vite que Loor. Néanmoins, il progressait lentement mais sûrement, et c'était bon signe. Pendant qu'il s'escrimait, l'oncle Press m'a regardé et, pour la première fois, m'a souri.

— Tu as agi avec bravoure, Bobby, a-t-il dit. Il fallait du cran pour sauter dans l'arène comme tu l'as fait.

Je me suis senti assez content de moi. Bon, j'étais sûr que le sifflet marcherait, mais c'était tout de même un sacré coup de poker. Peut-être avais-je même réussi à impressionner Loor. Mais j'ai dû ravaler ma fierté, car dans de telles circonstances je devais agir en bon petit héros.

— Ce n'est rien du tout, ai-je dit avec toute l'humilité possible. Tu aurais fait pareil.

J'ai levé les yeux pour voir qu'Adler escaladait péniblement la corde, mais était presque au sommet. J'ai profité des quelques secondes qui me restaient avant d'y aller à mon tour pour poser la question qui me taraudait.

— Tu n'avais pas l'air surpris de me voir, ai-je dit à l'oncle Press. Pourquoi ?

— Je te connais, Bobby, a-t-il répondu. Peut-être mieux que tu ne te connais toi-même. Je savais que tu viendrais me chercher. Et comme tu avais ce sifflet, je me doutais que tu t'en servirais.

Je pense que l'oncle Press n'a jamais réalisé à quel point j'ai failli ne *pas* y aller. J'ai pensé à ce que j'avais en tête lorsque j'étais arrivé sur Denduron. Dire que j'avais mis l'oncle Press tout en bas de ma liste de priorités ! La honte. Mais j'imagine que le plus important, c'est que j'ai fini par prendre la bonne décision. Peut-être a-t-on le droit de penser comme une mauviette de temps en temps, du moment qu'on n'agit pas comme tel. Il doit y avoir un grand principe philosophique à tirer de tout ça, mais je vous laisse déterminer lequel.

– Tu avais raison, ai-je dit. Sauf pour une chose.

– Laquelle ?

– Ce n'est pas le sifflet que tu m'as donné. Je l'ai perdu quand on a heurté ce rocher.

L'oncle Press m'a regardé d'un air étonné. Depuis le début de cette aventure, c'était bien la première fois que je le voyais exprimer un doute.

– Je ne comprends pas, a-t-il dit. Est-ce que tu en as fabriqué un autre ?

J'ai tendu le sifflet de métal.

– Non, celui-ci vient de chez nous.

Il a aussitôt lâché l'échelle de corde pour me l'arracher des mains.

– Comment te l'es-tu procuré ? a-t-il demandé. Est-ce que tu l'as apporté avec toi ?

Ouille. Quelque chose me disait que j'avais fait une bêtise.

– N-non, ai-je répondu nerveusement. J'ai écrit à des amis et leur ai dit ce dont j'avais besoin. Puis j'ai pris le flume qui m'a ramené à la station de métro et…

Alors l'oncle Press a fait quelque chose de stupéfiant. Il s'est emparé du sifflet, a virevolté sur lui-même et l'a balancé par le trou du plafond !

– Jette-le dans l'océan ! a-t-il crié à Loor. Vite !

Loor a aussitôt obéi sans poser de questions. Elle a ramassé le sifflet et l'a jeté au loin. Puis l'oncle Press s'est retourné et m'a regardé avec une telle intensité que j'ai senti faiblir mes genoux.

– Je te l'ai dit ! a-t-il craché. On doit uniquement se servir de ce que le territoire peut nous proposer. C'est pour ça que je n'ai pas emporté d'arme à feu !

Mon esprit s'est mis à tournoyer. C'est exactement ce qu'il m'avait dit en guise d'avertissement, mais, franchement, j'avais tout oublié.

– Est-ce que tu as fait venir autre chose ? a-t-il demandé.

Aïe. Non seulement j'avais récupéré d'autres objets, mais je les avais disséminés aux quatre coins du palais des Bedoowans. Je ne savais pas si c'était vraiment si terrible que ça, mais à en juger l'expression de l'oncle Press, j'avais commis une grave erreur. Avant que j'aie pu réagir, nous avons entendu un bruit. Il venait du plus profond des tunnels qui s'étendaient en dessous de nous. L'oncle Press et moi nous sommes tournés vers l'origine de ce son. Nous avons écouté un moment... puis l'avons entendu C'était bien un grognement. Apparemment, il y avait plus de deux quigs dans la caverne et, à en juger aux bruits qui nous parvenaient, nos nouveaux compagnons venaient de se réveiller.

– Monte, a ordonné l'oncle Press.

Inutile de me le dire deux fois. J'ai attrapé l'échelle de corde et l'ai escaladée. J'ai tenté de faire le plus vite possible, mais c'était bigrement plus difficile que d'escalader une échelle normale. Au moins, celle-ci est solide, tandis qu'une échelle de corde est molle et ne cesse de bouger. Dès qu'on pose un pied sur un échelon, il se plie sous votre poids. Si vous n'avez pas le sens de l'équilibre, elle se tord. Et si vous ne faites pas attention où vous mettez le pied, il peut glisser, avec des conséquences catastrophiques. Donc, plus je me pressais, plus mon ascension était difficile.

– Dépêche-toi, Pendragon ! m'a lancé Alder depuis le fond.

Ouais, merci du tuyau. Mon pied a loupé un barreau, et j'ai dû m'agripper pour ne pas tomber. Le mouvement a secoué l'échelle, et j'ai eu bien du mal à rétablir mon équilibre tant elle se balançait. En plus, l'oncle Press n'avait pas eu la présence d'esprit de tenir l'autre bout de l'échelle pour la stabiliser, ce qui ne facilitait guère les choses. En baissant les yeux, j'ai vu qu'il fixait les profondeurs de la caverne. Il a dû sentir mon regard, car, sans même lever les yeux, il a répété :

– Monte !

Un autre rugissement a résonné tout au fond de la caverne. Cette fois-ci, il était plus sonore, sans doute plus proche. Pas de doute, le quig nous avait flairés et se dirigeait vers nous.

– Viens ! ai-je crié à l'oncle Press.

– Non ! a répondu Loor. L'échelle n'est pas assez solide pour deux !

– Le voilà ! a hurlé Adler en désignant l'entrée de la caverne.

J'ai regardé en bas tout en continuant de grimper. Un quig a surgi des ombres, le dos arqué comme un chat chassant une souris, si bien que son ventre frôlait le sol. Il ne tarderait pas à bondir sur ses proies. Et pour se défendre, l'oncle Press n'avait que sa lance bedoowan. Pourquoi avait-il jeté le sifflet ? S'il l'avait gardé, il n'aurait rien risqué. Maintenant, il se retrouvait dans la même situation que dans l'arène, sauf que, cette fois-ci, je ne pouvais pas l'aider. J'étais presque arrivé au sommet et ai jeté un coup d'œil en bas. L'oncle Press poussait un gros rocher plat vers le bas de l'échelle. À quoi jouait-il ? J'ai grimpé encore deux échelons et me suis trouvé à la portée d'Alder et Loor. Ils m'ont pris chacun par un bras et m'ont hissé au sommet.

– J'y suis ! ai-je crié à l'oncle Press.

Nous nous sommes massés tous les trois autour de l'ouverture pour regarder dans la caverne. Le quig n'était qu'à quelques mètres de l'oncle Press et ne cessait de se rapprocher. Ses horribles yeux jaunes étaient braqués sur sa proie. Si l'oncle Press commençait l'ascension de l'échelle, le monstre n'aurait qu'un bond à faire pour s'emparer de lui. Il n'avait pas d'autre solution que de combattre, et combattre un quig signifiait une mort certaine. Pas pour le quig, mais pour l'oncle Press. L'histoire se répétait. Quelqu'un que j'aimais allait donner sa vie pour moi.

Tout à coup, la bête a ralenti, comme si elle avait senti que l'oncle Press était un adversaire d'une autre trempe que le mineur milago moyen. Elle est restée là, accroupie face à l'oncle Press qui était campé sur ses pieds et brandissait la lance.

À ma grande surprise, l'oncle Press a été le premier à rompre cette transe. Mais ce qu'il a fait était étrange. Il s'est détendu et a baissé la lance pour la poser à côté de lui. Pourquoi ? Est-ce qu'il renonçait au combat ? Il est monté sur le rocher qu'il avait poussé sous l'échelle et a levé les mains comme pour annoncer sa reddition. Le quig a dû en déduire qu'il allait se laisser dévorer sans combattre. Mais il n'a pas bougé. Il devait être aussi étonné que moi. Mais son hésitation n'a pas duré. C'était l'heure du casse-croûte. Le monstre s'est ramassé sur lui-même, a agité son derrière et, avec un feulement terrifiant, s'est jeté sur l'oncle Press.

Celui-ci a à peine bougé. À peine le quig s'était-il décidé qu'il a fermement planté le bout de la lance contre le rocher, désormais derrière lui. Au même moment, il s'est laissé tomber sur un genou et a pointé la lance vers le monstre en plein bond. Celui-ci a compris, mais trop tard, que l'oncle Press lui tendait un piège et qu'il se dirigeait tout droit vers un pieu de deux mètres !

Le fauve a atterri sur la lance. En fait, il s'est empalé dessus, et la pointe est ressortie dans son dos. L'arme n'a pas fléchi, calée qu'elle était contre le rocher. L'oncle Press l'a lâchée pour effectuer un roulé-boulé juste avant que le quig ne s'abatte au sol. Mais le combat n'était pas terminé. La bête était blessée, mais la lance ne semblait pas avoir atteint d'organe vital. L'animal furieux s'est tortillé comme un poisson hors de l'eau en feulant de rage. Pas de doute, il était bien vivant… et dangereux. L'oncle Press avait intérêt à partir le plus vite possible.

Il s'est précipité vers l'échelle de corde. Le quig l'a vu et lui a décoché un coup de patte, qui l'a raté de quelques centimètres à peine. L'oncle Press était meilleur grimpeur que moi. Il a escaladé l'échelle en deux bonds, comme si elle était faite de bois. Pourtant, le monstre n'en avait pas terminé. À en juger d'après ses horribles cris, il souffrait terriblement, mais il en voulait toujours à l'oncle Press. Il s'est tortillé jusqu'à l'échelle et, d'un coup de son énorme patte, s'en est emparé et l'a tirée. Le quig devait bien peser dans les quatre cents kilos. Ce bout de corde ne pourrait jamais supporter une telle pression. J'ai regardé à côté de moi : l'échelle était attachée à un arbre. La corde passée autour du tronc était effilochée comme si le temps et les éléments l'avaient usée.

– Regardez ! ai-je crié.

Loor et Adler ont suivi mon regard. Pas de doute, le haut de l'échelle était sur le point de se rompre. Loor n'a pas perdu de temps. Sans réfléchir, elle m'a enjambé et a agrippé la corde. C'était de la folie. L'échelle était sur le point de se briser et si, à ce moment-là, Loor y restait accrochée, elle tomberait avec elle. Alder a dû le comprendre, car il s'est précipité vers elle. Il s'est assis derrière elle, l'a prise par la taille et s'est ancré sur ses talons. Peut-être qu'à eux deux ils auraient assez de force. Ou nous serions peut-être plus efficaces à trois. Je devais les aider. C'était dingue, mais je n'avais pas le choix. Je me suis jeté derrière Alder et l'ai pris à son tour par la taille. C'est alors que j'ai entendu un bruit sec : la corde venait de casser. Loor s'y est agrippée et, à elle seule, l'a empêchée de tomber dans le puits. J'ai vu saillir les muscles de ses bras alors qu'elle luttait pour ne pas lâcher prise. Alder la retenait, je retenais Alder, mais nous avons tous trois commencé à glisser vers le puits. Nous avons enfoncé nos talons dans le sol en un effort désespéré. J'ai senti la tension dans les corps de mes alliés alors que nous nous crispions contre le poids de l'échelle, de l'oncle Press et du quig qui nous entraînait.

J'ai l'impression que nous sommes restés ainsi durant des heures, mais toute la scène a probablement duré quelques secondes tout au plus. Où était l'oncle Press ? Le quig l'avait-il attrapé ? Est-ce que nous nous escrimions uniquement pour que ce monstre puisse sortir du trou et nous dévorer ? Mais ça n'avait pas grande importance, car nous ne tiendrions plus très longtemps.

Finalement, au moment où nous allions perdre pied, j'ai levé les yeux et, à mon grand soulagement, ai vu la tête de l'oncle Press apparaître par l'ouverture. Il a rampé hors du trou, roulé sur lui-même pour s'éloigner du vide et crié à Loor :

– Lâchez tout !

Ce qu'elle a fait. Nous sommes retombés en arrière tous les trois, et la corde s'est tordue comme un lasso. Une seconde plus tard, j'ai entendu le bruit qu'a fait le quig en heurtant le sol. Il a laissé échapper un cri de douleur. Bien fait pour lui.

Alors que nous gisions en vrac, hors d'haleine, j'ai regardé au-delà du rebord, vers le stade. Il se trouvait à environ cinq cents mètres de nous. Nous avions fait un bout de chemin dans l'enclos des quigs. Difficile de croire que cet immense stade était creusé sous la surface et, plus étonnant encore, qu'un palais à plusieurs niveaux s'étendait en dessous.

Un peu plus tard, j'ai constaté que nous n'étions pas encore tirés d'affaire. Les chevaliers bedoowans avaient fini par comprendre la manœuvre. Plusieurs d'entre eux remontaient le stade dans notre direction.

– Il faut qu'on bouge, ai-je annoncé en désignant le palais.

Sans un mot de plus, nous avons bondi et couru vers les bois. Notre espoir le plus sûr était de les perdre dans la dense forêt qui entourait le village milago. À côté de ce que nous venions d'endurer, ce serait un jeu d'enfants.

Loor a de nouveau pris la tête. Elle nous a fait traverser la forêt, mais cette fois-ci je savais à quoi m'attendre. Ce serait encore une randonnée épuisante, mais peu m'importait. Plus nous nous éloignions du palais, plus je m'apercevais que nous avions pleinement atteint notre objectif. L'oncle Press courait à côté de moi parce que nous venions de le sauver. Nous étions entrés, l'avions trouvé et arraché aux griffes des Bedoowans. Cool, non ? Mieux encore, mon aventure touchait à sa fin. Une fois que nous aurions atteint le village milago, il prendrait en main la révolution et je n'aurais plus qu'à rentrer chez moi. Donc, même si nous courions dans la forêt comme des cerfs terrifiés, je me suis détendu. Mon travail était presque terminé. J'ai envisagé avec délices le moment où je descendrais dans la mine, gagnerais l'entrée du flume et rentrerais chez moi une bonne fois pour toutes.

Loor nous a fait courir un bon moment. Nous étions à l'autre bout des terres cultivées, à moins d'un kilomètre du village milago.

– On ne peut pas se reposer un peu ? a demandé Alder.

Au moins, pour une fois, ce n'était pas moi qui avais craqué le premier. Nous nous sommes donc arrêtés tous les quatre pour reprendre notre souffle. Au bout de quelques secondes, j'ai regardé Loor et lui ai fait un sourire, mais elle ne me l'a pas rendu. Et Alder non plus. Je me suis tourné vers l'oncle Press, qui faisait grise mine. Quoi ? Était-ce parce que je m'étais servi de ce sifflet que j'avais rapporté de chez nous ? Bon, d'accord, c'était peut-être contraire au règlement, mais si je ne l'avais pas fait, nous aurions tous fini dans l'estomac d'un quig. J'imagine que je ne méritais pas qu'on me batte froid. Mais avant que j'aie l'occasion de dire quelque chose, nous avons entendu un bruit. Un *pop* sec et bruyant, comme un pétard. Un gros. Loor et Alder se sont crispés. L'oncle Press a regardé dans la direction du bruit. À voir son expression, j'ai compris que quelque chose n'allait pas. Pourtant, je n'ai rien vu de si extraordinaire. Chez moi, j'entends sans arrêt de telles détonations. Une voiture qui a des ratés, ou un pistolet à amorces, ou même la télé de quelqu'un. Mais nous n'étions pas sur Terre. Ce qui avait produit ce son n'avait rien d'ordinaire. Pas sur Denduron.

Il y a eu deux autres détonations. *Crac. Crac.* L'oncle Press s'est mis à courir dans cette direction. Nous l'avons suivi, replongeant dans la forêt.

Nous avons parcouru une faible distance avant de tomber sur une clairière. C'était une zone que je n'avais encore jamais vue, au-delà des champs des Milagos et hors des chemins battus. L'oncle Press s'est caché derrière un arbre pour voir ce qui se passait. Nous avons suivi son exemple. Ce que nous avons découvert semblait être une sorte de champ de tir. D'un côté de la clairière s'alignaient des silhouettes grossières ressemblant à des épouvantails. De l'autre côté se tenait un groupe de mineurs milagos, chacun muni d'un lance-pierres semblable à ceux que j'avais vus dans la grotte. Ils s'entraînaient à lancer des pierres sur les épouvantails. Chacun avait à ses pieds une pile de cailloux de la taille d'une noix. Ils en mettaient un dans la fronde, le faisaient tournoyer et lâchaient tout. Et ils visaient plutôt bien. Mais ce n'était pas un petit caillou lancé à l'aide d'une fronde qui allait arrêter un chevalier en armure.

J'ai bien vite compris à quel point j'avais tort.

Quelqu'un s'est avancé. C'était Figgis, le petit marchand, et il tenait un panier. Il s'est dirigé vers chacun des mineurs et le leur a tendu. Les lanceurs y ont pris une pierre. Celles-ci étaient bien différentes des autres. Elles étaient de la même taille que celles qu'ils balançaient, mais avaient l'air molles et étaient d'une couleur rousse, comme de la rouille. Il m'a semblé qu'elles étaient encore moins dangereuses que les cailloux, et pourtant ils les manipulaient avec précaution, comme si elles étaient précieuses. Le premier mineur a mis une de ces nouvelles pierres dans sa fronde, l'a fait tournoyer autour de sa tête et l'a balancée. Le projectile roux a filé vers sa cible, de l'autre côté de la clairière. Et quand il a touché l'épouvantail, celui-ci a explosé dans une boule de feu !

Bon sang ! Les Milagos détenaient une forme d'explosif ! Un produit qu'un choc suffisait à faire détoner ! C'était là l'origine des bruits que nous avions entendus. Je me suis tourné vers Loor et Alder. Ils étaient aussi choqués que moi. L'oncle Press fixait la scène. Rien ne pouvait plus le surprendre.

L'autre mineur a lancé sa pierre vers un épouvantail qui, lui aussi, s'est embrasé. Figgis a sauté sur place comme un gamin en battant des mains.

– Où ont-ils trouvé une chose pareille ? a demandé Loor.

– Ce n'est pas eux qui l'ont trouvée, mais lui, a répondu l'oncle Press en désignant Figgis.

Ce petit bonhomme a levé le panier rempli d'explosifs et dansé une drôle de gigue. Apparemment, il s'amusait bien.

– Je savais que ce petit bonhomme mijotait quelque chose, a repris l'oncle Press, mais je ne savais pas quoi... Du moins jusqu'à maintenant. Il doit vendre ces explosifs aux Milagos.

Un mot m'a traversé l'esprit. Tak. C'est ce que Figgis avait tenté de me vendre. C'était une arme. Un explosif. « Le tak est la solution », a-t-il dit, et peut-être avait-il raison. S'il y en avait suffisamment, les Milagos pouvaient l'employer contre les Bedoowans, et peut-être auraient-ils une chance d'en venir à bout. Peut-être y avait-il encore de l'espoir. Le tak était peut-être bel et bien la solution.

Mais l'oncle Press semblait soucieux. Il n'aimait pas ce qu'il voyait.

– Qu'y a-t-il ? ai-je demandé.

– Si les Milagos se servent de cette arme, c'est la fin de Denduron, a-t-il répondu.

Nous l'avons tous regardés avec surprise.

– La fin de Denduron ? ai-je répété. Est-ce que j'ai loupé un épisode ou quoi ? Ce truc peut aider les Milagos à vaincre les Bedoowans. N'est-ce pas le but du jeu ?

Mais avant que l'oncle Press ait pu répondre, le ciel nous est tombé sur la tête. On nous a attaqués. Ce n'étaient pas les chevaliers bedoowans qui nous avaient rattrapés, mais un groupe de mineurs milagos. Ils nous ont pris par-derrière et nous ont fait mordre la poussière. L'un d'entre eux a posé son genou sur mon dos et m'a poussé face contre terre.

– Emparez-vous d'eux ! a ordonné une voix.

Je me suis débattu pour voir qui avait donné cet ordre et ai vu Rellin se déplacer au milieu des mineurs. Qu'est-ce qui se passait encore ? C'étaient eux les bons, non ? Alors pourquoi nous attaquaient-ils ? Nous prenaient-ils pour des Bedoowans ? Rellin a examiné la scène pour s'assurer que nul ne pouvait s'échapper, puis son regard s'est posé sur l'oncle Press.

– Bonjour, Press, a-t-il dit. J'aimerais pouvoir dire que je suis content de te voir.

Deux mineurs ont relevé Press de force et l'ont maintenu devant Rellin.

– Tu ne peux pas faire ça, Rellin, a dit l'oncle Press.

– Je suis heureux de te retrouver en vie, a-t-il répondu, mais n'essaie pas de nous arrêter.

– Écoute-moi ! s'est exclamé l'oncle Press avec passion. Je veux que vous vainquiez les Bedoowans. Tu le sais très bien. Mais tu as tort d'employer cette arme. Elle change toutes les données.

– Tort ? a craché Rellin. Comment pouvons-nous avoir tort de vouloir nous sortir de notre situation désespérée ? Sans tak, nous n'avons pas une chance de vaincre les Bedoowans. Mais avec lui, en quelques secondes, nous pouvons venger des siècles de douleur et de torture.

– Mais à quel prix ? a insisté l'oncle Press.

Rellin lui a souri avant de répondre :

– J'ai quelque chose à te montrer.

Il a marché vers la clairière et fait signe aux mineurs de le suivre en nous emmenant avec eux. Ils nous ont relevés et entraînés à sa suite. Inutile d'espérer combattre : ils étaient trop nombreux. Et, de toute façon, je n'étais pas sûr que nous devions les affronter. Il n'y avait pas quelques minutes, ils étaient encore de notre côté. Maintenant, eh bien, je ne savais pas trop ce qui se passait. Pour changer.

Lorsque Rellin est entré dans la clairière, les mineurs se sont aussitôt mis au garde-à-vous. Étonnant. Peut-être étaient-ils mieux organisés que je le croyais. Peut-être que leur silence et leurs airs soumis n'étaient qu'une mise en scène pour que les Bedoowans croient les avoir matés ? Rellin s'est dirigé vers quelque chose qui ressemblait à une grosse boîte recouverte d'une couverture brune. Il s'est arrêté devant et tourné vers nous.

– Bientôt commencera la bataille de notre vie, a-t-il déclaré fièrement. Mais grâce à toi, Pendragon, elle ne durera pas longtemps.

Moi ? Qu'avais-je à voir avec tout ça ? L'oncle Press m'a regardé. Loor et Adler aussi. Je me suis contenté de hausser les épaules. Je n'avais pas la moindre idée de ce qu'ils racontaient.

– Le tak est puissant, mais fragile, a continué Rellin.

Figgis est apparu à ses côtés et lui a tendu son panier. Rellin a pris un morceau d'explosif pas plus gros qu'un pois.

– Il suffit d'un impact minime pour libérer sa puissance.

Rellin a jeté le pois au sol, où il a explosé avec un grand *bang* qui a résonné entre les arbres. Il y a eu une éruption de flammes et de fumée qui a laissé un trou de la taille d'un tonneau dans le sol. Bon sang, ce truc était puissant ! Figgis a éclaté de rire. Je me suis demandé combien il faisait payer chaque morceau de tak.

– Il est si dangereux qu'il ne faut s'en servir qu'en quantité infime, a continué Rellin, mais nous devrons trouver un moyen de nous en servir davantage. Il faut que nous l'employions en quantité suffisante pour porter un seul et unique coup fatal aux Bedoowans. Mais jusque-là, nous nous y sommes cassé les dents.

Il a passé la main sous la couverture et en a tiré quelque chose qui m'a coupé les jambes. C'était une grosse pile de 12 volts comme celles qui alimentent les piles électriques de grand format. D'abord, je suis resté perplexe. Où avait-il pu la trouver ? Puis j'ai compris en un éclair. Vous autres m'aviez bien envoyé une lampe torche. Si je ne l'avais pas trouvée, c'est parce que Figgis me l'avait piquée en même temps que mon couteau suisse !

Rellin a brandi la pile et dit :

– Tu nous as apporté un appareil bien intéressant, Pendragon. Je ne sais pas comment il marche, mais lui aussi fournit de l'énergie. Et une énergie qui peut être contrôlée.

Il a passé de nouveau la main sous la couverture et en a tiré la lampe-torche. Il l'a regardée d'un air admiratif en jouant avec le bouton on/off. J'ai regardé l'oncle Press. Je voulais m'excuser, mais il était trop tard pour ça. L'oncle Press ne m'a pas accordé un regard. Il ne quittait pas Rellin des yeux, et sa mâchoire était crispée.

– Maintenant, nous pouvons nous servir de l'énergie de cet étrange appareil pour libérer l'incroyable puissance du tak, a repris Rellin en continuant de jouer avec le bouton on/off. D'une simple poussée, nous pourrons faire détoner n'importe quelle quantité. Ce sera la fin des Bedoowans, et ils paieront cher tout ce qu'ils nous ont fait endurer.

Maintenant, je voyais où il voulait en venir. Ils allaient fabriquer une bombe. Ils n'allaient pas se contenter de balancer de petits morceaux d'explosif avec leurs frondes. Non, ils voulaient un big-bang, et je leur avait fourni le moyen de le déclencher. Ils allaient employer l'énergie de la pile pour faire détoner une méga-bombe. Bien joué, Bobby.

D'un geste théâtral, Rellin a retiré la couverture brune qui recouvrait la boîte. Sauf que ce n'était pas une boîte, oh non ! C'était l'un des wagonnets à minerai de la mine. À ma grande horreur, j'ai constaté qu'il était bourré de tak. Il devait y en avoir plusieurs centaines de kilos. À en juger l'explosion qu'avait provoqué un tout petit bout de ce produit, si ce wagonnet détonait bel et bien, ça donnerait l'équivalent d'une bombe atomique.

– C'est une erreur, Rellin, a supplié l'oncle Press. Tu crois que ta machine infernale va sauver les Milagos ? Tu te trompes. Si tu t'en sers, tu seras peut-être libéré des Bedoowans, mais vous tomberez esclaves d'une nouvelle puissance. Celle du tak.

J'ai alors compris ce que redoutait l'oncle Press. Les Milagos étaient sur le point de créer une arme à la puissance terrifiante. S'ils s'en servaient, ils altéreraient à jamais le cours de l'histoire de Denduron. Non seulement les conséquences seraient dévastatrices, mais une fois que ces hommes simples et primitifs auraient libéré le pouvoir de cet explosif, jusqu'où iraient-ils ? Déjà, ils ne se contentaient plus de petites quantités de tak. Ils voulaient davantage de puissance. C'était comme si les Milagos passaient l'âge de la poudre pour atterrir tout droit dans l'ère nucléaire – celle de l'Armageddon.

Et ce qu'il y avait de plus dingue, c'est que deux personnes incapables de prévoir les conséquences de leurs actes étaient responsables de ce désastre : votre serviteur, qui, par stupidité, leur avait procuré la dernière pièce du puzzle ; et Figgis, ce drôle de petit homme qui gagnait sa vie en vendant le produit de ses rapines à quiconque voulait bien le payer. Et maintenant, Figgis avait touché le gros lot. Il ne fourguait plus des pulls et des couteaux. Maintenant, c'était un marchand de mort, et ses clients potentiels ne demandaient qu'à profiter de ses services.

Tout était clair désormais. Pour Denduron, le moment de vérité n'était pas la bataille entre les Milagos et les Bedoowans. C'était l'introduction de cette puissance étrange et terrible dans le territoire. En regardant ce chargement mortel dans le wagonnet, une autre vérité m'est apparue. Je n'allais pas rentrer chez moi. Même si je réussissais à atteindre un flume, je ne pouvais plus retourner en arrière. Pas question. Pas après avoir fait tant de mal. Je n'avais pas la moindre idée de ce que je pouvais faire, ni de la meilleure façon d'empêcher cette horreur, mais à cet instant, j'ai décidé de rester et d'aller jusqu'au bout de cette histoire… Quitte à y laisser la vie.

C'est peut-être le dernier carnet que je vous envoie, Mark et Courtney. En ce cas, sachez que vous n'êtes nullement responsables de cette histoire de lampe-torche. Vous vouliez juste aider un ami. Tout est entièrement de ma faute. Si vous n'entendez plus jamais parler de moi, alors sachez que j'aurai tout fait pour éviter cette catastrophe que j'ai moi-même provoquée. Je ne réussirai peut-être pas, mais au moins j'aurai essayé. Merci d'avoir lu tout ça et d'être mes amis.

J'espère que ce n'est pas un adieu.

Fin du troisième journal

SECONDE TERRE

De colère, Mark jeta les parchemins sur le sol de sa chambre.

– On aurait dû s'en douter ! s'écria-t-il. On est aussi responsables que Bobby !

Courtney et Mark avaient attendu d'être revenus à Stony Brook pour lire le dernier journal de Bobby. Après leurs adieux dans la station de métro abandonnée, leur voyage de retour s'était déroulé sans problèmes. Ils avaient emprunté le même chemin qui les avait conduits au flume du Bronx, par le métro jusqu'à la 125e Rue, puis étaient montés dans le premier train pour le Connecticut. Une fois de retour chez eux, ils se rendirent tout droit chez Mark et s'enfermèrent dans sa chambre pour lire le journal de Bobby sans être dérangés.

– Ce n'est pas notre faute ! argua Courtney. Les Milagos ne sont que des primitifs. Comment pouvions-nous deviner qu'ils sauraient confectionner une bombe avec ces outils modernes ?

– Parce qu'on a lu le journal, rétorqua Mark. On en était au même point que Bobby. Press lui a expressément dit de ne rien faire passer d'un territoire à un autre. On l'a bien lu, mais on n'a rien voulu savoir.

Il se mit à faire les cent pas à grandes enjambées nerveuses.

– On a quand même aidé Bobby, dit Courtney. Et peut-être aussi les Milagos. Pour être franche, j'espère qu'ils vont fabriquer une bombe qui va pulvériser ces Bedoowans. C'est tout ce qu'ils méritent !

– Tu n'as pas compris, expliqua Mark. Les Milagos ne sont pas prêts à disposer d'une telle puissance. Ils ne savent pas comment la contrôler.

Courtney commençait à se mettre en colère. Elle bondit du lit.

– Qu'est-ce que tu racontes ? Seuls des êtres intelligents et socialement élevés ont le droit de se balancer des bombes à la figure ?

– Non, rétorqua-t-il. Seuls des êtres intelligents et socialement élevés peuvent éviter de tout détruire à coups de bombes. Les Milagos brûlent de rage et ont toutes les raisons pour ça. Les Bedoowans les tourmentent depuis des siècles. Maintenant, tout à coup, on leur offre une arme si puissante qu'ils peuvent se débarrasser de leurs ennemis rien qu'en appuyant sur un bouton. Ils ne la comprennent pas vraiment. Ils sont incapables de la contrôler, mais sont susceptibles de s'en servir malgré tout. Si ce machin est aussi puissant que Bobby le dit, ils pourraient bien se le faire péter à la figure et périr eux aussi.

Cet argument fit mouche. Courtney se calma aussitôt.

– Est-il vraiment possible de faire détoner ce truc avec une simple pile électrique ? demanda-t-elle, pensive.

– Je ne sais pas. Je présume que oui. Si le tak est si volatile, une petite décharge électrique peut entraîner une réaction en chaîne et... boum !

Tous deux restèrent silencieux un instant, à évaluer les conséquences de ce simple mot.

– J'imagine qu'il suffit d'être ailleurs lorsqu'on appuie sur le bouton, dit-elle. Je ne crois pas qu'ils soient assez malins pour concevoir un mécanisme d'horlogerie.

– Peu importe, répondit Mark. Ce produit ne ressemble à rien que je connaisse. Si un simple fragment peut causer tant de dégâts, alors la quantité que contient le wagon tel que l'a décrit Bobby pourrait détruire le palais des Bedoowans, mais aussi raser le village milago. Et si l'explosion engendre la même chaleur qui a embrasé les épouvantails, elle pourrait créer une tempête de feu. Tout ce qui vit à des kilomètres à la ronde finirait en cendres... Les Bedoowans, les Milagos, la ferme, la forêt...

– Et aussi Bobby, Alder, Loor, et Press aussi, ajouta Courtney. Ce Figgis est bel et bien un marchand de mort.

Mark ramassa le dernier journal et le parcourut des yeux. Il trouva bien vite le passage qu'il cherchait.

– Écoute ça, dit-il. C'est ce que Loor a dit à Bobby. (Il se mit à lire le journal :) « Ma mère m'a expliqué qu'il y a bien des territoires en ce monde, et que tous sont sur le point d'atteindre un moment crucial. Elle l'a appelé "un moment de vérité". Et selon la voie qu'ils choisiront, soit ils connaîtront la paix et la prospérité, soit ils plongeront leurs peuples dans le chaos et la destruction. »

– Ouais, rétorqua Courtney, et si les Milagos l'emportent sur les Bedoowans, tout ira bien.

– J'en doute. Je pense que c'est plutôt le tak qui cause problème. Quant on y pense, ça fait des siècles que les Milagos sont esclaves des Bedoowans. S'ils se révoltent et perdent la bataille, tout reprendra comme avant. Mais si les Milagos utilisent quelque chose d'aussi terrifiant que des explosifs pour rétablir l'équilibre des forces, qui sait sur quoi ça peut déboucher ?

– Dans ce cas, nous devons essayer de les en empêcher ! s'exclama Courtney.

– Comment ? répondit Mark. Ce n'est pas comme si nous pouvions aller sur Denduron pour le leur expliquer. Au cas où tu l'aurais oublié, les flumes ne marchent pas pour nous.

Elle se mit à faire les cent pas. Son cerveau tournait à toute allure.

– Dans ce cas, on peut peut-être envoyer quelque chose à Bobby. Comme… un…

– Un quoi ? s'écria-t-il. On ne peut rien lui envoyer. Ça ne ferait qu'empirer les choses ! Tout ce que nous pouvons faire, c'est…

Ding dong. Le carillon de la porte l'interrompit. Les deux adolescents se turent aussitôt.

– Tu attends quelqu'un ? demanda Courtney.

– Nous avons séché l'école aujourd'hui, répondit Mark. Peut-être qu'on vient voir si je suis là.

Le carillon résonna à nouveau.

– C-c-cachons-nous, dit-il.

Elle lui décocha un regard sarcastique.

– Nous cacher ? Oh, arrête ! J'imagine qu'on a plus important à penser que d'échapper à quelques heures de colle. Va ouvrir cette porte.

Elle avait raison, pensa Mark. Après tout, s'ils se faisaient choper pour avoir séché des heures de cours, ce n'était pas bien grave. Il n'avait qu'à se débarrasser de celui qui attendait à la porte, et ils pourraient revenir à leur problème du moment. En descendant l'escalier, il hésita un instant, puis prit un air malade au cas où ce serait vraiment quelqu'un de l'école venu voir ce qui lui était arrivé. Il toussa un peu, puis lança d'une voix faible :

– J'arrive.

Il arriva à la porte, l'ouvrit et s'écria :

– Bobby !

En effet, c'était bien Bobby Pendragon qui se tenait sur le seuil ! Il portait les mêmes vêtements que le jour de sa disparition. La tenue de cuir des Milagos n'était plus d'actualité.

– Salut, Mark, dit-il d'un ton tout naturel. Je peux entrer ?

Courtney descendit l'escalier en coup de vent.

– Bobby ? cria-t-elle à son tour.

Bobby entra et lui décocha un petit sourire.

– Je t'ai manqué ?

Elle le prit dans ses bras, et Mark les serra tous les deux contre lui. Bobby était de retour. Il s'en était sorti. Tout irait bien. Lorsqu'il finit par se dépêtrer de ses amis, ils le dévisagèrent sans oser y croire. C'était trop beau pour être vrai. Il n'y avait pas quelques secondes, ils se demandaient s'ils le reverraient un jour. Et maintenant, il était là, devant eux. Mais Bobby avait l'air différent. Courtney et Mark le remarquèrent tous les deux. C'était toujours Bobby, pas de doute. Mais il semblait épuisé, comme s'il venait de traverser une épreuve qui lui avait coûté ses dernières forces.

– Ça va, mon vieux ? demanda Mark. Tu as l'air… malade.

– Pas malade, mais complètement crevé, répondit Bobby. Je vais m'allonger un peu.

Ils l'accompagnèrent en haut, dans la chambre de Mark. Ils remarquèrent qu'il avançait d'un pas mal assuré. Aussi que son visage était sillonné de nombreuses petites égratignures rouges de sang. Apparemment, il s'était passé bien des choses depuis qu'il avait repris le flume. Pour Mark et Courtney, il y avait quelques heures à peine qu'ils s'étaient quittés. Mais, comme ils l'avaient déjà déduit, le temps ne s'écoulait pas de la même façon en Seconde Terre que dans les autres territoires. Bobby pouvait être parti depuis plusieurs jours. On aurait dit qu'il revenait de la guerre, mais ni Mark ni Courtney ne voulaient l'interroger. Ainsi, sans un mot de plus, ils le suivirent dans la chambre et le regardèrent s'allonger.

– Il faut que je retourne chez moi, dit Bobby d'une voix faible. Mais avant, je voudrais me reposer. Ça va ?

– Bien sûr, répondit Mark. Comme tu veux.

– Merci.

Bobby posa sa tête sur l'oreiller. Mark fit la grimace en se demandant ce qu'il allait dire à sa mère lorsqu'elle verrait des stries sanglantes sur l'oreiller. Mais il s'en voulut de cette pensée égoïste et la chassa aussitôt.

– Vous voulez bien venir avec moi ? demanda Bobby sans ouvrir les yeux.

– Bien sûr, répondit Courtney. Heu… Où ça ?

Bobby parlait d'une voix à peine audible, comme s'il dormait déjà.

– Chez moi. Tout le monde doit être à ma recherche. J'aurai besoin de vous pour m'aider à tout expliquer.

Mark et Courtney se regardèrent. Chacun savait ce que pensait l'autre. La maison de Bobby n'était plus là. Sa famille avait disparu sans laisser la moindre trace de son existence. Ses parents, sa sœur, même son chien… plus rien. La police avait lancé une enquête pour tenter de comprendre ce qui leur était arrivé, mais jusque-là ils n'avaient rien trouvé.

– On sera toujours là, dit-elle.

Bobby sourit.

Mark, de son côté, mourait de curiosité. Il ne voulait pas que Bobby s'endorme avant de lui avoir raconté ce qui s'était passé sur Denduron.

– Alors, dis-nous tout ! Qu'est-il arrivé ?

Courtney lui donna un coup de coude.

– Aïe ! fit-il en serrant son bras.

– Dors, Bobby, fit-elle. Tu nous raconteras plus tard.

Bobby n'ouvrit toujours pas les yeux, mais eut un petit rire face à la curiosité de son ami.

– Oh, j'allais oublier.

Il défit quelques boutons de sa chemise, plongea sa main en dessous et en tira une liasse de parchemins.

– Tout est là, fit-il d'une voix éteinte. Tout ce qui s'est passé depuis notre dernière rencontre. Réveillez-moi quand vous aurez fini.

Et il plongea dans les bras de Morphée, le parchemin toujours entre ses doigts. Mark regarda Courtney, hésita un instant, puis s'empara du précieux journal. Elle prit la couverture au pied du lit de Mark et en recouvrit doucement Bobby jusqu'au menton. C'était sans doute la première fois depuis bien longtemps qu'il dormait dans un vrai lit, et elle voulait qu'il soit le mieux installé possible. Puis, sans faire de bruit, tous deux se sont dirigés vers l'autre bout de la chambre.

– On ne ferait pas mieux de descendre et le laisser seul ? murmura Mark.

– Non, répondit Courtney. Maintenant, plus grand-chose ne peut le réveiller.

Mark acquiesça. Lui non plus ne voulait pas partir. Il fit glisser la cordelette de cuir désormais familière et l'ouvrit juste assez pour lire la première ligne.

– Journal numéro quatre ? demanda-t-elle.

– Journal numéro quatre.

Tous deux s'assirent sur le sol, l'un à côté de l'autre, et se mirent à lire le dernier chapitre du récit de Bobby.

Journal n° 4

DENDURON

Je n'arrive pas à y croire, mais je suis encore en vie. Enfin, je crois. Tout mon corps me fait mal ; chaque muscle, chaque tendon, jusqu'à chaque poil est douloureux. Ça doit signifier que je suis toujours en vie. Alors que je vous écris ce journal, il me reste encore une tâche à accomplir avant de rentrer à la maison. Mais pour l'instant, je n'ai même pas le courage de bouger. Le simple effort de pousser le crayon sur le papier m'est pénible. Je vais essayer de me reposer, puis d'écrire ce journal et tenter de me mettre en condition avant le dernier acte.

Quelle que soit la douleur physique, le souvenir des événements des jours précédents me fait presque aussi mal. Mais je dois tout coucher sur le papier, parce qu'une fois que j'aurai rédigé mon histoire, je ferai de mon mieux pour tout oublier.

Je vous préviens, je n'ai pas personnellement assisté à certaine des scènes que je vais relater. Ces derniers jours ont été incroyables, et je ne pouvais pas être dans plusieurs endroits à la fois. Mais je ferai de mon mieux pour décrire les événements le plus fidèlement possible, du moins d'après ce que d'autres m'ont relaté. Ça ne me gêne pas, car je suis sûr qu'ils m'ont dit la vérité. Alors asseyez-vous, inspirez à fond et cramponnez-vous. Ça va secouer.

Mon dernier journal s'est terminé au moment où, après avoir libéré l'oncle Press, nous nous sommes à nouveau fait capturer par ceux que nous croyions être nos alliés – les Milagos. Leur chef, Rellin, nous a montré l'énorme masse de tak avec laquelle il comptait pulvériser les Bedoowans. Mais là, il y a une chose que vous devez comprendre. Les Milagos ne sont pas nos ennemis, mais ils ont peur que nous les empêchions d'utiliser cette terrible arme. Et ils ont raison. S'ils faisaient exploser ce monstre, les effets seraient terrifiants. Si nous trouvons un moyen de les arrêter, nous le ferons. Ainsi, nous nous sommes retrouvés dans une drôle de position : des adversaires amicaux.

Ils nous ont ramenés à la hutte qui servait d'hôpital et nous y ont enfermés sous bonne garde, promettant de nous libérer dès que la bataille serait terminée. Super. S'ils faisaient exploser cette bombe, cette prison y passerait avec tout le reste. Donc, nous nous retrouvions à nouveau captifs, tous les quatre : l'oncle Press, Loor, Alder et moi.

À peine étions-nous entrés dans la hutte que l'oncle Press a vite regardé autour de lui.

– Osa n'est pas là. Elle doit s'être cachée.

Mince ! Nous n'avions pas encore eu l'occasion de dire à l'oncle Press ce qu'il lui était arrivé. J'ai aussi constaté que son cadavre n'était plus là.

– Que s'est-il passé ? a-t-il demandé rapidement.

Loor m'a désigné du doigt :

– Elle s'est fait tuer en tentant de le protéger des chevaliers bedoowans.

Parfait. Comme si je ne me sentais pas déjà assez coupable comme ça, elle se sentait obligé de me rappeler mon rôle dans la mort d'Osa. Mais je ne pouvais pas lui en vouloir. Osa était sa mère. Loor avait le droit d'être en colère. Mais j'aurais préféré qu'elle ne rejette pas toute la responsabilité sur moi. Mallos et les chevaliers bedoowans en avaient aussi leur part.

Nous nous sommes tournés vers l'oncle Press pour étudier sa réaction. Qui fut assez étrange. Plutôt que d'exprimer une quelconque douleur, il s'est contenté de hocher la tête comme si la nouvelle de sa mort n'était rien d'autre qu'une information à enregistrer. Il a dû comprendre que nous trois avions plus de mal à l'accepter, car il a posé ses mains sur les épaules de Loor et a dit :

– Ne sois pas triste. C'était probablement écrit.

C'était exactement ce qu'Osa avait dit avant de mourir. Était-ce une sorte de devise des Voyageurs ? Dans ce cas, elle ne valait rien. Ce dicton à deux balles n'avait rien pour me réconforter et je doutais qu'il fasse plus d'effet à Loor.

– Reposez-vous, tous, a-t-il ordonné. Demain sera une dure journée.

Il avait raison ; nous avions tous besoin de repos. Nous nous sommes donc répartis dans différents coins de la hutte. C'est là que j'ai écrit le dernier carnet que je vous ai envoyé. Loor a fait de même, tout comme Alder. Nous avons tous consigné sur le papier nos expériences de Voyageurs ; nous avions chacun une opinion différente sur ce qui s'était passé. Le seul à ne pas faire sa page d'écriture était l'oncle Press. Il s'est allongé sur l'une des couches et a fermé les yeux. Je me suis demandé s'il avait pu prendre du repos lorsqu'il était prisonnier du palais bedoowan. Pas beaucoup, sans doute.

Tout en écrivant, j'ai senti une tension nouvelle dans la pièce. Peut-être était-ce moi qui devenais paranoïaque, mais j'avais l'impression que les autres me tenaient pour responsable de la position dans laquelle nous nous trouvions. À chaque fois que je levais les yeux, Loor et Alder détournaient le regard. En vérité, je ne pouvais pas les en blâmer. Alors que je revoyais ces derniers jours, je suis parvenu à une conclusion désagréable : si la situation de Denduron était plus grave qu'elle n'aurait dû l'être, c'était bien à cause de moi. Si l'oncle Press ne m'avait pas fait venir ici, il n'aurait probablement pas été capturé par les Bedoowans. Et s'il ne s'était pas fait capturer, nous n'aurions pas eu à le sauver et je ne vous aurais pas écrit pour que vous m'envoyiez tous ces trucs de chez nous. Et si je n'avais pas récupéré ces trucs, les Milagos n'auraient pas eu la capacité de faire exploser cette énorme bombe. Et si je n'étais pas là, Osa serait toujours en vie parce que… Et si, et si, et si. À chaque fois qu'on regarde en arrière et qu'on pense « et si », plus rien ne va. Il n'y a pas de « et si ». Tout ce qui compte, c'est ce qui s'est vraiment passé et, en vérité, à chaque fois que j'ai eu l'occasion d'agir, j'ai tout fait foirer. Même quand je croyais faire quelque chose de bien, ça se retournait contre moi.

Comme pour remuer le couteau dans la plaie, le réveil de ma montre s'est mis à sonner. J'avais complètement oublié ma Casio.

Alder et Loor se sont tournés vers moi. Ils ne savaient pas ce que c'était. L'oncle Press s'est contenté d'ouvrir un œil et de me décocher un regard glacial. Sans dire un mot, j'ai bondi et suis allé dans un coin de la hutte. J'ai retiré ma montre et l'ai jetée dans les latrines. Je pensais que personne n'irait l'y chercher. J'ai même pris mon couteau suisse dans ma poche pour le balancer dans ce cloaque. Je me suis tourné vers les autres. Tous me dévisageaient. Cette fois-ci, je n'ai plus pu tenir :

– Quoi ? ai-je hurlé. Bon, d'accord, j'ai fait une bêtise. Plusieurs, si vous voulez. J'ai fait venir tous ces trucs de chez moi, c'est vrai, mais c'était ma seule chance de libérer l'oncle Press. Et ça a marché, non ?

Personne n'a rien dit. Ils m'ont juste dévisagé. Ils me rendaient cinglé.

– Si je ne m'abuse, Loor, tu n'as rien fait pour m'en empêcher… Et Alder non plus, ai-je ajouté. Tu étais bien content d'en profiter, toi aussi !

– Mais nous ne savions pas qu'il ne fallait pas apporter des objets d'un autre territoire, a répondu Loor tout tranquillement. Toi si.

Je ne pouvais pas dire le contraire, mais comme j'étais en mal de discussion, j'ai continué tout de même :

– Je n'ai jamais demandé à venir ici ! Personne ne m'a jamais demandé mon avis ! Je ne suis pas un guerrier comme Loor ou Osa, ni un chevalier comme Alder. Et je ne suis pas… pas un… Je ne sais même plus ce que tu es, oncle Press, mais une chose est sûre, ça ne me plaît pas ! Tu n'aurais jamais dû m'amener ici !

J'étais prêt pour la bagarre. Je voulais qu'ils me disent que je n'étais qu'un gros nul, parce que j'avais une réplique toute prête : « Oui. » J'abonderais même dans leur sens. Je n'ai jamais prétendu être autre chose qu'un collégien de banlieue, point barre. Je ne suis pas un combattant, un révolutionnaire ou tout ce qu'ils me demandaient. Ils ne pouvaient pas me reprocher de ne pas correspondre à leur attente. Je faisais de mon mieux. Si ça n'était pas suffisant, eh bien, tant pis pour leurs pieds !

Mais ce n'est pas ce qui s'est passé. L'oncle Press s'est assis et a dit doucement :

– Venez, tous. Asseyez-vous.

Nous avons échangé des regards sombres et nous sommes dirigés vers lui. Je n'avais pas idée d'où il voulait en venir. L'oncle Press nous a alors parlé d'un ton si paisible que, soudain, toute la tension qui imprégnait la pièce s'est dissipée. Il m'a rappelé la façon dont Osa s'y entendait pour rétablir le calme.

– Je sais que vous avez du mal à gérer tout ceci, a-t-il commencé. Il n'y a pas longtemps que vous avez pris conscience de votre vraie nature, et ce doit être troublant.

– Je ne comprends pas pourquoi ça m'arrive a moi, a renchéri Alder. Pourquoi faut-il que nous soyions des Voyageurs ?

– On ne m'a pas donné le choix, a continué Loor. Ce n'est pas juste.

C'est alors que j'ai compris. Je n'étais pas le seul à péter les plombs. Loor et Alder étaient comme moi : il y avait peu de temps qu'ils étaient au courant. La seule différence, c'est qu'ils étaient mieux préparés que moi pour faire face à la situation. Ma seule expérience du combat, c'est les cours de karaté que je prenais tous les dimanches, et encore, j'avais dix ans en ce temps-là. En général, je finissais la leçon avec le nez en sang et je rentrais chez moi en pleurant. Ce n'est pas vraiment comme ça qu'on devient un soldat d'élite. Je n'étais décidément pas dans mon élément.

L'oncle Press a eu un sourire chaleureux avant de continuer :

– Si vous voulez savoir pourquoi vous êtes des Voyageurs, vous n'avez qu'à passer en revue ce que vous avez déjà fait. La façon dont vous m'avez libéré de ce palais était incroyable. Vous êtes braves, intelligents et pleins de ressources ; vous me l'avez prouvé. Et surtout, vous étiez prêts à risquer vos vies pour faire ce qui était bien. Des gens ordinaires n'auraient pas fait ça. Si vous voulez savoir pourquoi vous êtes des Voyageurs, vous n'avez qu'à regarder en vous.

– Mais quels sont ces pouvoirs ? a demandé Loor. Nous comprenons une langue dont nous ignorons tout.

– Il y a encore tant de choses à apprendre, a dit l'oncle Press. Mais l'expérience est le meilleur des apprentissages. Au fil du temps, tout deviendra clair comme de l'eau de roche, mais il faudra que vous le découvriez par vous-mêmes.

– Oh, allez ! ai-je dit. Tu ne vas pas t'en tirer comme ça, sans répondre à nos questions. Est-ce qu'il y en a d'autres ? D'autres Voyageurs, je veux dire.

– Oui. Chaque territoire a le sien. Quand on arrive dans un territoire, la première chose à faire, c'est de chercher ce Voyageur. C'est lui le mieux à même de vous renseigner sur l'histoire et les coutumes de son monde, et il peut vous aider.

– Comme Alder, a remarqué Loor.

– Oui, comme Alder, a confirmé l'oncle Press.

– Et Mallos, alors… Saint Dane ? ai-je demandé. C'est aussi un Voyageur, non ?

Le visage de l'oncle Press s'est durci.

– Oui, a-t-il dit froidement. D'ailleurs, il y a quelque chose que vous devez savoir dès maintenant. Chaque territoire est en conflit. Il y a toujours des querelles, des guerres, des batailles. C'est dans l'ordre des choses. Il en a toujours été ainsi, et il en sera toujours ainsi. Mais quel que soit le conflit qui embrase un territoire, Saint Dane sera toujours votre principal ennemi. Ici, sur Denduron, ce ne sont pas les Bedoowans ou la reine Kagan, ou même les quigs. C'est Saint Dane la vraie menace. C'est lui qu'il faut empêcher de nuire.

– Qui est-ce ? ai-je demandé. Pourquoi est-il si dangereux ?

Là, nous entrions à nouveau en terrain miné, parce que l'oncle Press a repris son visage grave.

– Il est dangereux parce que vous ne le voyez jamais venir, a-t-il répondu. Il peut changer d'apparence. Sur Denduron, il est devenu Mallos, conseiller de la reine. Bobby, tu l'as aussi vu sur la Seconde Terre. Il avait pris les traits d'un policier. J'ignore s'il peut vraiment se métamorphoser physiquement ou s'il exerce une sorte de contrôle sur les esprits pour apparaître sous une forme différente, mais le résultat est le même : on ne peut pas le repérer. Et croyez-moi, c'est le diable en personne.

L'oncle Press a pressé le pas. Nous l'avons tous écouté attentivement, car nous savions que ce qu'il disait était très important.

– Mais ce n'est pas toujours évident, a-t-il continué. Il ne tue pas, il ne provoque pas d'incendies ou d'inondations. Ses méthodes sont bien plus perverses. Il s'infiltre dans un territoire et y occupe une position d'où il peut *influencer* les événements. Il est intelligent et très convaincant. Il peut se faire passer pour votre ami alors qu'il vous mène tout droit à la catastrophe.

– Comme avec les Bedoowans ? ai-je demandé.

– Exactement. Le conflit entre les Milagos et les Bedoowans dure depuis des siècles, mais Saint Dane a attisé le feu. Avant son arrivée, les Milagos avaient la vie dure, mais pas autant que maintenant. Il a gagné la confiance de la reine Kagan...

– Qui n'est pas vraiment une lumière, ai-je ajouté.

– En effet, a-t-il convenu. Pendant quelque temps, on aurait pu croire que les Bedoowans allaient lâcher un peu la bride aux Milagos, mais c'est sous l'influence de Saint Dane qu'au contraire ils ont préféré leur serrer la vis. C'est lui qui a lancé ces quotas d'azur déraisonnables, qui a instauré la cérémonie du Transfert et ces tueries dans le stade. Aux yeux des Milagos, c'est les Bedoowans qui sont devenus fous, mais c'est en réalité l'œuvre de Saint Dane, ou Mallos, comme il se fait appeler ici. Il murmure ses suggestions à l'oreille de Kagan, qui se charge d'en faire des lois.

– Mais... pourquoi fait-il ça ? a demandé Alder.

– Pour mener le territoire à la catastrophe, a affirmé l'oncle Press. Saint Dane se moque des Bedoowans ou des Milagos. Il se sert des Bedoowans pour mener les Milagos à la révolte. Il veut la guerre. Mais pas n'importe quelle guerre : il veut que les Milagos se servent du tak. Maintenant, je le comprends.

– Il veut qu'ils fassent sauter tout le monde ? ai-je demandé.

– Pas exactement. Oui, s'ils utilisent cette bombe, les dégâts seront terribles, mais Saint Dane s'intéresse plutôt aux effets à long terme. J'aurais dû le voir venir, mais c'est raté. Je n'étais pas au courant de l'existence du tak.

– Saint Dane pourrait-il l'avoir fait venir d'un autre territoire ? ai-je demandé.

– J'en doute. D'après moi, c'est un élément naturel sur Denduron, et Figgis est tombé dessus par hasard... Alors Saint Dane en a profité. Maintenant, pour les Milagos, le tak représente le pouvoir. Ça fait si longtemps qu'ils sont dans une impasse qu'ils feraient n'importe quoi pour s'en sortir. Mais une fois qu'ils s'en seront servi pour se libérer des Bedoowans, s'arrêteront-ils en si bon chemin ? Ils pourraient créer des armes qui feraient d'eux la tribu la plus puissante de Denduron. Et il y a des milliers de tribus en ce monde. Mais aucune d'entre elles ne dispose d'une arme comme celle-ci. Mettre une telle puissance à la disposition d'un seul camp peut créer un dangereux déséquilibre. Pour l'instant, les Milagos sont plutôt pacifiques, mais ça fait des siècles qu'ils ravalent leur colère. Avec une telle arme entre leurs mains, ils peuvent conquérir Denduron. Voilà exactement le genre de chaos que recherche Saint Dane.

Nous y voilà. Loor m'avait parlé de la mission des Voyageurs, mais l'oncle Press venait de l'énoncer très clairement. Si cette guerre éclatait et que les Milagos employaient leur stock de tak, les conséquences seraient désastreuses. Tout ça était bien plus important qu'un simple conflit entre deux tribus. Mais une autre question me taraudait :

– C'est quoi, Halla ? ai-je demandé à l'oncle Press.

Il m'a décoché un regard surpris.

– Où as-tu entendu ce nom ?

– C'est Saint Dane qui l'a prononcé. Avant de nous emmener au stade, il m'a dit que Halla tomberait, et nous avec lui. Qu'est-ce que c'est ?

– Halla est le Grand Tout, a-t-il répondu. Chaque territoire, chaque individu, chaque être vivant, chaque *temps* qui a jamais existé. Si Halla tombe, il ne restera plus rien, que les ténèbres. Partout. Pour tout le monde.

Houlà. Voilà un concept dur à avaler. Nous sommes restés longtemps silencieux. On venait de passer à une vitesse supérieure. Était-ce possible ? Le combat entre Milagos et Bedoowans pouvait-il affecter non seulement l'avenir de Denduron tout entier, mais aussi celui de *tous* les territoires ? Si les choses tournaient au vinaigre ici, cela pouvait-il avoir une influence sur ce qui se passerait chez moi ? C'était ce que j'avais entendu de plus bouleversant jusqu'à présent. L'enjeu était devenu tellement vaste qu'il en dépassait notre compréhension. Avant que l'un d'entre nous n'ait eu l'occasion de poser une autre question, la porte de la hutte s'est ouverte en coup de vent et un mineur milago est entré.

— Rellin veut te voir, a-t-il annoncé.

L'oncle Press s'est levé, mais le mineur a tendu la main pour l'en empêcher.

— Non, pas toi. Pendragon.

— Rellin veut me voir *moi* ? Mais pourquoi ?

— Va avec lui, Bobby, m'a conseillé l'oncle Press. Écoute ce qu'il a à te dire. Tu sais à quel point c'est important.

Pas de doute, en effet, c'était important. Si important que j'aurais bien aimé que quelqu'un d'autre s'en charge. Mais je me suis levé pour suivre le mineur. Avant de m'en aller, je me suis tourné vers l'oncle Press :

— J'ai tout gâché, ai-je dit. Je suis désolé.

L'oncle Press m'a souri.

— Ce n'est rien, Bobby. Tout le monde fait des erreurs.

Bizarrement, ça m'a un peu remonté le moral. Nous restions mal barrés et c'était toujours de ma faute, mais au moins je n'avais plus l'impression d'être l'empereur des bras cassés. En tout cas, une chose était sûre : je ne commettrais pas deux fois la même erreur. J'imagine que c'est ce que voulait dire l'oncle Press en affirmant que nous devions apprendre par nous-mêmes, à force d'expérience, ce qu'étaient les Voyageurs. On ne peut tirer des leçons que de faits, et cette bombe prête à nous pulvériser tous en était un. Vous parlez d'un apprentissage sur le tas.

J'ai suivi le mineur dehors. La nuit était tombée, et je n'avais pas la moindre idée de l'heure. Si vous vous en souvenez, ma montre flottait dans les latrines ! Le village était désert. J'ai pu distinguer des lumières à l'intérieur des huttes, mais personne ne se baladait dans les rues. On aurait dit le calme qui précède une tempête. Le mineur a marché d'un pas vif jusqu'à ce que nous ayions atteint l'une des plus grandes huttes. Il m'a fait signe d'entrer. Comme je n'avais pas vraiment le choix, j'ai obéi.

Rellin m'attendait déjà, assis près du feu. Il m'a tendu une tasse d'un liquide quelconque. Je n'ai pas trop su si je devais le prendre ou pas. Et si c'était du poison ? Mais, ça pouvait aussi être un geste de paix, et je risquais de l'insulter en refusant. J'ai décidé de prendre la tasse et de faire juste semblant de boire. Bien sûr, si c'était bel et bien du poison, il devinerait vite le subterfuge, ne serait-ce qu'en constatant que je ne m'effondrais pas en me tenant la gorge. Peut-être en faisais-je un peu trop.

Après que j'ai eu pris la tasse et fait semblant de boire (ce qui n'a pas entraîné la moindre réaction de la part de Rellin), il s'est levé et a marché vers une table de bois. C'est là qu'il avait posé la pile de ma torche. Mais quelque chose y était attaché. J'y ai regardé de plus près et, quand j'ai vu ce que c'était, mon estomac s'est noué. C'était un morceau de tak. On avait retiré les fils et l'interrupteur de la pile et on s'en était servi pour relier le tak à la pile. Ces types apprenaient vite. Ils avaient conçu une petite bombe. S'ils appuyaient sur l'interrupteur, le circuit serait complet et enverrait une décharge d'électricité dans le tak. Une petite décharge, certes, mais sans doute suffisante pour faire détoner un explosif aussi volatile. Rellin a pris la bombe et l'a examinée. J'ai eu envie de lui crier de faire attention, mais j'ai constaté qu'il connaissait le danger et la manipulait avec précaution.

— Il y a longtemps que nous cherchons un moyen de contrôler le tak, a-t-il dit. Mais jusque-là nos efforts sont restés infructueux.

En un flash, mon esprit est revenu dans la mine, au moment de cette explosion, lorsqu'un mineur avait dû aller chercher Rellin dans la galerie. Si ça se trouve, il avait tenté une expérience avec le tak, une expérience qui avait mal tourné. Les pièces du puzzle commençaient à s'assembler.

— Voilà comment nous allons faire exploser le tak, a-t-il continué. Demain, ce petit appareil va déclencher une explosion qui va se propager au gros du stock. Quand mon armée entendra le bruit, ce sera le signal d'attaquer. Ils n'auront plus qu'à submerger les quelques Bedoowans qui auront survécu. Grâce à toi, tout sera très simple.

Oh, merci beaucoup. Je suis bien content de vous avoir aidé à déclencher l'Armageddon. Rellin a reposé la bombe et est retourné s'asseoir près du feu. Il m'a fait signe de m'installer en face de lui.

— Tu as vu la vie misérable que nous menons, a-t-il dit tristement. Nous sommes en train de mourir. Les Bedoowans ne nous accorderont jamais la moindre liberté. Le tak est notre seule chance. Grâce à lui, les Milagos pourront s'arracher à la boue et redevenir le peuple fier qu'ils sont destinés à être.

Il ne disait que la stricte vérité. Les Milagos vivaient dans des conditions déplorables. Pire que des animaux. Personne ne méritait un sort pareil. Ils avaient toutes les raisons au monde de vouloir rendre coup pour coup. Ce qu'ils ne comprenaient pas, c'est qu'ils s'y prenaient de la mauvaise façon.

— Toi et ton peuple voulez nous aider, a-t-il continué, et nous vous en sommes reconnaissants. Mais vous pouvez nous fournir une chose qui nous sera infiniment utile.

— Quoi donc ? ai-je demandé d'un ton las.

Rellin s'est levé et dirigé vers la bombe artisanale. Il l'a prise en main et l'a brandie comme s'il s'agissait du Saint Graal.

— Apportez-nous d'autres appareils comme celui-ci, a-t-il dit avec passion. Si nous en avions davantage, nous pourrions devenir l'armée la plus puissante de Denduron. Quand les Milagos auront vaincu les Bedoowans, nous ne vivrons plus jamais dans la terreur. Nous pourrions changer le cap de nos misérables vies et devenir les maîtres de Denduron !

Oh, misère. L'oncle Press avait tout à fait raison. Maintenant que les Milagos avaient eu un avant-goût du pouvoir, ils ne se contenteraient pas de vaincre les Bedoowans. Ils n'avaient pas encore gagné qu'ils envisageaient déjà de conquérir le reste de Denduron. Les victimes allaient devenir les oppresseurs, et il n'en résulterait que le chaos.

— Veux-tu nous aider, Pendragon ? m'a-t-il demandé avec sincérité.

Là, j'avais une chance, probablement la seule que j'aurais jamais, de dissuader Rellin de mener son dessein à exécution. Comme je ne pouvais lutter contre des siècles de haine, il valait mieux tenter de lui faire entrevoir les mauvais côtés de son plan. Je devais choisir mes mots avec le plus grand soin.

— Je ne suis pas un expert en la matière, ai-je dit, mais si vous faites exploser ce gros paquet de tak, il ne restera plus grand-chose des Bedoowans. Et d'ailleurs, peut-être plus beaucoup de Milagos non plus. D'où je viens, nous avons beaucoup d'armes comme celles-ci. Mais ce que nous redoutons par-dessus tout, c'est que quelqu'un s'en serve. Rellin, vous ne comprenez pas ce que vous êtes en train de faire. Peut-être qu'aujourd'hui votre existence est abominable, mais après l'explosion, tout sera pire encore. Il doit y avoir une meilleure solution.

– Non ! a-t-il crié avec colère.

Je n'avais pas assez bien choisi mes mots.

– Tu ne comprends pas ! m'a-t-il hurlé. Tu n'as pas souffert toute ta vie de la faim, de la peur, de la colère ! Il n'y a pas d'autre solution. C'est ainsi que les Milagos vaincront les Bedoowans, et pas autrement. Maintenant, veux-tu nous aider ?

Là, c'était le moment clé.

– Je veux bien vous aider, ai-je dit fermement. Et les autres aussi. Mais pas si vous vous comptez utiliser le tak.

Rellin s'est crispé et a dit :

– Dans ce cas, retourne auprès de tes amis. Nous ne vous ferons aucun mal. Quand la bataille sera finie, nous vous libérerons.

Mon esprit tournait à toute allure. J'aurais voulu trouver un argument susceptible de lui faire changer d'avis, mais pas moyen. La vérité, c'est que je ne croyais pas que les Milagos puissent défaire les Bedoowans sans l'aide d'une arme comme le tak. Et je n'avais pas de meilleure solution à lui proposer. Puis une idée m'a frappée.

– Comment allez-vous faire exploser la bombe ? ai-je demandé. Si quelqu'un est là pour l'actionner, il sautera avec.

Rellin s'est redressé d'un air fier.

– Ce sera un honneur de mourir pour que les Milagos puissent regagner leur liberté.

Incroyable ! Rellin était partant pour une mission suicide ! Il ne cherchait ni la gloire, ni le pouvoir personnel. C'était un homme bon et généreux qui se souciait davantage du bien-être de son peuple que de sa propre vie ! Il n'y avait plus rien à dire. J'ai donc quitté la hutte. Je regrettais son aveuglement, mais ressen-tais aussi un immense respect pour lui… Et il me faisait un peu peur. Si quelqu'un était fermement décidé à mourir pour la cause, un minus comme moi n'avait pas l'ombre d'une chance de l'en dissuader. Demain, cette bombe allait exploser, et je ne pouvais rien faire pour l'en empêcher.

Le mineur m'a reconduit à la hutte-hôpital. Une fois arrivé, j'ai raconté notre entretien aux autres.

– Alors c'est donc vrai, a dit Loor. Les Milagos vont devenir une tribu de puissants guerriers et mettre Denduron à feu et à sang.

– Si toutefois ils ne se font pas sauter eux-mêmes avec cette énorme bombe, ai-je ajouté.

Il restait une question de la plus haute importance. Où les Milagos comptaient-ils faire exploser leur bombe ? Ils ne pouvaient pas le faire par ici sous peine de réduire en cendres leur propre village. Ils étaient peut-être des primitifs, mais avaient certainement envisagé ce petit détail. Donc, ils devaient prévoir de la faire détoner près du palais bedoowan. Mais comment pourraient-ils réussir un coup pareil ? Ils ne pouvaient pas vraiment la poser sur le seuil, sonner à la porte et filer à toutes jambes. À peine seraient-ils à cent mètres du palais que les chevaliers bedoowans les intercepteraient. Ils devaient avoir un plan, mais lequel ?

La réponse s'est révélée si simple que je me demande comment je ne l'avais pas devinée par moi-même.

Le lendemain, un bruit familier nous a réveillés, une sorte de pulsation grave et constante. Je dormais encore et, au début, elle s'est infiltrée jusque dans mes rêves. Dans ceux-ci, je me retrouvais au beau milieu d'une bataille. Des explosions retentissaient sans arrêt tout autour de moi ; où que j'aille, il y avait toujours une bombe qui me sautait à la figure. J'avais l'impression d'être en plein milieu d'un champ de mines. Mais au fur et à mesure que je me réveillais, j'ai pris conscience que je n'étais en réalité que dans la hutte-hôpital du village milago. Et pourtant, le bruit continuait. Qu'est-ce que ça pouvait être ? Je suis resté allongé quelques secondes, à chercher où je l'avais déjà entendu. Puis soudain, j'ai compris. À cette idée, j'ai fini de me réveiller en sursaut. Je me suis redressé pour constater que les autres étaient déjà debout et regardaient par la petite fenêtre de la hutte. Inutile de leur demander ce qu'ils voyaient : je le savais déjà.

C'était le roulement de tambours qui indiquait aux Milagos qu'une cérémonie de Transfert allait avoir lieu. Je m'imaginais très bien le percussionniste solitaire debout sur sa plate-forme au beau milieu du village milago en train de frapper régulièrement sur son tambour. Ce n'était pas un souvenir particulièrement agréable, puisqu'il se terminait par la mort du malheureux mineur milago. J'ai sincèrement espéré que celui-ci ne se conclurait pas de la même façon.

J'ai bondi de mon lit et rejoint l'oncle Press à l'une des fenêtres. Loor et Alder étaient à l'autre. Notre hutte n'était pas très loin de la clairière citée au centre du village milago. Nous étions aux premières loges.

La scène était douloureusement familière. Les villageois milagos se sont lentement rassemblés autour de la plate-forme centrale. La balance était déjà en place, prête à peser la prochaine victime ; le batteur était là, appelant le peuple ; et une poignée de soldats bedoowans armés de lances se tenaient à côté de la plate-forme. Soudain, le percussionniste a cessé de battre son rythme lancinant, et un silence lourd de significations est retombé sur le village. Alors, comme un effet dramatique, j'ai entendu un cheval au galop. Mallos était en chemin. La foule s'est écartée, il a foncé vers la plate-forme, puis est descendu de selle sans même attendre que son cheval se soit immobilisé.

Comment pouvait-on être aussi impitoyable ? Qu'est-ce qui pouvait bien le pousser à semer la terreur et la chaos partout où il passait ? Était-ce pour le plaisir ? Est-ce qu'il en retirait une certaine jouissance ? N'existait-il que pour faire le mal, sans autre justification ? Il devait bien y avoir une réponse à ces questions, mais elle devrait attendre, parce que le rideau était sur le point de se lever.

— Où est l'azur ? a braillé Mallos. Pourquoi m'a-t-on convoqué avant que l'azur ne soit prêt à être transféré ?

Il a parcouru la foule des yeux, attendant une réponse, mais personne ne lui en a donné. Personne n'a seulement osé croiser son regard. J'ai vraiment eu peur qu'il entre dans une fureur telle qu'il envoie ses chevaliers foncer dans le tas, mais heureusement, il ne s'est rien produit de tel. Rellin a fait un pas en avant. Le chef des mineurs m'a semblé calme et posé.

– Mallos, a-t-il dit, j'ai là des nouvelles qui, je l'espère, vous mettront en joie.

Mallos lui a décoché un regard lourd de suspicion, puis s'est avancé jusqu'à se retrouver face à face avec le chef des mineurs.

– Où sont-ils, Rellin ? a-t-il craché. Je sais qu'ils sont là. Si tu me les caches, tu ne peux même pas imaginer le châtiment qui vous attend tous.

Mallos parlait de nous. Il semblait furieux à l'idée que nous ayons pu nous échapper et accusait les Milagos de nous dissimuler. Nous nous sommes regardés, tous les quatre, mais nous n'allions certainement pas nous dénoncer. Rellin a bien agi. Il ne s'est pas dégonflé.

– C'est ce que je voulais vous dire, a-t-il répondu. Nous sommes désolés de tous les problèmes que ces intrus vous ont causés. Nous les avons pris pour des amis, mais nous nous trompions. Et maintenant que nous savons qu'ils ont importuné notre reine Kagan, eh bien, cela fait d'eux nos ennemis.

Il voulait rire ou quoi ? Après m'avoir dit qu'il allait nous libérer, comptait-il nous donner à Mallos et ses chevaliers ? Je n'aurais jamais cru que Rellin soit un menteur, mais cela n'annonçait rien de bon. De toute évidence, Mallos ne voyait pas non plus où il voulait en venir. Il l'a toisé d'un air suspicieux et a demandé entre ses dents serrées :

– Où sont-ils ?

– Je ne sais pas, a répondu Rellin. Mais quand nous les aurons trouvés, nous vous les amènerons sur-le-champ.

Bon, d'accord, tout compte fait, ce n'était pas un menteur. Ou du moins, il ne m'avait pas menti à *moi*. Mais s'il ne voulait pas nous donner, que pouvait-il bien mijoter ?

– Entre-temps, a continué Rellin, en guise d'excuse pour tous les soucis que nous vous avons causés, à vous, à la reine Kagan et à tous les Bedoowans, nous avons l'honneur de vous offrir un cadeau.

Il a fait un geste, et la foule s'est fendue. Trois mineurs se sont avancés. Ils portaient la livraison d'azur. Mais ce n'était pas un chargement ordinaire. Ils poussaient un wagonnet entier débordant du précieux minerai ! C'était assez spectaculaire. L'engin était rempli des pierres d'azur les plus grosses et les plus brillantes que j'aie jamais vues.

— Hier, nous sommes tombés sur un nouveau gisement assez prometteur, a fièrement dit Rellin. C'est ça, la bonne nouvelle. Et il nous fournira plus de minerai que nous n'aurions jamais pu l'espérer. Pour remplir ce wagonnet, nous avons mis une journée et une nuit, et je peux vous dire qu'il y en a bien d'autres à venir, et tous aussi pleins !

Mallos m'a paru impressionné. Et il pouvait l'être. C'était un sacré chargement.

— Voilà notre cadeau, a dit Rellin. En échange, je ne vous demande qu'une chose.

— Quoi ? a aboyé Mallos.

— Que je puisse le présenter en personne à la reine Kagan, a-t-il répondu. Je comprends qu'un humble mineur milago ne peut entrer dans le palais, mais peut-être puis-je transporter ce chargement dans le stade ? Ce serait un honneur pour moi de présenter ce cadeau à la reine des Bedoowans, surtout en lui en promettant encore davantage.

Rellin était génial. Il jouait de Mallos comme d'un violon, et celui-ci allait mordre à l'hameçon. Bien sûr, nous savions tous ce qu'il en était réellement. Ce wagonnet n'était pas rempli d'azur. D'après moi, si on retirait le quart du minerai, on tomberait sur le chargement de tak. Oui, Rellin avait bien trouvé un moyen de faire entrer sa monstrueuse bombe dans le palais des Bedoowans. C'était une réédition de l'histoire du cheval de Troie, lorsque les Grecs, alors en guerre contre les Troyens, leur avaient fait cadeau d'un énorme cheval en bois. Sauf que celui-ci était creux et bourré de soldats grecs. Une fois que les Troyens ont fait entrer le cheval dans la ville, les soldats en sont descendus, ont pris les Troyens par surprise et leur ont fait une grosse tête.

Mais ce cheval de Troie-là ne contenait pas de combattants. Uniquement un explosif hyper-dangereux qui allait raser le palais des Bedoowans et probablement aussi le village milago. C'était un plan génial – et démentiel. Mais une question restait : Mallos allait-il tomber dans le panneau ?

Il a contemplé l'amas d'azur. Il est allé plonger sa main dans la masse de pierres précieuses. J'ai vu Rellin se crisper, mais il n'a rien dit. Mallos a retiré sa main et enserré une poignées de pierres bleues. Puis il s'est tourné vers Rellin.

– Pourquoi ne veux-tu annoncer la nouvelle qu'à la reine Kagan ? Je crois que le peuple bedoowan tout entier devrait se rassembler dans le stade pour recevoir ce cadeau et écouter ta promesse.

Rellin a retenu un sourire et dit :

– Oui, c'est la sagesse même.

Incroyable. Non seulement Mallos allait faire entrer la bombe dans la forteresse, mais en plus il allait rassembler les Bedoowans autour d'elle.

Mallos est remonté sur son cheval et a crié :

– Apportez-nous l'azur. Je vais préparer le stade !

Sur ce, il a éperonné son cheval et est parti à toute allure vers le château.

Rellin a regardé les mineurs qui avaient apporté la bombe. Il s'est dirigé vers le wagonnet sans la moindre démonstration de joie. Ils n'ont pas échangé un mot. Les hommes savaient ce qu'ils avaient à faire. Ils ont soulevé le lourd wagonnet et ont entamé leur longue marche vers le palais des Bedoowans. Leur mission de mort se déroulait bien.

L'oncle Press s'est détourné de la fenêtre.

– Mallos sait ce qu'il y a là-dedans, a-t-il dit.

– Tu rigoles ! me suis-je écrié. Pourquoi les laisserait-il apporter une bombe au milieu des Bedoowans ?

– Parce qu'il veut que les Milagos la fassent exploser. Peu lui importe qui gagne le combat ou qui va succomber. Son seul désir, c'est que les Milagos utilisent le tak. Si cette bombe explose, il aura réussi.

L'oncle Press avait peut-être raison. Si Mallos voulait déclencher une guerre qui plongerait Denduron dans le chaos, l'idéal était encore de laisser les Milagos provoquer leur big-bang dans la cour de récréation des Bedoowans. Pour Mallos, c'était parfait.

Nous savions tous sur quoi déboucherait une telle entreprise, mais nous ne pouvions rien faire pour l'empêcher. Pas tant que nous restions coincés dans cette hutte.

Mais pas pour longtemps. Sans prendre la peine de nous dire ce qu'elle mijotait, Loor a couru vers la fenêtre et, en un rétablissement digne d'une athlète olympique, s'est glissée par l'ouverture, les pieds en avant, pour se retrouver dehors. En quelques secondes, elle a grimpé sur le toit. Ça s'est passé si vite que nous n'avons pas eu le temps de réagir. Nous avons échangé des regards circonspects. Que comptait-elle faire ? Nous l'avons entendue marcher sur le toit jusqu'au-dessus de la porte de la hutte. Il y a eu un vague bruit de lutte ponctué de quelques grognements. Puis Loor a passé la tête par la porte.

– Maintenant, on peut y aller, a-t-elle dit d'un ton tout à fait normal.

Aucun d'entre nous ne savait ce qui s'était passé exactement, mais nous avons couru vers la porte comme un seul homme et suivi Loor à l'extérieur. Là, nous avons constaté qu'elle avait assommé les trois gardes et les avait disposés contre le mur. Son attaque avait été si fulgurante qu'ils n'avaient pas eu le temps de réagir, puis elle nous avait libérés. Tout ça en moins de vingt secondes !

C'était du beau travail, mais nous n'avions pas le temps de nous congratuler. Il nous fallait sortir du village milago sans nous faire prendre. Et en fait, ça s'est révélé plus facile que prévu. Les mineurs suivaient le plan de Rellin, c'est-à-dire qu'ils préparaient leur assaut. Dès qu'ils entendraient l'explosion, ils se rueraient vers le palais bedoowan. Ils avaient autre chose en tête que nous surveiller. Nous avons pu traverser le village et nous enfoncer dans la forêt sans le moindre mal.

Nous avons couru jusqu'à ce que nous soyions à distance raisonnable du village. L'oncle Press a alors levé la main, et nous nous sommes arrêtés le temps de reprendre notre souffle. L'oncle Press a regardé Loor et lui a dit en riant ce que nous pensions tous :

– Tu es incroyable ! Pourquoi ne nous as-tu pas dit ce que tu comptais faire ? Nous aurions pu t'aider.

Sa réponse a été conforme à son personnage :

– Je n'ai pas besoin d'aide. Au combat, la surprise est la meilleure des armes. Ces mineurs regardaient tous Mallos et Rellin. Ils ne pensaient pas à nous. Si j'avais attendu, ils auraient pu tourner à nouveau leur attention vers leurs captifs. Je ne voulais pas leur en laisser l'occasion.

– Je suis fier de toi, Loor. Et je suis sûr que ta mère le serait aussi.

– Elle m'a bien éduquée.

Ma mère ne m'avait rien appris de tel. Elle avait mis du temps à m'enseigner les bonnes manières, mais pas à désarmer et mettre K.-O. trois types deux fois plus costauds que moi. Dans ce domaine, il y avait de graves lacunes dans mon éducation.

– Et la bombe ? a dit Alder. Nous devons faire quelque chose !

L'oncle Press s'est retourné vers nous.

– Bien, la première chose à faire, c'est gagner le palais, a-t-il dit. Nous ne ferons rien d'utile en restant plantés là.

Je n'étais pas sûr que ce soit vraiment la meilleure des choses. Ce palais était une cible et, à moins que nous n'ayions vraiment l'occasion d'empêcher Rellin de faire exploser sa bombe, en nous rapprochant, nous ne faisions qu'augmenter nos chances d'être réduits en purée. Mais je n'allais pas exprimer mes doutes. En vérité, si nous voulions avoir un espoir d'arrêter Rellin, nous n'avions pas le choix.

– Alder, je veux que tu retournes au village, a dit l'oncle Press.

– Non ! s'est-il exclamé. Je veux rester avec vous.

– Écoute, a dit l'oncle Press avec fermeté, je ne sais pas si nous pourrons vraiment l'empêcher de tout faire sauter. Donc, retourne au village et proclame à qui veut l'entendre que la bombe est plus dangereuse qu'ils ne le croient. Essaie de les convaincre de se cacher dans les mines. Peut-être que sous terre, ils seront protégés.

– Mais…

– Il n'y a pas de mais, Alder. Je sais que tu voudrais nous suivre, mais si nous échouons, tu peux encore sauver quelques Milagos.

Il avait raison. Si Alder pouvait empêcher ne serait-ce qu'une personne de mourir dans l'explosion, sa mission n'aurait pas été vaine. Il devait s'en retourner.

Alder a hoché la tête. J'en ai déduit qu'il avait compris l'importance de sa tâche. Nous n'avions pas le temps de prolonger les adieux. Il y avait peu de temps que je connaissais Adler, mais je m'y étais attaché. Il était un peu maladroit, pourtant j'étais sûr et certain qu'il risquerait sa vie pour n'importe lequel d'entre nous. Je n'en doutais pas un seul instant, et j'aurais voulu pouvoir dire que je ferais de même pour lui.

– Bonne chance, Voyageurs, a-t-il dit en souriant tour à tour à chacun d'entre nous.

– À toi aussi, Alder, a répondu l'oncle Press. Fais vite !

Alder a alors tourné les talons pour courir vers le village milago. Et nous n'étions plus que trois : la guerrière, le patron et le gamin si terrifié qu'il avait envie d'aller aux toilettes. Devinez lequel était votre serviteur ?

– Venez, a ordonné l'oncle Press avant de repartir en courant pour s'enfoncer au plus profond de la forêt.

Pour l'instant, notre but était d'atteindre le palais des Bedoowans. Ensuite, eh bien, nous n'avions rien de prévu. J'imagine qu'il nous faudrait improviser une fois sur place, si nous y arrivions. Et comme nous cheminions dans les fourrés, ça nous a pris un certain temps. Loor commençait à s'impatienter, mais il valait mieux prolonger notre voyage que risquer une nouvelle capture. Le chemin nous a conduits non loin du rivage, puis nous avons rampé le long des falaises jusqu'à ce que nous soyons près de la butte qui abritait le palais bedoowan. Nous ne pouvions le voir, mais nous savions où il se trouvait, car une longue colonne de chevaliers marchaient dans sa direction. Derrière eux, les quatre mineurs tirant le wagonnet rempli d'azur et de tak. Ils avaient presque atteint la forteresse. Encore quelques minutes et ils descendraient dans le stade.

L'oncle Press a continué de progresser, se rapprochant de la forteresse. C'était assez bien vu, car personne ne s'attendait à ce que quelqu'un vienne par la mer. Les gardes restaient vigilants, mais surveillaient toujours la forêt. Nous avons pu nous glisser derrière eux et parcourir les derniers mètres en rampant sur le ventre jusqu'à atteindre le rebord du stade. Nous avions réussi. Maintenant, la question était : qu'allions-nous faire ?

Nous avons regardé vers l'arène pour voir que la file de chevaliers descendait les escaliers menant au champ. Derrière eux venaient Rellin et les mineurs peinant pour faire avancer le wagonnet. J'ai regardé tout autour du stade pour voir que deux des sections de gradins commençaient de se remplir. Les Bedoowans et les Novans prenaient place en attendant le spectacle. C'était assez horrible. Aucun d'entre eux ne pouvait deviner que l'attraction principale serait leur propre destruction. J'ai regardé la section réservée aux Milagos pour constater qu'elle était déserte. Quelle surprise. Ils savaient ce qui allait se passer et ne voulaient pas s'en mêler. Puis je me suis tourné vers Loor et l'oncle Press. Ils ne disaient rien. Ce qui ne pouvait avoir qu'une signification : ils ne savaient pas quoi faire. Je me suis dit, en un éclair, que nous pouvions toujours dévaler les escaliers en hurlant à tout le monde de filer d'ici s'ils tenaient à la vie. Mais dans ce cas, Rellin n'aurait qu'à s'arrêter, enclencher l'interrupteur de sa bombe artisanale, et ce serait la fin des haricots. Ça ne marcherait jamais. Mais si nous voulions inventer un plan plus efficace, nous avions intérêt à faire vite, parce que Rellin et les mineurs venaient d'atteindre le champ et s'apprêtaient à traîner le wagonnet en son milieu.

– Si j'avais une flèche, a dit Loor, je pourrais abattre Rellin d'ici.

– Alors l'un de ses compagnons appuierait sur le bouton à sa place, a répondu l'oncle Press.

J'ai cru entendre le carillon annonçant l'arrivée de la reine Kagan. En effet, lorsque j'ai regardé sa loge, je l'ai vue arriver, accompagnée par quelques chevaliers. Comme à son habitude, elle mangeait quelque chose qui ressemblait à un steak grillé. La grande classe.

– Mallos n'est pas là, a remarqué l'oncle Press. D'après moi, il est à dos de cheval et file à bride abattue pour se trouver le plus loin possible d'ici.

En effet, Mallos restait invisible. Encore une preuve que tout se déroulait conformément à son plan.

C'est alors que j'ai eu une illumination.

– J'ai... j'ai une idée, ai-je dit sans réfléchir.

Pourtant, au moment même où je disais ça, je continuais de tout calculer, évaluant les possibilités et nos chances de réussite.

L'oncle Press et Loor m'ont regardé, mais je n'ai pas expliqué mon idée tout de suite. J'avais encore des calculs à effectuer.

– Ne prends pas trop de temps, Bobby, a dit l'oncle Press. Nous n'en avons pas.

– Bon, bon, ai-je répondu nerveusement. Il y a peut-être un moyen, mais si nous échouons, nous sommes tous morts.

– Nous le serons de toute façon, a remarqué Loor.

Bien vu. J'ai regardé le stade et ai réalisé que j'allais me porter volontaire pour faire quelque chose de complètement dingue. J'y laisserais probablement la vie. Mais si je ne faisais rien, nous mourrions tous, c'était sûr. Mieux valait courir ce risque.

– Je crois savoir comment interrompre cette petite fiesta, ai-je dit avec toute la confiance que j'ai pu rassembler, ce qui n'était pas grand-chose.

Avant que j'aie pu dire un mot de plus, deux notes de carillon ont retenti, et la foule s'est tue. Rellin et les mineurs sont allés se tenir près de leur cadeau empoisonné. La reine Kagan a laissé tomber son steak et s'est penchée pour regarder en bas.

– Dites-moi ce que vous m'avez apporté ! a-t-elle crié d'une voix avide.

Si je devais agir, c'était maintenant ou jamais.

Journal n° 4
(suite)

DENDURON

– Bonjour, reine Kagan ! a crié Rellin au centre de l'arène.

C'était probablement la première fois qu'un mineur milago s'adressait à un monarque bedoowan. La première et sans doute la dernière. Rellin avait attiré l'attention du stade tout entier. Pourvu qu'il ait beaucoup de choses à leur dire, parce que s'il décidait de couper court et d'actionner l'interrupteur, mon plan ne pourrait jamais fonctionner. Mais s'il profitait de l'occasion pour dire ce qu'il avait sur le cœur et faire une sorte de grand discours politique qui entrerait dans l'histoire, peut-être aurais-je une chance.

Pour que mon plan marche, nous devions accomplir chacun une tâche particulière. Malheureusement, la mienne était probablement la plus dangereuse, mais c'était la seule que je puisse accomplir. Quel bol !

J'ai rapidement exposé mon idée à l'oncle Press et à Loor. Ils n'ont même pas pris le temps de discuter. Ce n'était plus d'actualité : comme personne n'avait mieux à proposer, mon plan était adopté. D'abord, nous devions nous séparer, tous les trois. Avant que nous n'ayons l'occasion de dire au revoir ou de nous souhaiter bonne chance, Loor s'en est allée en courant. Classique. L'oncle Press n'a pas manifesté la même hâte. Il est resté assez longtemps pour me lancer un regard d'inquiétude parentale. Je me suis senti obligé de déclarer quelque chose d'important, mais tout ce que j'ai trouvé à dire, c'est :

– J'aurais vraiment voulu que tu me laisses aller à mon match de basket.

Bon, ce n'était pas la déclaration la plus éloquente qui soit, mais elle exprimait parfaitement ce que je ressentais.

Il a souri et dit :

– Oh, non.

Puis il est parti en courant.

J'ai hésité un moment parce que, eh bien, j'avais la frousse. Mais je devais aussi réfléchir à ce que l'oncle Press venait de dire. C'est sûr : si j'étais allé à mon match, je ne serais pas là, confronté à une mort imminente. Mais ce n'est pas la direction que j'ai empruntée. C'est dur à expliquer, parce que moi-même ne suis pas sûr de comprendre, mais, aussi sombre que soit notre situation, j'ai eu l'impression d'être à ma place. Croyez-moi, je ne peux pas dire que je m'amusais comme un petit fou. Loin de là. Mais quand j'ai pris quelques secondes pour étudier mes sentiments, j'ai eu l'étrange impression d'être au bon endroit, non, au *seul* endroit possible. Quel est le mot d'ordre des Voyageurs ? « Tout est comme il doit être » ou « C'était écrit ». Bon, c'est assez nul comme devise, mais je l'ai vraiment pris à mon compte. Je ne veux pas avoir l'air mélodramatique, mais le mot qui m'est venu à l'esprit est celui de « destinée ». Peut-être était-ce ma destinée. Maintenant, je pouvais espérer qu'un jour j'aurais l'occasion de jouer encore un match de basket. Mais ça ne risquait pas d'arriver si je restais planté là. Alors, j'ai bondi et suis allé remplir mon rôle dans ce plan que j'avais moi-même concocté.

Pendant que je courais au bord du stade, je ne redoutais pas de me faire repérer, car tout le monde fixait Rellin. Pour les Bedoowans, voir ce mineur milago interpeller leur reine devait être impensable. Et d'ailleurs, ils n'auraient jamais assisté à un tel spectacle si Mallos ne l'avait pas orchestré. J'imagine que c'est ce que voulait dire l'oncle Press lorsqu'il insinuait que Mallos s'arrangeait toujours pour que quelqu'un d'autre fasse le sale boulot à sa place. Eh bien, Rellin allait définitivement se charger de son sale boulot.

Apparemment, le chef des mineurs était sur le point de faire un discours. Parfait. Pourvu qu'il soit assez long, parce que je n'avais pas la moindre idée du temps qu'il me faudrait pour mener à bien mon plan.

– Mon don a beaucoup plus de valeur que cet azur qui se trouve devant vous, a-t-il crié de toute la force de ses poumons. Plus que tout le minerai que nous avons jamais extrait de ces mines. C'est la promesse d'un avenir meilleur pour tous les peuples de Denduron !

Un peu mélodramatique, non ? Mais après tout, pourquoi pas ? De toute façon, il ne comptait pas attendre l'avis des critiques. C'était son heure de gloire. Continue, Rellin, ai-je pensé. Profites-en au maximum.

Tout en courant, j'ai vu que L'oncle Press et Loor avaient déjà accompli la première partie du plan. Chacun d'entre eux s'était glissé derrière un chevalier bedoowan, l'avait assommé et s'était emparé de son armure. Ils en auraient besoin pour descendre jusqu'au stade sans se faire repérer. Voilà pourquoi je leur avais confié cette tâche. Moi, je n'aurais jamais pu réussir un coup pareil. Et si, par Dieu sait quel miracle, j'y étais parvenu, j'étais trop petit. Si j'avais passé une de ces armures, j'aurais eu l'air d'un gamin endossant les fringues de son père.

Non, j'avais mieux à faire, et je savais très bien où je devais me rendre. J'y étais allé pas plus tard qu'hier. À ce moment-là, je m'étais promis de ne plus jamais y retourner, et pourtant c'est ce que je m'apprêtais à faire. Le trajet ne m'a pris que quelques minutes. J'étais assez rapide, et trois cents mètres n'étaient rien pour moi. Mais alors que j'étais presque arrivé, j'ai eu une hésitation. Je me suis dit que peut-être, si je courais assez loin et assez vite, je pourrais survivre à la déflagration. Mais cette pensée n'a duré que l'espace d'un instant. Pas question de me dégonfler.

À ce stade, ce n'était même plus la bombe qui me faisait peur. C'est que j'étais arrivé à destination : cet horrible trou qui s'ouvrait sur les profondeurs de l'enclos des quids.

Ouaip, si je voulais que mon plan fonctionne, je devais descendre là-dedans, me frayer un chemin dans le repaire de quigs affamés et gagner le stade. Et je n'avais pas mon fidèle sifflet pour me protéger. Ça ne serait pas du mille feuille. Je suis resté planté au pied du trou le temps de rassembler le courage nécessaire pour descendre dans ce champ de mines. L'échelle de corde était enroulée au fond du trou, là où elle était tombée hier. Mais la grosse corde que Loor avait escaladée pour s'échapper était toujours en place. C'était comme ça que j'allais descendre. Il était temps d'arrêter de me ronger les sangs et de mettre le turbo, parce que Rellin pouvait appuyer sur ce bouton à tout instant. J'ai donc agrippé la corde, passé mes jambes par-dessus l'ouverture et suis descendu dans cet enfer.

Une fois au fond, la première chose qui m'a frappé, c'est l'odeur – aussi abominable que dans mes souvenirs. Puis j'ai réalisé que j'avais mis le pied dans une flaque d'une substance brune et visqueuse. Quand j'ai compris de quoi il s'agissait, j'ai bien failli vomir tripes et boyaux. C'était le sang coagulé du quig que l'oncle Press avait embroché. J'ai contrôlé mon estomac et regardé autour de moi. Le monstre blessé n'était pas là. Peut-être était-il mort. Ou mieux, peut-être que les autres quigs l'avaient dévoré. C'est incroyable la façon dont mon esprit fonctionnait depuis quelque temps.

Mon objectif suivant était de gagner la porte du stade le plus vite possible. Pour ce faire, je ne pouvais pas vraiment me faufiler entre les enclos des quigs. Non, il fallait que je fonce. Je me suis donc mis à courir dans la direction qu'il me semblait avoir empruntée le jour d'avant. La traversée de ce labyrinthe a été terrifiante. À chaque tournant, je m'attendais à tomber sur un monstrueux quig, la gueule grande ouverte, prêt à me dévorer tout cru. J'étais tellement dopé à l'adrénaline que je n'aurais pas pu ralentir, même si je l'avais voulu. J'aurais dû être épuisé, et pourtant je continuais d'avancer. La terreur peut avoir ce genre d'effet. Si je ne me faisais pas bouffer par un quig, la bombe me réduirait en miettes. Je ne savais pas lequel des deux serait le plus douloureux. J'imagine que la bombe serait plus rapide. Mais j'ai repoussé ces pensées morbides. Mon but était de rester en vie, pas de choisir la mort la moins douloureuse.

Encore quelques tournants et j'ai vu l'entrée du stade. J'avais réussi ! Croyez-moi, je n'aurais jamais cru arriver jusque-là. J'ai foncé vers la grande porte et collé mon oreille contre le panneau.

J'ai entendu que Rellin continuait son discours. Parfait. Mais j'attendais aussi un autre bruit. J'avais chargé Loor de descendre dans ce stade et d'ouvrir cette même porte de l'extérieur. Ça ne serait pas si facile, car si quelqu'un la voyait soulever le lourd loquet, il y avait de fortes chances qu'il donne l'alerte. Tout était question de minutage. Si elle ouvrait la porte trop tôt, mon plan serait voué à l'échec. Si elle l'ouvrait trop tard, idem. Nous n'avions qu'une toute petite chance, et le moment ne cessait de se rapprocher.

J'ai écouté de nouveau, et l'ai enfin entendue. Deux coups secs contre la porte. C'était le signal. Loor se trouvait là, de l'autre côté du panneau. Parfait ! Maintenant, elle n'avait plus qu'à attendre mon propre signal pour ouvrir la porte. Bien sûr, sinon, elle n'aurait aucun moyen de savoir si j'étais là où pas. Pour autant qu'elle sache, j'aurais pu finir en pochette-surprise pour un quig en maraude. Et pourtant, je savais que, pour elle, ça n'importait pas vraiment. Elle resterait là jusqu'à ce que je lui fasse signe d'ouvrir la porte ou que la bombe explose. Quoi qui arrive en premier.

Maintenant, le plus dur restait à faire. Tout ce que j'avais effectué jusque-là était de la gnognotte comparé à ce qui m'attendait. J'ai regardé autour de moi, cherchant quelque chose qui puisse m'aider, et ai trouvé le bouclier de métal qu'un chevalier bedoowan avait laissé tomber hier avant de finir en casse-croûte pour le quig. J'avais aussi besoin d'autre chose. J'espérais trouver une lance, mais, Dieu sait pourquoi, il n'y en avait pas. Mais l'heure tournait et je devais agir, vite. À force de scruter les lieux, je suis tombé sur ce qu'il me fallait. À la simple idée de m'en servir, mon estomac s'est soulevé, mais ce n'était pas le moment de faire ma chochotte. Donc, je l'ai ramassé. C'était un os. Un tibia humain. C'était dégoûtant et, en même temps, c'était exactement ce qu'il me fallait. Au moins, celui-là n'était pas prolongé d'un pied. J'ai ravalé mon dégoût, fait quelques pas en arrière dans la caverne et fait sonner la cloche du déjeuner.

Oui, vous avez compris, j'allais servir d'appât. Je me suis servi du tibia pour taper sur le bouclier dans l'espoir de réveiller les quigs qui avaient continué leur sieste pendant que je courais comme un dératé peu de temps auparavant.

– Venez ! ai-je crié. À table ! La viande est servie !

Si on y réfléchissait bien, c'était de la folie furieuse. Je faisais tout pour attirer une bête qui avait déjà dévoré trois personnes et n'hésiterait pas à me faire subir le même sort. Mes mains tremblaient de peur. Qui avait eu cette idée à la noix, déjà ? Oh, oui, c'est vrai. C'était moi.

J'ai continué à cogner sur le bouclier pour que ce vacarme résonne dans les tréfonds de la caverne. Une autre pensée terrifiante m'a traversé l'esprit : et s'ils pouvaient m'entendre de l'autre côté de la porte ? S'il avait le moindre soupçon, Rellin actionnerait l'interrupteur et ce serait la fin des haricots.

– Allez, bande de nuls ! ai-je crié. C'est moi qui ai tué votre pote, là-haut, sur la montagne ! Venez me chercher !

Il est arrivé sans crier gare. Hier, quand le quig chassait l'oncle Press, il s'était approché lentement, prudemment, jusqu'à ce qu'il soit assez près pour frapper. Mais ce n'est pas ce qui s'est passé. Des profondeurs du labyrinthe m'est parvenu le cri d'un quig qui fonçait sur moi à toute allure ! Peut-être est-ce le bruit irritant du bouclier qui l'a poussé à charger. Ou mes braillements. Je ne le saurai jamais, mais en tout cas ça a marché du tonnerre. Un quig se précipitait sur moi comme une furie. J'ai entendu ses énormes pattes marteler la surface rocailleuse alors qu'il s'approchait pour me mettre en pièces.

C'était le moment ou jamais. J'avais une chance à saisir. Il fallait que Loor s'empresse d'ouvrir la porte, ou j'étais fichu. J'ai laissé tomber le bouclier, couru vers l'entrée et lancé le message codé indiquant à Loor qu'il était temps d'agir.

– Ouvre cette fichue porte ! ai-je crié de toute la force de mes poumons.

Ça, c'est du signal secret ! Loor a compris tout de suite. En posant l'oreille contre le battant, je l'ai entendue triturer le lourd cadenas. Le même que deux chevaliers avaient eu du mal à soulever. Pourvu qu'elle soit assez forte pour y arriver ! L'oncle Press aurait pu l'aider, mais il avait sa propre tâche à accomplir et n'était certainement pas dans les parages. Tout dépendait de Loor.

– Dépêche-toi ! ai-je crié.

Cette fois-ci, je me fichais d'avoir l'air confiant et détendu. Je voulais qu'elle sache que j'étais à deux doigts de finir en pâtée pour chiens. J'ai entendu un rugissement, me suis retourné et ai vu le quig. Ses yeux jaunes jetaient des éclairs tandis qu'il fonçait vers la lumière, de plus en plus vite, avide de carnage. Il était si près que je pouvais voir des gouttes de bave s'échapper de sa gueule ouverte. Cette chose était affamée, et elle avait trouvé un casse-croûte : moi. Je me suis adossé à la porte dans l'espoir qu'elle s'ouvrirait. En vain. J'ai entendu Loor se débattre avec le loquet. Si elle tardait trop, quelqu'un finirait bien par la repérer. Ou Rellin actionnerait l'interrupteur. D'une façon ou d'une autre, dans quelques secondes, tout serait terminé.

Le quig s'est recroquevillé sur lui-même, prêt à bondir.

– Si tu n'ouvres pas ce battant, ai-je hurlé, ce monstre va...

À ce moment, la porte s'est ouverte dans un grand craquement, et je suis tombé en arrière. C'est alors que le quig a bondi, mais comme je venais de m'étaler, il est passé au-dessus de moi pour retomber dans le stade. Je vous jure que ses pattes m'ont frôlé de si près que j'ai senti le courant d'air ! J'ai sauté sur mes pieds et couru dans l'arène pour voir la suite des événements. Ces quelques secondes seraient critiques. Tout dépendait de ce qu'allait faire le quig... et l'oncle Press.

Dans le stade, c'était le chaos. La bête était incontrôlable. Plusieurs chevaliers bedoowans se sont précipités dans l'arène pour tenter de le capturer, ou de le tuer. J'ai remarqué que deux d'entre eux s'en étaient pris à Loor, mais ils avaient plus important à penser. Ils l'ont laissée pour s'occuper du quig. Je l'ai aidée à se relever, et nous nous sommes cachés près de la porte béante. Le gigantesque quig avait choisi de passer de la défense à l'attaque. Je ne sais qui commettait le plus de dégâts : lui ou les chevaliers. À chaque fois qu'ils lui jetaient une lance, le monstre abattait deux chevaliers. La colère, la douleur et le sang le rendaient fou. Mais l'essentiel, c'est que cet affrontement avait eu exactement l'effet désiré. Il avait interrompu ce qui se passait dans le cercle.

J'ai regardé au centre de celui-ci pour voir ce que faisait Rellin. L'apparition brutale du quig devait l'avoir pris de court, parce qu'il restait planté là, à regarder la scène, et les autres mineurs avec lui. Ça n'a pas duré. Il est sorti de sa transe et s'est dirigé vers le wagonnet rempli de tak. Nous y voilà. C'était le moment de vérité. Il allait enclencher l'interrupteur.

Du coin de l'œil, j'ai vu un éclair noir se diriger vers Rellin. C'était une lance. Le missile a atteint le chef des mineurs à l'avant-bras, le clouant au flanc du wagonnet. Il a poussé un cri de douleur, ou peut-être de frustration de ne pas pouvoir atteindre la bombe. Alors j'ai vu un chevalier bedoowan courir vers le wagonnet. Sauf que je savais que ce n'était pas un chevalier, mais l'oncle Press. Il cherchait à atteindre le détonateur. Rellin ne pouvait pas bouger, mais les autres mineurs si. Ils ont compris ce que l'oncle Press cherchait à faire et l'ont attaqué. Mais ces simples mineurs n'étaient pas de taille face à mon oncle. Il s'est transformé en un tourbillon de bras et de jambes et les a envoyés mordre la poussière, l'un après l'autre. Il ne les laisserait jamais s'approcher du détonateur.

C'était un spectacle incroyable. Les chevaliers bedoowans avaient presque tué le quig et l'oncle Press avait dégommé Rellin et les mineurs. Je n'arrivais pas à y croire. Mon plan avait fonctionné ! Au moment même où je commençais à croire que nous avions évité le pire, un nouveau rebondissement m'a fait changer d'avis. J'avais oublié qu'il y avait un autre quig dans l'enclos, et la porte était restée ouverte. Le second quig a fait irruption dans le stade, et il était tout aussi furieux que le premier. Mais les chevaliers étaient à bout et n'avaient plus ni la force, ni la volonté de remettre ça. Ce serait un massacre. Rien ne pouvait arrêter ce monstre sanguinaire… sauf l'oncle Press.

Celui-ci en avait fini avec le dernier mineur. Avec des gestes rapides, mais précis, il a retiré la petite bombe du wagonnet bourré de tak. Rellin a fait de son mieux pour l'en empêcher, mais il était toujours cloué sur place et pouvait à peine bouger. Le quig s'est accroupi, bien campé sur ses quatre pattes, et a examiné la scène. Il cherchait une victime, et n'a pas tardé à la choisir : l'oncle Press.

– Oncle Press ! ai-je crié.

Il a levé la tête pour voir le quig foncer sur lui à toute allure. Sans une hésitation, il a jeté la petite bombe vers le monstre. Je ne sais s'il a actionné l'interrupteur alors même qu'il la lançait, mais le résultat fut spectaculaire – et sanglant. La petite bombe a frappé le quig en plein vol et a explosé. La force de la déflagration a déchiré la bête comme du papier de soie, projetant des morceaux de chair sur tout le terrain. C'était à la fois écœurant et magnifique. Le quig était mort et plus personne ne pouvait faire sauter le wagon de tak.

Un calme étrange est retombé sur le stade. On aurait dit que personne ne comprenait ce qui s'était passé ou ce qu'il convenait de faire maintenant que tout semblait terminé. Après leur combat, plusieurs chevaliers bedoowans étaient blessés ou épuisés. Du haut de sa loge, Kagan contemplait le carnage. Elle devait être vraiment choquée, car elle en oubliait de bâfrer. Les spectateurs bedoowans étaient muets de stupéfaction. Ils ne savaient pas si tout ce cirque était prévu ou si c'était le résultat d'une tragique erreur. Seuls les Novans ont réagi. Ils ont applaudi poliment, comme toujours. Trop aimable à eux.

Je me suis tourné vers Loor :

– Pourquoi as-tu mis si longtemps à ouvrir cette porte ?

– J'avais deux chevaliers sur le dos, a-t-elle répondu.

Non seulement elle avait soulevé ce lourd loquet, mais elle l'avait fait tout en repoussant deux chevaliers. L'oncle Press a marché vers Rellin et retiré la flèche de son bras pour le libérer, puis il lui a tendu un chiffon pour panser sa plaie. Loor et moi l'avons rejoint. Personne ne savait que dire. Impossible de discerner si Rellin était furieux, déçu ou s'il souffrait. Ou les trois à la fois.

C'est alors qu'il s'est mis à rire.

C'était bien la dernière réaction que j'attendais de sa part. C'était le même rire dément qu'il avait eu dans la mine. Comme s'il savait quelque chose que nous ignorions. Une fois de plus, il m'a flanqué le frisson.

– Vous croyez que tout est fini, mais vous vous trompez, a-t-il fini par déclarer.

– C'est fini, a insisté l'oncle Press. Maintenant, tu ne peux plus faire sauter ce tak.

Rellin n'en a ri que plus fort. Qu'avait-il en tête ?

– Mais le tak qui est dans ce wagon n'est pas tout, a-t-il dit. Notre arme principale est peut-être hors service, mais le signal a tout de même été donné. Par toi, Press, mon ami.

Nous nous sommes regardés tous les trois, abasourdis. Que racontait-il ? Puis j'ai compris. Je me suis souvenu de ce que Rellin m'avait dit la nuit d'avant. Dès que les mineurs entendraient l'explosion, ils passeraient à l'attaque. C'était ça, leur signal. Et il y avait bien eu une explosion. Bon, ce n'était pas le big-bang qu'ils attendaient, mais elle restait relativement sonore. Les entrailles de quig qui jonchaient l'herbe pouvaient en témoigner. Les mineurs milagos l'avaient-ils entendu ? J'ai aussitôt eu la réponse à ma question. Un cor a retenti, tout en haut du stade. Tous ont levé les yeux. Un chevalier bedoowan solitaire se tenait sur le rempart.

– Les Milagos ! a-t-il crié à la cantonade. Ils attaquent !

Aussitôt, les chevaliers bedoowans se sont mis en mouvement. Ceux qui avaient combattu le quig avec bravoure ont sauté sur leurs pieds, même les blessés. Ils ont ramassé leurs lances, rajusté leurs casques et escaladé au pas de course les marches du stade.

– Regardez ! a crié Loor en désignant la loge royale.

Nous avons alors vu d'autres chevaliers venus de l'intérieur du palais qui se massaient pour aller aider leurs collègues. Ils étaient des centaines ! Debout sur son trône, la reine Kagan riait en battant des mains comme une gamine pour les encourager. Pour elle, ce n'était qu'un jeu. Elle ne comprenait même pas que ces hommes allaient mener une bataille tout ce qu'il y avait de réelle. Ou peut-être s'en moquait-elle.

Maintenant, les chevaliers formaient une véritable armée. Ils avaient l'air de pouvoir affronter n'importe quoi. Ils ont monté les escaliers du stade pour rejoindre leurs collègues occupés à préparer la défense du palais. Puis il s'est produit quelque chose de bizarre. Les spectateurs bedoowans se sont mis à escalader les marches, eux aussi. Ils riaient et discutaient gaiement en attendant le spectacle. À leur tour, les Novans les ont suivis. C'était incroyable. On aurait dit qu'ils voulaient assister à la bataille. Pensaient-il qu'il s'agissait d'un grand show à leur intention, comme les combats de quigs ? Avaient-ils la moindre notion de ce qui allait vraiment se passer ?

– Nous n'avons peut-être pas réussi notre coup d'éclat, a déclaré Rellin, mais la révolution est bien en marche. Nous sommes armés de tak et nous allons l'emporter. Tous vos efforts ont été vains. La bataille va commencer.

Journal n° 4
(suite)

DENDURON

L'essentiel de ce que je vais vous raconter maintenant est tiré de ce que j'ai entendu après la bataille. Comme je l'ai déjà écrit, je ne doute pas de la véracité de ces faits et, donc, je ne vois pas d'inconvénients à les inclure dans ce journal. Je vais tenter de tout remettre dans l'ordre chronologique.

Lorsque Alder nous a quittés pour avertir les villageois milagos du potentiel de destruction de la bombe, personne n'a voulu l'écouter. Il s'est mis à courir à travers le village en criant :

– Vite ! Tous aux mines ! Vous devez vous protéger !

Je présume que les villageois n'étaient pas au courant de l'existence du tak ou de l'énorme bombe qui devait faire sauter la forteresse des Bedoowans. Ainsi, lorsque Alder s'est mis à cavaler dans tous les coins comme un poulet sans tête, ils lui ont fermé leurs portes au nez et l'ont ignoré. Et je ne peux les en blâmer. Si un type venait claironner que le ciel allait nous tomber sur la tête, je ferais sans doute de même. Alder a vite réalisé la futilité de sa tentative. Son dernier espoir était d'aller trouver les dernières personnes susceptibles de l'écouter : les mineurs qui se préparaient au combat. Ils savaient ce qu'était le tak et connaissaient le plan démentiel de Rellin. Il s'est donc précipité vers le champ de tir où Rellin et les mineurs nous avaient capturés le jour d'avant.

Une vision assez effrayante l'y attendait. Tous les mineurs milagos s'étaient rassemblés. Il y en avait des centaines. S'ils nous avaient semblé moins nombreux durant notre séjour au village, c'est parce que la plupart d'entre eux étaient dans la mine. Mais pas aujourd'hui. Ils étaient tous à la surface et prêts à la bagarre. D'après Alder, ils avaient vidé leur cache d'armes, planquée tout au fond de la mine, et chacun d'entre eux portait une lance ou un arc et des flèches. Mais surtout, plusieurs étaient munis d'une arme autrement plus dangereuse. Ils portaient à la taille des sacs de cuir remplis de petites bombes de tak.

Alors qu'Alder traversait la foule, cherchant qui était aux commandes, il a regardé dans les yeux de ces mineurs endurcis. Toujours d'après lui, ce qu'il y a vu l'a glacé. Ces gaillards allaient se jeter à corps perdu dans une bataille qui pouvait leur coûter la vie, mais ils n'avaient pas peur. J'imagine qu'une vie de privations peut avoir ce genre d'effet. Ils voulaient du sang. Celui des Bedoowans. Ce n'étaient pas des guerriers bien entraînés, mais ils compensaient par la force de leur haine envers leurs ennemis héréditaires. Et ils avaient confiance. Ils s'imaginaient que, lorsque la bombe de Rellin exploserait, la plupart des chevaliers seraient tués sur le coup. Ceux qui restaient seraient facilement abattus grâce au tak. Ils croyaient que la bataille serait courte et facile.

Ils se trompaient du tout au tout.

Alder a fini par trouver le leader. C'était un mineur qui se tenait sur le devant du groupe et distribuait des ordres. Alder s'est dirigé vers lui et a dit, à bout de souffle :

– La bombe... La bombe à tak. Elle est plus dangereuse que vous ne le croyez ! Si Rellin réussit, il peut nous tuer tous ! Nous devons tous descendre dans la mine pour...

C'est là que ça s'est produit. À ce moment précis, l'oncle Press a jeté sa bombe et fait de la compote de quig. Les mineurs se sont tous tournés dans la direction du château bedoowan alors que le tonnerre de l'explosion roulait dans les collines. Puis, alors que le dernier écho mourait dans le lointain, leur chef a crié :

– Mort aux Bedoowans !

Les mineurs l'ont acclamé et se sont mis à courir en direction du château. Alder a dû s'écarter pour ne pas se faire piétiner par les mineurs survoltés. Ils ne savaient pas qu'ils allaient affronter le gros des troupes bedoowans.

Le stade était presque vide. Même la reine Kagan était allée assister au spectacle. Quatre Novans avaient soulevé son trône et l'avaient transporté en haut des escaliers vers le champ de bataille. Ces petits bonshommes blêmes devaient être plus forts qu'ils en avaient l'air, parce que le poids combiné du trône et de ce gros lard assis dessus devait avoisiner une tonne. Les trois mineurs qui accompagnaient Rellin pour livrer la bombe avaient filé à l'anglaise pour combattre aux côtés de leurs camarades. Dans l'immense stade, il n'est plus resté que moi, Loor, l'oncle Press, Rellin et un quig mort. Ou plutôt deux quigs, même si le second ressemblait plutôt à de la sauce napolitaine.

Rellin a lutté pour se relever. L'oncle Press l'a aidé. Ils n'étaient pas ennemis. À leur façon, ils poursuivaient le même but. Ils n'étaient simplement pas d'accord sur la façon d'y parvenir.

– Tes mineurs ne sont pas préparés pour affronter ces chevaliers, lui a dit l'oncle Press. Le tak peut prolonger le combat, mais les Bedoowans finiront par les écraser.

– Peut-être, a répondu Rellin. Mais il vaut mieux mourir au combat qu'en esclave.

Ces mots ne manquaient pas de résonance. J'avais constaté l'existence que menaient les Milagos. S'il leur fallait mourir, au moins ils périraient dignement. C'était un terrible choix, mais c'était peut-être le bon.

– Me permettez-vous de rejoindre mes hommes ? a demandé Rellin.

L'oncle Press a ramassé la lance qui lui avait servi à empêcher Rellin de faire exploser la bombe. Il l'a regardée, puis l'a tendue au chef des mineurs.

– Bonne chance.

Rellin a pris la lance, hoché la tête en signe de gratitude, puis est parti en courant rejoindre ses hommes condamnés. Nous l'avons regardé traverser le stade et monter quatre à quatre les escaliers. Je me suis demandé si nous le reverrions un jour – vivant, du moins. Puis l'oncle Press a ramassé une autre lance.

– Que fais-tu ? ai-je demandé.

– Je retourne au village des Milagos. Les Bedoowans vont subir de lourdes pertes. Jusque-là, ça ne leur est jamais arrivé. J'ai peur que, dans leur colère, ils ne continuent jusqu'au village pour se venger sur les survivants.

– Mais comment les en empêcher ? a demandé Loor.

– C'est impossible, a-t-il répondu. Mais je peux aider Adler à les faire descendre dans la mine. Les chevaliers ne s'y aventureront pas, et ça leur laissera le temps de se calmer.

– On vient avec toi ! ai-je dit.

– Non, a ordonné l'oncle Press en désignant le wagon plein de tak. Débarrasse-nous de cette bombe.

– Comment ?

L'oncle Press s'est mis à courir, mais il a pris le temps de tourner la tête et crier :

– Je n'en sais rien. Jette-la dans l'océan. Mais ne laisse pas les Bedoowans s'en emparer !

Je l'ai regardé grimper les escaliers quatre à quatre. Il nous a fait un signe de la main, puis a disparu par-dessus le rebord du stade. J'ai regardé le wagonnet plein à craquer, puis Loor.

– Il est devenu fou ? ai-je demandé. Ce wagonnet est trop lourd pour que nous lui fassions monter ces marches !

Loor s'est mis à récolter les morceaux d'azur et les a balancés négligemment comme de vulgaires cailloux.

– Pas si nous l'allégeons un peu, a-t-elle remarqué.

– Et si jamais on glissait et qu'il dévalait les escaliers ? Ça ferait un sacré boum.

– Dans ce cas, a-t-elle rétorqué, nous devrons faire bien attention.

C'est cela, oui. Je me suis dirigé vers le wagonnet pour tester son poids. Il était lourd ! Il était muni de quatre roues pour rouler sur les rails des mines et de poignées à l'avant et à l'arrière pour le pousser ou le tirer. Loor avait beau être forte comme un Turc, à nous deux, nous ne pourrions jamais faire monter ce machin le long des escaliers. J'ai plongé ma main dans le minerai et fouillé sous la couche d'azur jusqu'à ce que je trouve le tak. Il était mou comme de l'argile. Peut-être pourrions-nous en faire plusieurs petits paquets, me suis-je dit, et les emporter un à un au lieu de ne faire qu'un seul voyage. Je l'ai râpé du bout des ongles et en ai retiré un morceau. Pour un produit si dangereux, il avait l'air bien innocent. Comme je l'ai déjà écrit, il était couleur de rouille et évoquait de la pâte à modeler. Je l'ai roulé sans mal pour en faire une boule de la taille d'une bille. Sa texture était vaguement friable et laissait un léger résidu sur mes doigts.

— Tu m'aides, oui ou non ? a demandé Loor, impatiente, qui continuait son déchargement.

— J'ai une idée, lui ai-je annoncé.

Je suis parti en courant vers l'enclos des quigs. Elle m'a regardé comme si j'étais devenu fou, mais elle n'avait pas à s'inquiéter. Je n'entendais pas retourner dans le monde des quigs. Ça, pas question. En fait, sur une impulsion, j'ai fourré la petite boule de tak dans ma poche pour avoir les mains libres, puis refermé la porte au cas où un autre de ces affreux traînerait encore dans les parages. C'était assez bien vu, mais ce n'était pas ma seule raison de revenir ici. J'ai cherché le robinet où les chevaliers bedoowans remplissaient le seau qui avait servi à laver le sang du mineur milago. Lorsque je l'ai trouvé, je l'ai ouvert de manière que l'eau s'écoule lentement. Puis j'ai regardé mes doigts et constaté qu'ils étaient toujours couverts du résidu de tak. J'ai passé mes doigts sous le jet et les ai frottés. Et le tak s'est dissous ! C'était exactement ce que j'espérais. Ce produit était peut-être un puissant explosif, mais restait un minerai susceptible de se dissoudre dans l'eau. Je pouvais dire merci à M. Gill, mon prof de sciences naturelles. Il croyait que je dormais pendant les cours. Il se trompait.

— Que fais-tu ? a crié Loor.

Je me suis empressé de prendre un des seaux de bois les plus proches, l'ai rempli et rapporté vers Loor et le wagonnet.

— On perd du temps, Pendragon, a-t-elle grondé, de plus en plus impatiente.

Je l'ai ignorée et ai jeté le contenu du seau dans le wagon. Loor avait pris son air furieux, comme si je faisais encore l'idiot. Je me suis redressé pour contempler le résultat. Au bout de quelques secondes, ma patience a été récompensée. Ce n'était qu'une petite quantité, mais l'eau s'était frayée un chemin jusqu'au tak et dégoulinait entre les planches du wagonnet. Elle était couleur de rouille, ce qui ne pouvait avoir qu'une signification : le tak se dissolvait !

– Nous n'avons pas à traîner ce wagonnet, ai-je dit. Nous pouvons dissoudre le tak comme de la poussière !

Loor a passé son doigt sous le wagonnet et pu constater que l'eau était bien remplie de tak dissous. Elle y a réfléchi un instant, puis s'est écriée :

– Il faut plus d'eau !

Elle a sauté sur ses pieds et couru prendre un autre seau. Pendant dix minutes, nous avons fait des allers et retours entre le robinet et le wagonnet. Peu à peu, le tak s'est liquéfié et a coulé du wagon. Lorsqu'il s'en est dissous suffisamment pour que nous puissions bouger le wagonnet, nous nous sommes mis à le pousser chacun notre tour. Mon idée était de le répandre sur toute l'étendue du camp afin que sa puissance se dilue. Le liquide couleur de rouille a cascadé du wagonnet pour s'infiltrer sous l'herbe tel un engrais mortel. Pas moyen de dire s'il pouvait éventuellement causer des problèmes plus tard. Pour ce que j'en savais, une fois que le tak aurait séché, il pouvait changer le terrain en champ de mines. Mais je m'en moquais. L'essentiel, c'était que cette énorme bombe ne puisse jamais exploser.

Finalement, j'ai jeté un coup d'œil dans le wagonnet pour constater que l'essentiel du tak s'était dissous. Un peu de résidu restait accroché aux parois, mais pas assez pour provoquer des dégâts considérables. On peut dire que nous avions « liquidé » la bombe. J'ai regardé Loor et souri.

– Sûr, on aurait toujours pu essayer de le porter, ai-je dit avec une pointe de sarcasme.

Comme je n'avais pas souvent l'occasion d'asticoter Loor, autant en profiter. Elle m'a regardé comme si elle voulait répondre, mais avait du mal à trouver ses mots. Je m'attendais à ce qu'elle dise qu'en fin de compte j'avais encore dit une bêtise.

– Je suis une guerrière, a-t-elle fini par déclarer. J'ai été élevée pour combattre mes ennemis par la force. Ce n'est pas l'éducation que tu as reçue.

J'étais sûr qu'elle allait me dire que je n'étais qu'un minus et que nous aurions dû déplacer le wagonnet à la force de nos bras.

– Mais c'est peut-être mieux ainsi, a-t-elle continué. Peut-être est-ce pour ça que nous sommes réunis. Tu n'es pas un guerrier, et pourtant tu as fait preuve de davantage de bravoure que n'importe quel soldat que je connaisse.

Ouf. Vous parlez d'une surprise ! Vu qu'elle ne cessait de me casser à chaque fois qu'elle en avait l'occasion, je ne m'attendais pas à un compliment. Je n'ai su que dire.

J'ai réfléchi à ce qu'elle disait et conclu qu'elle avait peut-être raison. Je n'étais pas un combattant et n'avais aucune envie de le devenir. Peut-être que nos forces étaient complémentaires. Je vous ai déjà dit mon impression d'être là où je devais être. Eh bien, alors que je me tenais là, avec Loor, j'ai ressenti la même chose. Que nous étions là où nous devions être, tous les deux. Nous n'étions pas vraiment les meilleurs amis du monde, mais peut-être étions-nous destinés à faire équipe. Devoir admettre que j'étais son égal, du moins en termes de bravoure, devait lui en coûter. J'aurais voulu lui dire à quel point je la trouvais formidable. Mais je n'en ai pas eu l'occasion. Avant que je puisse ouvrir la bouche, j'ai vu quelque chose d'incroyable.

– Qu'est-ce qu'il y a ? a demandé Loor.

Je n'ai pas pu répondre, juste tendre le doigt. Là, dans la loge royale, se tenait Figgis, le marchand de mort qui avait lancé toute cette histoire de tak. Que faisait-il là ? Comment avait-il pu entrer dans le palais ? Plus bizarre encore, il devait être au courant des plans de Rellin, alors pourquoi traînait-il dans le coin, sachant que tout allait sauter ?

– C'est bizarre, ai-je dit. Que fait-il là ?

Comme pour me répondre, Figgis a levé la main pour nous montrer ce qu'il tenait. C'était le talkie-walkie jaune qu'on m'avait pris dans la chambre de la reine Kagan. Il l'a brandi en se marrant comme une baleine.

– C'est le jouet qui parle, a dit Loor. Que fait-il avec ça ?

Oh, misère ! Nous venions d'éviter une catastrophe, mais une autre nous menaçait. Loor m'a regardé et a lu ma terreur.

– Qu'y a-t-il, Pendragon, ? a-t-elle crié.

– Ce talkie-walkie fonctionne de la même façon que la torche. Il dispose d'une pile qui lance une décharge électrique.

– Pourrait-il s'en servir pour faire exploser une autre bombe ?

– Eh bien, oui.

Ce fut au tour de Loor d'avoir l'air nauséeux. Elle venait de comprendre la gravité de la situation.

– Tu penses qu'il a une autre bombe ?

– Je ne sais pas, ai-je répondu. Mais nous avons tout intérêt à le découvrir.

J'ai fait un pas vers la loge royale et ai crié :

– Figgis ! J'ai à te parler !

En guise de réponse, il a tourné les talons et s'est rué dans le palais.

– Suivons-le ! ai-je crié à Loor en partant vers la loge.

Elle m'a aussitôt emboîté le pas. Nous avons grimpé les marches à toute vitesse jusqu'à la loge royale. Sans une hésitation, nous sommes entrés dans le palais des Bedoowans à la poursuite de ce petit homme qui avait découvert une puissance susceptible de détruire Denduron tout entier.

Devant le palais, les deux armées se rapprochaient. Les mineurs milagos se frayaient un chemin à travers la forêt dense tandis que les chevaliers bedoowans se massaient à l'autre bout d'un vaste champ. C'était là, sur cette légère pente herbue, que se déroulerait la bataille tant attendue. Derrière les Bedoowans, il n'y avait que l'océan. Derrière les Milagos, les bois. Entre les deux, un espace dégagé sans rien qui puisse servir de protection. Les chevaliers bedoowans savaient ce qu'ils faisaient. Ils étaient entraînés pour protéger le palais des pillards. Ils se sont déployés, les porteurs de boucliers en premier, suivis par les archers, puis les lanciers à cheval. Ils étaient prêts.

Plus tard, Alder m'a raconté qu'il avait suivi les mineurs à travers la forêt en les implorant de retour
ner en arrière. Mais personne n'a voulu l'écouter. Ils étaient armés et parés, avides d'en découdre. Mais lorsqu'ils sont arrivés en bordure de la forêt, leur chef a levé la main. Les mineurs se sont arrêtés net avant de foncer en terre découverte. C'était plutôt bien pensé, car lui avait repéré quelque chose que personne d'autre n'avait encore vu.

Les chevaliers bedoowans étaient là, à l'autre bout de cette immense prairie. Mais ils n'avaient rien d'une petite troupe de survivants hagards sous le choc d'une monstrueuse explosion. Au contraire. Les Milagos n'auraient jamais cru qu'ils puissent être aussi nombreux. Et ils n'avaient pas l'air bien amochés non plus. Ils étaient forts, reposés et bien armés. De toute évidence, quelque chose n'avait pas fonctionné comme prévu. L'explosion n'avait pas provoqué les ravages espérés. Contrairement à ce qu'ils croyaient, cette bataille ne serait pas une partie de plaisir. Ce serait un vrai combat, et ils affronteraient les meilleurs guerriers qui soient.

Le chef des Milagos a retenu ses troupes. Il ne savait trop que faire. Les autres mineurs avaient désormais vu ce qui les attendait, et leur confiance en avait pris un coup.

Alder n'a rien pu faire, sinon regarder la scène et prier.

Lorsque Loor et moi sommes entrés en trombe dans le palais, nous nous sommes retrouvés dans les appartements déserts de Kagan. Nous avons repris nos esprits, puis foncé dans les couloirs. En regardant les escaliers, j'ai entrevu Figgis qui le descendait.

— Par là ! ai-je crié avant de me lancer à sa poursuite.

Loor était sur mes talons. Nous avons dévalé les grands escaliers en colimaçon. Figgis était loin et se dirigeait vers les niveaux les plus bas de la forteresse. Nous avons accéléré le plus possible sans tomber la tête la première et nous briser le cou. Une fois au bas des marches, j'ai vu que mon magnétophone était toujours là, mais on l'avait mis en pièces. C'était donc comme ça qui l'avait fait taire : ils l'avaient fracassé. J'imagine qu'aucun d'entre eux ne savait tourner un bouton. Bande d'idiots. J'ai eu la présence d'esprit de fouiller dans les débris pour récupérer les piles. J'arrivais peut-être trop tard, mais au moins personne ne pourrait s'en servir pour faire exploser quoi que ce soit.

Tous deux, nous nous sommes mis en quête de Figgis. Nous avons entendu un petit rire familier provenant d'un des couloirs. Je me suis dit qu'il se jouait peut-être de nous. Mais ça n'avait aucune importance : nous devions l'arrêter. Nous avons donc descendu ce couloir.

– Il se dirige vers mes mines, a-t-elle dit. Il doit connaître l'entrée secrète.

Elle avait raison. C'était sans doute comme ça qu'il était entré dans le palais. Comme nous connaissions le chemin, nous ne nous sommes pas arrêtés dans les moindres recoins pour chercher le petit bonhomme. Nous sommes allés droit vers la cuisine, qui menait au garde-manger, lequel donnait sur la trappe et les tunnels qui nous feraient tomber droit dans le passage secret de la mine milago.

Dans la forêt, le chef des Milagos ne savait pas quoi faire. Leur plan était complètement chamboulé. Ils n'étaient pas censés combattre une armée bedoowan au mieux de sa forme. Devaient-ils attaquer ou battre en retraite ? De sa décision dépendait l'avenir de sa tribu. Heureusement pour lui, cette responsabilité lui a vite été retirée. Les mineurs ont poussé un rugissement de joie, et il a vu un visage familier se frayer un chemin dans sa direction. C'était Rellin. Il allait reprendre le commandement.

La vision de leur chef a généré un grondement de soulagement chez les Milagos, mais aussi chez leur commandant intérimaire qui n'avait plus à exercer cette charge. Ce devait être un spectacle bouleversant : voir leur leader marcher d'un pas confiant vers les premières lignes pour prendre la tête de ses troupes. Il a bondi sur un rocher pour que tous puissent le voir et annoncé :

– Milagos, mes chers frères ! Le grand jour est enfin arrivé. C'est le moment de vérité. Aujourd'hui, nous cesserons d'être des esclaves !

Tous l'ont acclamé. Rellin leur remontait le moral.

– Faites venir les porteurs de tak !

Ceux qui étaient équipés de frondes et de tak s'avancèrent en première ligne.

– Sommes-nous prêts à reprendre le contrôle de nos vies ?

Tous redoublèrent d'acclamations. Ils ne se demandaient plus pourquoi il n'était pas mort dans l'explosion. Il était leur inspiration, et ils avaient confiance en lui.

– Sommes-nous prêts à regagner notre liberté ?

Encore des acclamations.

– Sommes-nous prêts à faire payer leurs crimes aux Bedoowans ?

Ils l'acclamèrent encore plus fort. Ils étaient parés.

– Alors nous ne nous arrêterons pas avant d'avoir envahi la salle du trône !

Tout était dit. Les mineurs galvanisés sont partis à l'assaut. Précédés des lanceurs de tak, ils sont sortis en masse de la forêt pour charger leur ennemi.

Pendant que se déroulait tout ça, Loor et moi sautions de l'échelle pour prendre pied dans la mine des Milagos. À peine étions-nous dans la galerie que Loor s'est arrêtée net et a tendu l'oreille.

– Écoute, a-t-elle dit.

Ce que j'ai fait. Je n'ai pas tardé à entendre la même chose qu'elle. Des pas. Rapides. Figgis n'était pas bien loin. Mais ce qu'il y avait de bizarre, c'est qu'ils venaient des profondeurs de la galerie. Ce qui n'était pas possible, puisqu'elle n'allait pas plus loin. Il n'y avait rien au-delà de ce couloir, sinon une longue chute vers l'océan. Alors d'où pouvait bien venir ce bruit ?

Comme à son habitude, Loor n'a pas pris le temps de réfléchir. Elle s'est enfoncée dans le tunnel. Ses sens lui soufflaient que quelqu'un courait là en bas, et elle ne se laisserait pas retarder par la logique alors qu'elle pouvait suivre son instinct. Je n'ai rien pu faire d'autre que la suivre. Nous n'avons pas fait plus de vingt mètres avant de tomber sur un autre embranchement. C'était un tunnel creusé grossièrement, à peine assez large pour laisser le passage à une personne à la fois. C'était là qu'avait filé Figgis ; nous devions donc y aller aussi. Comme toujours, Loor est passée en premier. Elle s'est engagée dans le tunnel sans redouter ce qu'elle pourrait y trouver. Ça me convenait ; après tout, c'était elle la Rambo du groupe. Heureusement, le tunnel n'était pas trop sombre, car il filtrait assez de lumière du tunnel principal pour éclairer notre chemin.

– Je vois l'autre bout, a annoncé Loor. Ce tunnel est relié à un autre.

En jetant un coup d'œil, j'ai vu qu'elle avait raison. Il débouchait sur une autre galerie plus grande. Mais celle-ci s'est révélée être un simple raccourci. Avant que nous n'ayons pu atteindre l'autre bout, le couloir s'est élargi pour s'ouvrir sur un espace dégagé. Nous nous sommes arrêtés, cherchant à comprendre ce que faisait une telle caverne aussi profond dans la mine. J'ai fait un pas et senti quelque chose de bizarre sous mes pieds. Une sensation douce et élastique, comme si je marchais sur de petits bouts de caoutchouc. Je me suis penché et en ai ramassé. On aurait dit des morceaux de gomme. Je n'ai pas mis longtemps à comprendre ce qu'il en était, et mon cœur a loupé un battement.

– Qu'est-ce que c'est ? a demandé Loor.

– C'est... du tak, ai-je dit, la bouche sèche. Je pense que nous avons découvert la réserve de tak de Figgis. Il l'a extrait... ici même.

– C'est exact ! a caqueté une voix depuis le tunnel.

– Figgis ! s'est écriée Loor, et elle a continué jusqu'au bout du couloir.

Je l'ai suivie jusqu'à une galerie plus grande, tout au bout de l'autre. Une fois arrivé au croisement, j'ai vu que le tunnel suivant s'étendait dans deux directions. Juste devant nous, il y avait un wagonnet, et un autre sur notre droite, campé sur ses rails. C'était une ancienne galerie de mine milago. J'ai regardé par terre et vu que le sol était recouvert d'une couche de tak évoquant plus que jamais de la rouille. Ce devaient être les résidus venant du moment où Figgis avait extrait le tak, comme de la poussière d'or. Une mince couche de ce produit mortel recouvrait l'ensemble de la galerie. Mais cet endroit avait autre chose d'étrange. Il avait quelque chose de familier. Le wagonnet, le tunnel secondaire, l'amas de rochers devant l'entrée. J'avais l'impression d'être déjà passé par ici.

C'est alors que mon anneau s'est mis à luire. J'ai regardé Loor : le sien faisait de même. En effet, nous étions déjà passés par là. C'était le tunnel qui abritait l'entrée du flume. Quand nous étions passés par là l'autre jour, nous ne pouvions savoir que nous étions si près de la réserve de tak de Figgis. J'ai regardé sur ma gauche et bien sûr, à quelques mètres de là, j'ai vu la porte de bois qui donnait sur le flume.

– Pourquoi tout ce décorum me flanque le frisson ? ai-je demandé à Loor.

Elle le sentait aussi. Pourquoi Figgis nous conduirait-il précisément à l'endroit qu'il voulait garder secret ? La réponse nous est parvenue sous la forme d'un grondement.

– Qu'est-ce que c'est ? a demandé Loor d'un ton inquiet.

J'ai tendu l'oreille. Le grondement s'est rapproché. Soit c'était le tonnerre, soit un tremblement de terre, soit...

– Un éboulement ! ai-je crié.

J'ai pris Loor par la main et l'ai entraînée vers la principale galerie de la mine. Nous sommes passés devant la porte du flume et avons à peine pu faire quelque pas de plus lorsque le plafond s'est écroulé juste devant nous ! Des tonnes de terre et de rochers nous ont bloqué le passage. Ma première idée a été de foncer vers la porte et de sauter dans le flume, mais nous ne pouvions pas quitter Denduron. Pas maintenant. Nous sommes donc repartis en courant dans le tunnel pour plonger dans la galerie parallèle menant à la mine de tak.

À peine y étions-nous entrés qu'un autre éboulement a scellé le plus petit tunnel, juste devant nous. La terre est tombée en pluie du plafond pour ensevelir la caverne. J'ai fait quelques pas en arrière et suis tombé sur les fesses. Quand je me suis retourné pour me relever, je suis tombé face à face avec quelque chose qui s'était effondré en même temps que le plafond. C'était un squelette. Je n'ai pas honte de le dire : j'ai hurlé tout ce que je savais. Oui, j'ai braillé comme un idiot dans un épisode de *Scoubidou*. Je me suis reculé à quatre pattes, et Loor m'a aidé à me relever. Nous sommes restés là, dans les bras l'un de l'autre, sans trop savoir que faire. Apparemment, l'éboulement avait cessé, du moins pour l'instant.

Loor a regardé le squelette et dit :

– Ce doit être un mineur qui s'est retrouvé coincé.

Logique. Mais quand je l'ai examiné de plus près, cette théorie a volé en éclats. Il portait des vêtements en loques, mais c'était ceux d'un Milago. Et il y avait autre chose, quelque chose d'unique qui a failli me faire redoubler de hurlements. Le cadavre portait un bandeau sur un œil. Le tissu déchiré et pourri pendait par-dessus une orbite vide, mais il n'y avait pas de doute à avoir. Et ce n'était pas tout. À chacun de ses doigts osseux, il y avait un anneau vert tressé. Je n'avais vu tel spectacle qu'une fois et ne m'en souvenais que trop bien. Ce n'était pas un mineur.

– C'est Figgis ! me suis-je écrié d'une voix que j'ai eu du mal à contrôler.

– C'est impossible ! s'est exclamée Loor. Ou alors, nous avons couru après un fantôme.

Alors une voix s'est élevée derrière nous :

– J'ai bien peur que ce soit Figgis, en effet.

Loor et moi avons virevolté de concert pour voir quelqu'un dans l'embrasure de la porte donnant sur la mine de tak. C'était *Figgis* ! Hein ? Il m'avait l'air bien fringant pour... eh bien, pour un fantôme.

– Ce pauvre bougre est mort il y a quelques années, a-t-il dit. Une fin tragique. Il a installé des pièges pour protéger sa découverte. C'est pour ça que le plafond s'est effondré. Il ne voulait pas que quelqu'un lui pique sa trouvaille. Mais il est mort en posant un de ses chausse-trappes. Comme c'est triste ! C'était un visionnaire, et maintenant... il est mort.

Je n'y comprenais rien. Nous sommes restés là tous les deux, sans comprendre, à fixer Figgis.

– Je vois que vous n'avez pas encore compris, a-t-il dit avec un sourire fat. Je vais vous faciliter le travail.

Alors le petit bonhomme s'est mis à se transformer. J'avais déjà vu quelque chose comme ça, dans une station de métro abandonnée du Bronx. Ses cheveux ont poussé et son corps a retrouvé sa taille normale de plus de deux mètres. Ses vêtements en cuir de Milago se sont transformés en un costard noir, et ses yeux ont brûlé d'un feu de glace. Oui, nous nous tenions devant Saint Dane, et il nous avait piégés sous une tonne de roche, sans la moindre issue de secours.

– Je te l'avais dit, Pendragon, a-t-il fait en souriant. Tu ne peux pas me vaincre.

Journal n° 4
(suite)

DENDURON

Les Milagos sont sortis de la forêt pour foncer vers l'ennemi. Ils partaient à l'assaut.

Les chevaliers bedoowans n'ont pas bougé d'un poil. Ils voulaient voir ce que ces paysans outrecuidants leur avaient préparé. La première ligne de mineurs s'est arrêtée et tous ont chargé leurs frondes de tak. Au commandement de Rellin, ils ont jeté leurs bombes vers les Bedoowans impassibles. Les petites boules de tak ont survolé le champ de bataille et explosé en touchant terre. Mais elles avaient frappé le sol bien avant le front des Bedoowans. S'ils voulaient faire des dégâts, ils devaient se rapprocher. Ce qui voulait dire qu'ils seraient à portée des archers bedoowans.

De leur côté, les Bedoowans ont été pris de surprise par les explosions qui ont retenti devant leurs rangs. À part le quig qui avait volé en éclats dans le stade, ils n'avaient jamais rien vu de tel. Il y a eu un mouvement de retraite parmi les troupes, mais les commandants les ont arrêtées bien vite. Ils tiendraient, de gré ou de force. Les chefs bedoowans ont envoyé un rang de porteurs de boucliers supplémentaires en première ligne. Ces braves hommes sont restés en place, crânement, telle une barricade de chair et d'acier vouée à protéger leurs camarades des missiles à venir. Derrière eux, les archers étaient prêts à lâcher leurs flèches dès que les Milagos seraient à leur portée. Bientôt, la situation allait dégénérer, et ça ne serait pas beau à voir.

Mais tout ça, je ne l'ai su que plus tard. Pour l'instant, j'avais autre chose en tête. En l'occurrence Saint Dane. Nous n'avions pas d'échappatoire. Nous étions coincés entre deux éboulements provoqués par les pièges laissés par Figgis. S'il y avait une sortie, c'était le flume. Mais il pouvait tout aussi bien se trouver à des kilomètres, parce que, pour y accéder, il nous fallait passer sur le corps de Saint Dane.

– C'est toi qui a apporté le tak en ce monde, n'est-ce pas ? lui ai-je lancé.

– Je n'ai rien fait de tel ! a-t-il rétorqué d'un air innocent. Le tak est un minerai naturel de Denduron. Figgis a découvert ce gisement il y a des années de ça.

Je me suis dirigé vers l'une des parois et, d'une main, ai râclé un peu de terre. Derrière celle-ci, j'ai vu une couleur rouille qui m'était familière, celle du tak. J'ai regardé Loor. Pour la première fois depuis que je la connaissais, elle avait l'air effrayée. Sans doute parce que, comme moi, elle avait compris que la caverne tout entière était composée de cette substance diabolique. À comparer, la bombe que nous avions désamorcée dans le stade n'était qu'un pétard… Et nous étions en plein milieu de cette poudrière.

– Figgis pensait que les mineurs pourraient se servir du tak pour creuser plus facilement la roche, a expliqué Saint Dane. C'était un bien noble projet, mais il était marchand et raisonnait en tant que tel. Il voulait aider les mineurs, mais aussi gagner de l'argent.

Le Voyageur maléfique s'est dirigé vers le squelette qui avait été Figgis et a donné un petit coup de pied au tas d'ossements.

– Je ne peux l'en blâmer, mais son avidité a fini par provoquer sa perte. Pour protéger sa trouvaille, il a posé des pièges un peu partout. Malheureusement, l'un d'entre eux a mal fonctionné.

Il a donné un coup de pied au crâne de Figgis, qui s'est détaché du corps pour rouler jusqu'à nos pieds. J'ai eu envie de le renvoyer d'un autre coup de pied pour l'écarter de moi, mais ç'aurait été indécent.

– Donc, vous êtes venu sur Denduron pour prendre sa place, ai-je dit. Et vous avez montré aux mineurs milagos comment confectionner des bombes au tak.

En guise de réponse, Saint Dane a éclaté de rire. Voilà qui ne me disait rien qui vaille. Lorsqu'un sale type de cet acabit rigole, c'est qu'il sait quelque chose qu'on ignore.

– Mais c'est mieux ainsi, a-t-il dit d'un air fat. Si cette bombe avait explosé, les Milagos auraient mis bien plus longtemps à se regrouper. Maintenant, une fois qu'ils auront remporté leur petite guerre, ils seront assez forts pour marcher sur Denduron. D'une certaine façon, je te dois des remerciements, Pendragon.

Oh, misère. Était-ce possible ? La situation avait-elle encore empiré, à présent que j'avais désamorcé la bombe ?

– Et s'ils ne l'emportent pas ? ai-je tenté. Et si les Bedoowans gagnent cette guerre ?

Saint Dane a gratté les murs, révélant encore plus de tak.

– Peu importe, a-t-il répondu en haussant les épaules. La réserve de tak est inépuisable. Ça peut prendre un certain temps, mais les Milagos finiront par revenir. Ils trouveront de nouveaux usages pour leur arme préférée. C'est inévitable, Pendragon. Bientôt, ce territoire connaîtra la guerre totale. Denduron va s'effondrer. Et ce jour-là, ce sera le commencement de la fin du Halla.

Halla. Encore ce mot. Tout tournait autour de ce Halla.

Au-dessus de nous, sur le champ de bataille, les mineurs milagos avaient réussi à se rapprocher des chevaliers bedoowans. À présent, leurs frondes étaient à portée des premières lignes de défense. Les Bedoowans terrifiés se rencognèrent derrière leurs boucliers tandis que les bombes au tak s'abattaient sur eux. Explosion après explosion, elles ont semé le feu dans leurs rangs. Plusieurs chevaliers bedoowans sont morts sur le coup. D'autres se sont ravisés et ont compris qu'il valait mieux ne pas laisser les petites bombes heurter leurs boucliers. Plutôt que se protéger, ils ont préféré battre en retraite tandis que les bombes à tak pleuvaient, labourant la terre en explosant.

C'est alors que la seconde ligne de chevaliers bedoowans a commencé à décocher ses flèches. Comme ils étaient trop loin pour pouvoir viser, ils ont tiré en l'air afin que leurs traits retombent sur les Milagos. Les flèches ont sillonné le ciel pour fondre sur les mineurs. Certaines ont atteint leur cible, d'autres se sont plantées dans le sol. Mais elles étaient assez nombreuses pour empêcher les Milagos de lancer leurs bombes. Ils ont dû se protéger de ce déluge.

À bonne distance du combat, tranquillement installés sur les ramparts, les Bedoowans et les Novans regardaient le spectacle. Ils s'étaient assis sur les pentes herbeuses comme s'il s'agissait d'une distraction. Des enfants jouaient, des musiciens avaient sorti leurs instruments et on faisait circuler des casse-croûtes comme durant un festival. Au milieu de ses sujets, la reine Kagan se tenait debout sur son trône pour mieux voir.

Dans le village milago, Alder et l'oncle Press avaient joint leurs efforts pour avertir les villageois afin qu'ils se cachent dans les mines. Comme tout le monde connaissait l'oncle Press, au moins ne lui ont-ils pas fermé leurs portes au nez. Mais à chaque fois, ils ont obtenu la même réponse. Les villageois étaient prêts à affronter les Bedoowans. Les femmes, les enfants, les personnes âgées, les malades, tous jusqu'au dernier. Ils n'avaient pas peur de la mort, ni des Bedoowans. Mais par-dessus tout, ils redou-taient de devoir reprendre l'existence abominable qu'ils menaient depuis le jour de leur naissance. Non, ces braves gens n'étaient pas disposés à se terrer dans leur mine. Si, malgré les mineurs, les chevaliers bedoowans réussissaient à passer, les villageois étaient prêts à les combattre.

De rage, Alder et l'oncle Press sont retournés vers le champ de bataille. Les flèches tombaient en grêle sur les Milagos pendant que les bombes au tak éparpillaient les premiers rangs des Bedoowans. L'oncle Press et Alder étaient dans l'impasse. Ils voulaient que les Milagos l'emportent sur les Bedoowans, mais pas en employant le tak. Et si, par miracle, ils réussissaient à convaincre les Milagos de ne plus s'en servir, les chevaliers bedoowans les écraseraient. C'était un cercle vicieux.

En parlant de cercle vicieux, Saint Dane venait de faire une déclaration qui m'a flanqué la frousse de ma vie. Il a dit que la chute de Denduron provoquerait l'effondrement de Halla. D'après l'oncle Press, le nom de Halla désignait tout ce qui exis-tait. Chaque monde, chaque territoire, chaque ligne temporelle qui ait jamais été. Cela voulait-il dire que si Saint Dane réussissait à détruire Halla, l'univers entier cesserait d'exister ? Cette idée me dépassait.

– Pourquoi voulez-vous détruire Halla ? ai-je demandé.

Une fois de plus, Saint Dane a éclaté de rire. Super. De quoi grincer des dents.

– Tu es si jeune, Pendragon, a-t-il dit. Il y a bien des choses que tu ignores. Mais laisse-moi te dire une chose : lorsque Halla s'effondrera, je serai là pour ramasser les morceaux.

Pas très encourageant.

– Je ne vous crois pas, ai-je rétorqué. Comment un seul homme pourrait-il contrôler la destinée de l'univers tout entier ?

Saint Dane a passé sa main sur le mur de tak.

– C'est comme aligner des dominos, a-t-il dit. Pousser le premier ne demande qu'un effort dérisoire, mais en tombant, il entraîne le deuxième, et le troisième, et ainsi de suite jusqu'à ce qu'il ne reste rien, sinon un amas de jouets en désordre. Le territoire de Denduron est mon premier domino.

C'était vrai. Denduron n'était que le commencement. Ensuite, Saint Dane passerait à un autre territoire, et un autre encore. Tôt ou tard, il finirait par s'en prendre au monde de Loor, Zadaa, puis il convoiterait le mien, la Seconde Terre. Ce n'était qu'une question de temps.

– Ta mère est morte, a dit Saint Dane à Loor. Mais qu'en est-il du reste de ta famille, resté sur Zadaa ? Et toi, Pendragon, tes parents sur la Seconde Terre ? Et tes amis, comment s'appellent-ils ? Courtney et Mark ? Lorsque les dominos s'abattront, ils seront écrasés.

J'ai eu envie de hurler. On aurait dit qu'il lisait dans mes pensées. Ce type était un génie du mal.

– Mais il est inutile d'en faire une tragédie, a-t-il ajouté avec un sourire onctueux. En fait, ça peut devenir la chance de votre vie. Vous deux êtes forts. Vous disposez de pouvoirs que vous ne pouvez même pas imaginer. Si vous vous joignez à moi, je vous apprendrai à les utiliser. Vous ne pouvez pas lutter contre moi, mais si vous vous rangez de mon côté, votre récompense dépassera vos rêves les plus fous. Vous pourrez protéger ceux que vous aimez et survivre pour gouverner Halla à mes côtés. Voilà ce que je vous propose.

Au-dessus de nous, sur le champ de bataille, la situation ne cessait d'empirer. Les Milagos avaient réussi à contenir les Bedoowans avec un minimum de pertes dans leurs rangs. Du côté des Bedoowans6, c'était la Bérézina. Il y avait des flammes un peu partout et le tak avait labouré la terre. Pourtant, ils avaient perdu relativement peu d'hommes. La plupart avaient réussi à éviter les bombes. Maintenant, leur commandant venait de s'apercevoir que le nombre de tirs s'amenuisait. Les Milagos avaient tiré le meilleur parti de leur arme étrange et horrible, mais ils commençaient à manquer de munitions.

Rellin surveillait tout ça de derrière les lanciers. Ses pires craintes se matérialisaient. Les Milagos avaient presque épuisé leur stock de tak, mais les Bedoowans restaient des adversaires redoutables. Les Milagos ne tarderaient pas à se trouver à court de bombes, et les chevaliers les écraseraient. Leur seul espoir de vaincre était de frapper maintenant, alors que les Bedoowans étaient encore sous le choc. Rellin a dû rassembler tout son courage pour faire ce qui devait l'être. Il s'est levé derrière les mineurs, emparé d'une lance et écrié :

– Liberté !

Les mineurs ont poussé un cri farouche et traversé le champ au pas de course pour engager l'ennemi. Le commandant bedoowan a paru étonné de voir ces paysans manifester assez d'audace pour défier de fiers chevaliers. Mais s'ils voulaient en découdre, il n'allait pas les décevoir. Il a fait signe à ses lanciers à cheval de s'avancer. D'un geste ample de la main, il a envoyé ses chevaliers à la charge.

Alder et l'oncle Press, horrifiés, ont regardé les deux tribus se précipiter l'une sur l'autre pour finalement entrer en collision au centre du champ. La reine Kagan a trépigné sur son trône en rigolant comme une gamine. Une chose était sûre.

Il y allait avoir du sang à la une.

Dans la mine, Saint Dane attendait notre réponse à son offre. Il nous avait demandé de nous joindre à lui dans sa quête insensée visant à conquérir tout ce qui existe. Il avait menacé de mort nos familles et ceux que nous aimions au cas où nous refuserions.

Apparemment, nous n'avions pas vraiment le choix. Ce type me terrifiait. Je pouvais à peine le regarder. J'ai donc baissé les yeux…

Mais ce que j'ai vu m'a fait réfléchir.

Du tak était resté collé à mes chaussures de Bedoowan. Et en y regardant de plus près, j'ai vu que la caverne était remplie de poussière de tak. Elle imprégnait les sols et les cloisons et semblait flotter dans l'air.

C'est alors que je me suis souvenu de quelque chose, quelque chose que j'avais fait il n'y avait pas si longtemps sans y penser. À ce moment-là, je n'en avais pas conscience, mais c'était peut-être le moyen de sauver Denduron. Mon esprit s'est mis à fonctionner à plein régime. Si je devais agir, c'était maintenant ou jamais. Je n'avais pas la moindre idée de ce qui se passait là en haut, sur le champ de bataille, mais après ce qu'avait dit Saint Dane, ça n'avait pas vraiment d'importance. Cette histoire ne concernait pas uniquement les Bedoowans et les Milagos, mais plutôt une arme abominable qui allait ravager un territoire pacifique. S'il fallait éliminer quelque chose, c'était bien la réserve de tak.

Franchement, j'avais peur de ce que je me préparais à faire. Mais je n'avais pas d'autre choix. Je n'étais même pas sûr que mon idée allait fonctionner. Peut-être allais-je me couvrir de ridicule, une fois de plus. De toute façon, je commençais à en prendre l'habitude. Si mon plan marchait, Loor et moi avions toutes les chances d'y rester. Quel que soit le résultat, nous n'avions rien à y gagner, mais je devais essayer quand même.

J'ai fait de mon mieux pour ne pas trahir ma frayeur :

– Saint Dane, ai-je dit, je vous crois.

Loor m'a jeté un regard surpris. Elle ne savait pas où je voulais en venir… du moins pas encore.

– Je ne sais pas pourquoi nous sommes des Voyageurs, ni pouquoi nous pouvons voyager via les flumes, ni comment vous pouvez faire ce que vous faites, mais j'en ai assez vu pour savoir que tout ça est vrai. Je ne sais pas si vous avez vraiment le pouvoir de détruire l'univers, ou Halla, comme vous préférez, mais je sais que vous pouvez faire un beau carnage. Si la chute de

Denduron est la première partie de votre plan, je ne peux pas vous laisser faire.

J'ai senti Loor se crisper à mes côtés. Elle savait que j'avais une idée en tête et voulait se tenir prête.

Saint Dane m'a regardé avec un sourire fat.

– Et comment comptes-tu m'en empêcher ?

– Ce n'est pas mon intention, ai-je répondu. Je vais plutôt réduire la quantité de tak à votre disposition.

C'est alors que j'ai fouillé ma poche pour en tirer la petite boule de tak que j'avais prise dans le wagonnet, dans le stade. Je l'avais mise dans ma poche avant de refermer la porte de l'enclos aux quigs. Et maintenant, ce petit bout d'argile explosive représentait peut-être le dernier espoir de Denduron. Comme je l'ai déjà dit, je ne savais pas si ça allait fonctionner, mais ce que j'ai vu m'a réconforté. Car à peine l'avais-je sorti que l'impossible s'est produit.

Saint Dane a cligné des yeux.

Son sourire fat s'était fané. J'ai alors lu dans ses yeux quelque chose qui a accéléré les battements de mon cœur. De la frayeur. Jusque-là, il avait orchestré tout ce qui s'était passé sur Denduron. Mais tout allait changer, et il le savait. Son regard m'a redonné un peu de confiance. Je me suis tourné vers Loor. Elle a acquiescé. Elle savait que nous avions de fortes chances d'y rester, mais aussi que c'était le seul moyen. Nous étions à quelques secondes de la salvation – ou de la fin.

Au-dessus de nous, les combattants s'étaient déchaînés. Le champ de bataille n'était plus qu'un amas de corps, de lances, de chevaux et d'acier enchevêtrés. Les Milagos étaient mus par la haine et la colère, les Bedoowans comptaient sur leur force et leur entraînement. Le combat serait loyal, ce qui voulait dire que, d'un côté comme de l'autre, les pertes seraient nombreuses. La bataille serait rude.

Saint Dane a fait un geste pour m'arrêter.

– Non ! a-t-il crié, pris de panique.

Mais avant qu'il ait pu faire un pas de plus, j'ai jeté ma petite boule de tak sur le sol. Et ç'a été l'explosion. Pas très forte, mais ce qu'il faut. Le tak est entré en éruption dans un jet de flammes. La déflagration n'a pas fait beaucoup de dégâts, mais qu'importe. Je comptais surtout sur un autre élément. Et en effet, cette soudaine éruption a embrasé la poussière de tak qui imprégnait le sol. Aussitôt, les minuscules fragments ont pris feu. On aurait dit des pétards du 14 Juillet. Mais plus important encore, la déflagration s'est propagée. À chaque seconde, le cercle de flammes crépitantes ne cessait de croître. Il y avait tant de poussière de tak sur le sol et dans l'air que ce brasier ne s'éteindrait pas de sitôt.

Saint Dane a bondi sur le cercle de flammes et tenté de l'éteindre en le piétinant.

– Non ! Non ! a-t-il crié, furieux.

Il était certes très doué pour manipuler les gens, mais ne pouvait rien faire contre la force élémentaire du feu. Il y avait du carburant en quantité illimitée et, lorsque l'incendie aurait pris assez d'ampleur, il se propagerait à la principale veine de tak qui traversait la mine. Et quand ça se produirait, on verrait bien ce qui se passerait.

Saint Dane a renoncé à éteindre l'incendie et m'a jeté un regard brûlant d'une haine si intense qu'elle m'a glacé le sang.

– Ce n'est pas fini, Pendragon, m'a-t-il menacé.

– Ne t'en fais pas, Saint Dane, ai-je répondu. C'était écrit.

Il avait l'air près d'exploser de rage. Ses yeux d'un bleu de glace exsudaient la haine. J'avais dû toucher une corde sacrément sensible pour qu'il soit aussi furieux. Loor a dû croire qu'il allait nous attaquer, parce qu'elle a fait un pas dans sa direction, comme pour le défier. J'imagine qu'il se serait fait un plaisir de me mettre en pièces, mais il a jeté un coup d'œil circulaire au brasier et a préféré ne pas insister.

– Il y aura une prochaine fois, a-t-il dit, puis il a tourné les talons et s'est précipité dans la galerie des Milagos.

L'anneau de flammes ne cessait de s'étendre. On aurait dit une mèche que rien ne pouvait éteindre, et qui se rapprochait inexorablement de la plus monstrueuse des bombes. Je ne savais pas combien de temps il nous restait, mais si nous voulions avoir une chance de survivre, nous devions filer d'ici en vitesse.

– Le flume ! ai-je crié.

Je me suis mis à courir vers le tunnel, Loor sur mes talons. Nous avons atteint la galerie de mine et foncé droit vers la porte donnant sur le flume. Celle-ci était déjà ouverte : il faut croire que Saint Dane avait eu la même idée. Alors que j'allais passer le seuil, j'ai entendu la voix de notre ennemi :

– Cloral ! a-t-il crié dans le flume.

Nous avons foncé vers la porte, juste à temps pour voir disparaître le faisceau de lumière qu'était Saint Dane dans les profondeurs du flume, en partance vers…

– C'est quoi, Cloral ? ai-je demandé.

– Ce doit être un autre territoire, a répondu Loor.

– Le suivre ne servirait à rien, d'accord ? Nous devons nous rendre…

Avant que j'aie pu finir ma phrase, nous avons vu tous les deux quelque chose dans le flume. Les notes de musique et les lumières revenaient vers nous. Saint Dane était-il de retour ? Alors que les lumières se rapprochaient, j'ai entendu un bruit qui ne collait pas. On aurait dit… de l'eau. Mus par la curiosité, nous avons fait un pas en direction du flume pour constater que ce qui se dirigeait vers nous n'était pas un Voyageur. C'était un flot d'eau inondant le flume. À quoi pouvait bien jouer Saint Dane ? Essayait-il d'éteindre l'incendie ?

Non. Il voulait nous empêcher de nous enfuir en passant par le flume. Mais il ne nous renvoyait pas qu'une vague. Il y avait quelque chose *dans* l'eau, quelque chose qui avait beaucoup de crocs. C'était un immense requin ! Aussi incroyable que ça puisse paraître, il devait bien faire dans les six mètres et se dirigeait droit sur nous, la gueule grande ouverte. Oh, et je me souviens encore d'un détail : ce monstre avait des yeux jaunes, et ils brûlaient de haine.

Nous n'avons pas eu le temps de bouger avant que le raz-de-marée ne nous submerge. Et il nous a heurtés avec une telle force que nous avons été projetés loin de la porte, jusqu'à l'autre bout du tunnel. C'est la force même de cette vague qui nous a sauvés. Si nous étions restés devant le flume, nous aurions fait connaissance avec les mâchoires du requin. J'ai repris mes esprits, attrapé Loor et l'ai emportée juste à temps. L'instant suivant, le requin passait la porte la tête la première et allait se fracasser contre la paroi du tunnel. Maintenant qu'il était hors de l'eau, il n'était plus si menaçant. Il s'est débattu frénétiquement dans l'espace réduit en faisant claquer ses énormes mâchoires à quelques centimètres de nos têtes. J'ai essayé de reculer, mais ai constaté que Loor était inconsciente. Elle devait s'être cogné le crâne contre le mur. J'ai réussi à l'entraîner au plus profond du tunnel, en sécurité.

En sécurité, disais-je ? Nous étions peut-être hors de portée des mâchoires de ce monstre, mais dans la mine de tak la mèche brûlait toujours. Nous n'avions nulle part où aller. Nous ne pouvions atteindre le flume : cinq cents kilos de requin nous bouchaient le passage. Nous ne pouvions pas revenir en arrière par le petit tunnel menant au palais bedoowan, puisqu'il s'était effondré. Tout ce que nous pouvions faire, c'est nous enfoncer encore plus profondément dans la mine. Et pour compliquer encore plus les choses, Loor était tombée dans les pommes.

Je l'ai secouée pour la réveiller, mais en vain. Elle était K.-O. pour le compte et n'était plus qu'un poids mort. C'est incroyable ce que l'adrénaline peut vous pousser à faire : je me suis levé et ai réussi à la ramasser et la mettre sur mon épaule, comme un pompier. Je n'avais pas la moindre idée du temps qui nous restait, mais j'avais tout intérêt à ne pas m'incruster. J'ai tenté de courir tout en la portant, mais ce n'était pas facile. De cette façon, je n'irais pas bien loin. Nous avons passé l'entrée de la mine de tak, et j'ai vu que le sol entier était en feu. On aurait dit un nid de lucioles grésillantes. Mais je n'ai pas pris le temps d'admirer le spectacle. Je devais m'enfoncer dans la mine.

C'est là que j'ai remarqué quelque chose qui pouvait nous servir : le wagonnet. S'il pouvait encore bouger, je n'aurais qu'à mettre Loor dedans et pousser le tout, comme l'avait fait Alder. J'ai donné un coup de pied. Et il a bougé ! Sans plus de cérémonie, j'ai balancé Loor dans la benne. Étant donné les circonstances, elle ne se formaliserait pas pour quelques éraflures. J'ai bondi à l'arrière du wagonnet et me suis mis à pousser. L'engin s'est mis en branle, lentement d'abord, mais à chaque tour de ses petites roues, il a pris de la vitesse. J'ai laissé mes deux mains sur la poignée tout en tricotant des jambes comme un footballeur fonçant vers le but. J'ai poussé, puis marché, puis couru à petites foulées pour finalement cavaler comme un dératé. Je n'avais pas la moindre idée de ce qui se trouvait au bout de ce tunnel, mais nous étions en bonne voie.

J'ai pensé, fugitivement, que nous pouvions aussi tomber sur un rail cassé qui enverrait le wagonnet s'écraser contre le mur. J'ai aussi redouté que le tunnel ne se termine sur un cul-de-sac et que nous ne rentrions dans la paroi alors que nous étions lancés à pleine vitesse. Ça ne serait pas beau à voir. Ou une roue pouvait se détacher. Ou... ou... J'ai pensé à un million d'autres événements susceptibles de nous arriver. Mais ça n'avait pas d'importance. Ce n'était pas la prudence qui comptait, mais la rapidité. Si nous voulions avoir une chance de survivre, nous devions filer le plus loin possible de la veine de tak.

C'est alors que le bruit m'est parvenu. Tout d'abord, c'était à peine un grondement, mais il s'est accru pour finir en tremblement de terre. On aurait dit un train de marchandise lancé à pleine vitesse. Mais je savais de quoi il s'agissait réellement. La poussière embrasée avait fini par atteindre la veine de tak. La réaction en chaîne était en marche. Ce grondement était en fait une série de petites explosions qui en déclenchaient de plus grosses. Et elles deviendraient de plus en plus importantes jusqu'à ce que... Eh bien, ce serait un sacré big-bang. Mais je n'ai pas pris le temps d'y réfléchir. Au contraire, je n'en ai couru que plus vite. J'ai senti trembler le sol. Lorsque viendrait la méga-explosion, elle atteindrait bien cent sur l'échelle de Richter.

Sur le champ de bataille, les mineurs et les chevaliers ont eux aussi senti la déflagration. Selon le récit d'Alder, le sol s'est mis à trembler. Le combat a continué jusqu'à ce qu'ils s'aperçoivent que le phénomène ne s'arrêterait pas de lui-même. Un par un, ils ont lâché leurs armes et battu en retraite. À présent, ils avaient affaire à un nouvel ennemi bien plus effrayant.

La reine Kagan, debout sur son trône, a piqué sa crise en voyant cesser la bataille. Avant qu'elle ait pu donner l'ordre de reprendre le combat, une violente secousse a renversé le trône. Elle est tombée avec lui et est restée prostrée sur le sol, morte de peur. Les autres Bedoowans et les Novans ont fait de même. Tous se sont aplatis sur le sol. Le spectacle était terminé.

L'oncle Press et Alder n'ont pas bougé. Ils savaient qu'il était inutile de vouloir chercher un abri. Ils sont donc restés debout et ont attendu la fin. Qui ne tarderait pas.

Le grondement s'est amplifié. Il commençait à ressembler à une série d'explosions. Tout en continuant à pousser le wagonnet de toutes mes forces, j'ai senti une bouffée de chaleur dans mon dos. À ce stade, la mine de tak devait s'être transformée en fournaise. Le requin n'était probablement plus qu'une grillade. La mine tout entière ne tarderait pas à voler en éclats.

Devant nous, j'ai vu de la lumière. Nous approchions de la sortie, mais je ne voyais pas sur quoi elle débouchait, car j'étais arc-bouté derrière le wagonnet pour pousser de toutes mes forces. Pourtant, quoi qu'il y ait là-devant, nous avions au moins une chance de nous en sortir. J'ai donc accéléré mon allure. Plus nous avancions, plus la lumière s'intensifiait. Pas de doute, nous étions tout près de la sortie du tunnel. Celui-ci tremblait si violemment que je craignais que le wagonnet ne déraille. Si nous n'atteignions pas la sortie, c'en serait fini de nous deux.

Je ne sais pas ce qui m'a fait comprendre ce qui allait se produire, mais j'ai eu une illumination trois secondes avant que ça n'arrive. Peut-être était-ce la manifestation d'un quelconque instinct de survie, mais en tout cas ces trois secondes m'ont laissé le temps de me préparer. Alors que nous foncions dans ce tunnel et que tout sautait derrière nous, je me suis souvenu du plan des mines. Nous cavalions sur un rail parallèle au tunnel passant sous le palais des Bedoowans. Je savais où celui-ci se terminait, et le nôtre n'était probablement pas différent. C'était un conduit de ventilation qui débouchait sur les falaises. Quand nous attendrions la sortie, nous nous retrouverions face à un à-pic donnant sur l'océan.

Et c'est précisément ce qui s'est produit. J'ai poussé le wagonnet jusqu'au bout du couloir sans même ralentir. Et soudain, je me suis retrouvé dans le vide. Je suis tombé sans même savoir où était le haut ou le bas. Mais je voulais absolument repérer la surface des flots pour me mettre en position et atténuer l'impact. Si je heurtais l'océan la tête la première, je me casserais le cou. Je me suis donc tordu sur moi-même. Je n'allais pas tarder à faire plouf. Croyez-le ou non, mais avant de crever les flots, ma dernière pensée a été pour Loor. Elle ne savait pas nager !

Il n'y a qu'un mot pour qualifier le choc qu'on ressent quand on frappe la surface de l'océan à une telle vitesse. Violent. C'était violent. J'ai pu me contorsionner pour que mon flanc amortisse l'impact, et non ma tête, mais le choc m'a coupé le souffle. Vous parlez d'un coup de bambou ! Encore pire que lorsque je m'étais fait éjecter du traîneau après notre folle descente à flanc de montagne. Mais cette fois-ci, je n'ai pas perdu conscience. Tant mieux, je n'avais aucune envie de me noyer. Après tout ce que j'avais déjà enduré, ç'aurait été injuste. Je suis remonté à la surface et ai regardé l'ouverture de la mine, à une bonne dizaine de mètres en hauteur. Mais à ce moment-là, ce n'est pas ce qui m'a vraiment inquiété. En fait, toute la falaise était prise de convulsions. Et elle était bien haute. J'avais l'impression de me tenir au pied d'un gratte-ciel. Si le tout s'effondrait, nous ne finirions pas noyés mais enterrés !

J'ai regardé autour de moi et, à mon grand soulagement, ai vu Loor flotter non loin de là. Elle devait être tombée du wagonnet. J'ai nagé vers elle et écouté sa respiration. Elle était en vie, mais pas moyen de savoir si elle était gravement blessée. Tout ce que je voulais, c'était nous éloigner le plus vite possible de cette falaise. J'ai aussi repéré le wagonnet de bois qui flottait non loin de nous. Heureusement, il ne nous était pas dégringolé sur le crâne. J'ai retourné Loor sur le dos et l'ai emmenée vers le wagonnet. Nous avions plus de chances de survivre si nous nous en servions comme d'un radeau plutôt que si je m'en remettais entièrement à mes dons de nageur. Je ne savais pas trop dans quelle direction aller, mais j'ai vite compris que je n'avais pas le choix. Un fort courant parallèle au rivage nous a emportés. Nous ne partions pas vers le large, mais au moins nous nous éloignions de cette falaise. C'était une bonne chose, car c'est à ce moment que ça s'est produit.

Tout a sauté.

Le bruit de la détonation m'a évoqué le grondement sourd et puissant d'un démon enfermé sous terre et luttant pour regagner la surface. Une seconde plus tard, les tunnels de ventilation ont explosé, crachant d'immenses langues de flammes qui ont jailli au-dessus de nos têtes comme des fusées lancées à pleine puissance. Il devait y avoir une vingtaine d'ouvertures, toutes transformées en volcans. L'eau s'est mise à bouillonner. J'ai eu bien du mal à nous empêcher de verser. Les falaises elles-mêmes étaient comme brouillées. Mais c'est parce qu'elles tremblaient sous la terrible pression qui les déchirait de l'intérieur. J'ai pensé à l'oncle Press et à Alder. Ils étaient là-haut, quelque part. Si le sommet de la montagne entrait en éruption comme un volcan, ils étaient fichus.

Mark, Courtney, ce que j'ai vu alors me hantera jusqu'à la fin de mes jours. Il y avait trente secondes que l'explosion s'était produite, mais les gigantesques flammes jaillissaient toujours des tunnels avec une force à peine croyable. J'ai entretenu l'espoir qu'une partie du souffle de l'explosion se dissipe par ces ouvertures. Peut-être serviraient-elles de valves afin de contenir l'onde de choc avant qu'elle ne détruise tout ce qui se trouvait à la surface, y compris les êtres vivants.

C'est alors que j'ai entendu un bruit.

Il était différent du grondement des explosions. On aurait plutôt dit un craquement. Si vous avez déjà entendu le dernier râle d'un grand arbre tombant sous la hache d'un bûcheron, c'était à peu près ça. C'est l'horrible grincement qu'il émet alors qu'il tente de se cramponner à ce qui reste de son tronc. Eh bien, c'est un peu ce que j'ai entendu, mais amplifié un million de fois.

J'ai levé les yeux sur ma gauche pour voir d'où venait ce bruit. Imaginez un grand château de cinq étages gravé dans la falaise. C'était le palais des Bedoowans, et il était sur le point de s'effon-drer. Ce terrible craquement était son chant du cygne alors qu'il tentait de se cramponner à son perchoir. Mais en vain. La puis-sance du tak le déchirait. Des fissures sont apparues sur la façade du château, formant un réseau évoquant une toile d'araignée. Un instant, j'ai cru qu'il allait se désagréger, mais avec un dernier grondement le palais s'est séparé de la falaise pour s'effondrer au ralenti. Avec un ultime craquement d'outre-tombe, le monu-mental bâtiment a perdu ses derniers supports pour tomber dans la mer dans un monumental jaillissement d'eau.

Si le courant s'était écoulé dans la direction opposée, Loor et moi aurions été écrabouillés. Mais, bien que nous soyions loin du palais, nous n'étions pas sauvés pour autant. En frappant la surface des flots, le monumental bâtiment a créé un véritable raz-de-marée, et une immense vague se dirigeait droit vers nous. Nous devions monter en haut de cette crête sous peine de finir noyés. Je nous ai donc positionnés face au mur liquide. Celui-ci nous a soulevés en douceur pour redescendre de l'autre côté. Cette fois, nous n'avions pas à redouter une seconde vague. C'était un phénomène unique, et nous y avions survécu.

Maintenant que le danger immédiat était passé, j'ai regardé le château – ou plutôt ce qu'il en restait. L'immense structure s'était retournée, et tout un pan émergeait des flots comme un îlot. L'autre face était submergée. Je me suis tourné vers la falaise. À l'endroit où s'était dressé le palais, il n'y avait plus qu'une cicatrice béante. Il ne restait plus que les colonnes qui le soutenaient.

Je me suis aperçu que les conduits d'aération de la mine avaient cessé de cracher des flammes. Le grondement s'était tu. L'explosion était retombée – et nous étions en vie ! Nous n'avions plus qu'à regagner le rivage. J'ai tenté de diriger le wagonnet, mais c'était bien trop difficile. Je l'ai donc repoussé d'un coup de pied, mais non sans un dernier salut de gratitude, car il nous avait sauvé la vie.

J'ai bien vite ramené Loor au rivage. Lorsque mes pieds ont enfin touché le sable, je me suis levé et l'ai prise sur mon dos, toujours à la façon d'un pompier. Plus facile à dire qu'à faire. L'afflux d'adrénaline était passé, et je n'avais plus beaucoup de forces. Après une longue lutte, je suis tombé à genoux et ai laissé glisser Loor au sol.

Et je me suis effondré. Je n'avais plus qu'à reprendre mon souffle, puis réveiller Loor, et nous pourrions marcher vers les falaises pour retrouver Alder et l'oncle Press. Je n'osais penser à ce que nous trouverions là-haut, mais n'avais plus assez d'énergie pour m'en soucier. Je voulais juste profiter du simple fait d'être toujours en vie. Je me suis allongé sur le sable, ai fermé les yeux et me suis endormi.

Je l'avais bien mérité, non ?

Journal n° 4
(suite)

DENDURON

Je serais sans doute resté endormi sur cette plage pendant des jours si quelqu'un ne m'avait pas réveillé en me tapotant doucement sur le pied. Alors que j'émergeais lentement du pays des songes, je me suis souvenu de ce monstrueux requin qui avait jailli du flume. J'ai alors fait la connexion entre les légers coups sur mon pied et le monstre. Soudain, j'ai cru que celui-ci était toujours vivant et s'apprêtait à me dévorer le pied. J'ai poussé un cri et replié ma jambe vers moi.

Bien sûr, ce n'était pas le requin, mais Loor. Elle s'était réveillée et tentait de me faire revenir à moi. Par contre, elle ne s'attendait pas à une telle réaction de ma part, car elle aussi a sursauté.

— Désolé, Pendragon, a-t-elle fait d'un ton penaud. Je ne savais pas que tu étais chatouilleux.

Chatouilleux ? J'étais trop gêné pour lui dire ce qui m'avait vraiment fait réagir.

— Ce n'est rien, ai-je répondu. Et toi ? Ça va ?

Elle a frotté la vilaine marbrure bleu et noir sur son front et a fait la grimace.

— Je suis surtout blessée dans mon honneur.

— De quoi te souviens-tu ?

— De quelque chose dans le flume qui se précipitait vers nous. Mais c'est absurde.

— On peut le dire, ai-je acquiescé. C'était un requin. Saint Dane ne voulait pas que nous le suivions.

Loor y a réfléchi un moment. J'imagine qu'elle espérait que ce soit juste un mauvais rêve.

– Ensuite, je ne me rappelle plus grand-chose, a-t-elle continué. Juste que tu m'as porté sur ton dos. Était-ce un rêve ?

– Non.

Elle a froncé les sourcils. À un moment ou à un autre, je lui raconterais tout ce qui s'est passé, mais pas maintenant. Loor était une guerrière et tenait à sa fierté. Qu'une mauviette comme moi lui sauve la vie risquait d'en porter un coup à son orgueil. Inutile de retourner le couteau dans la plaie. Du moins pas tout de suite. Croyez-moi, plus tard, je ne me gênerais pas pour en remettre une couche, mais pas maintenant.

– Tu ne cesses de me surprendre, Pendragon. Tu as fait preuve de courage et d'intelligence, et maintenant, contre toute attente, il semblerait que tu réagisses comme un guerrier. (Elle s'est tue, puis a ajouté :) Merci.

C'était certainement le plus grand compliment qu'elle puisse faire. Dans son esprit, j'étais digne de l'honneur ultime, celui de devenir un guerrier. Mais je n'étais pas sûr d'être d'accord. Je n'étais toujours pas un guerrier. Tout ce que j'avais fait, c'était sous le coup de la panique. À aucun moment je n'avais eu l'impression d'avoir le choix. En fait, j'aurais préféré qu'elle ne me considère pas ainsi, car je n'avais aucune envie de rejouer les héros. En ce qui me concernait, ma carrière d'Indiana Jones était terminée. Mais je ne pouvais le lui dire. J'ai donc donné la réponse la plus simple et la plus sincère possible :

– De rien.

Je me suis demandé si elle m'avait pardonné la mort de sa mère, mais je n'allais pas aborder ce terrain glissant. Loor a regardé vers le large. Le palais bedoowan n'était plus qu'une épave qui dépassait à peine de la surface. De petites vagues le léchaient et quelques mouettes exploraient ses parois. Peu à peu, la mer éroderait la pierre, et ce symbole de la puissance des Bedoowans ne serait plus que sable. Mais pour l'instant, il symbolisait leur chute. C'était un monument parfait pour commémorer leur destruction.

– D'après toi, combien de Bedoowans sont morts ? a demandé Loor.

– Je n'en ai pas la moindre idée, ai-je répondu. Je pense que la plupart d'entre eux sont allés regarder la bataille. Mais ils auront une sacrée surprise lorsqu'ils voudront rentrer chez eux.

– C'est triste.

Elle avait raison. Les Bedoowans avaient une culture relativement avancée pour ce territoire. Ils auraient pu utiliser leur savoir pour améliorer les conditions de vie de tous les habitants de Denduron, mais ils avaient préféré user de leur puissance et de leur supériorité pour réduire les autres en escalavage. En vérité, si les Bedoowans n'avaient pas exploité les Milagos, rien de tout cela ne serait arrivé. Saint Dane avait certes envenimé les choses, mais ils avaient déjà fait leur choix. Ils avaient cherché ce qui leur arrivait.

– Et la mine de tak ? a demandé Loor.

– C'était un sacré spectacle. J'imagine que ce produit du diable a été détruit jusqu'au dernier gramme. Je pense que nous n'avons plus à nous inquiéter : les Milagos ne risquent plus de s'en servir.

Loor s'est tournée vers moi et m'a regardé droit dans les yeux.

– Si l'explosion a détruit le palais, qu'en est-il du village des Milagos ?

Bonne question. J'ai aussitôt pensé à Alder et l'oncle Press. Avaient-ils survécu ? J'ai regardé l'immense falaise.

– Nous devons remonter, ai-je dit, même si je n'en avais pas vraiment envie.

Nous nous sommes rapprochés et avons cherché des yeux le meilleur chemin. Ça ne serait pas une partie de plaisir. L'escalade serait ardue et risquée.

– Je peux y arriver, a suggéré Loor. Je vais tresser une corde avec des lianes et nous n'aurons qu'à nous encorder. Ce sera plus sûr. C'est dangereux, mais nous pouvons y arriver.

– Bonne idée, ai-je dit tout en examinant la falaise. Ou on pourrait emprunter ce sentier là-bas.

Elle a suivi mon doigt. Le chemin était étroit, escarpé et il y avait pas mal de tournants, mais c'était bien un sentier.

– Oh, a-t-elle dit. Oui, c'est une possibilité.

– Allons-y, ai-je dit avec un sourire.

Je suis parti vers le sentier et Loor m'a suivi sans un mot.

En fin de compte, ça n'a pas été si terrible. Avec ses multiples tournants, le chemin était un peu moins escarpé, mais ça rallongeait le voyage. Tout en marchant, nous n'avons pas échangé plus de quelques mots. Je ne peux pas parler pour Loor, mais pour ma part, plus nous nous rapprochions du sommet, plus de redoutais ce que nous allions découvrir. La dernière fois que nous avions vu les Milagos et les Bedoowans, ils s'apprêtaient à aller au combat. La bataille était-elle terminée ? Est-ce qu'une des tribus avait remporté la victoire ? Ou arriverions-nous au sommet pour constater que l'explosion avait laissé un trou béant en fusion comme le cratère d'un volcan ? J'ai essayé de chasser ces idées noires. Nous saurions bien assez tôt ce qu'il en était.

Nous étions presque arrivés quand je me suis retourné pour regarder Loor. J'ai eu l'impression qu'elle était aussi inquiète que moi. Nous n'avons pas échangé un mot, mais nous voulions tous les deux attendre une seconde avant d'affronter les horreurs qui nous attendaient peut-être là-haut. Au bout d'un moment, Loor a inspiré profondément et a hoché la tête. J'ai acquiescé à mon tour et nous avons escaladé les derniers mètres qui nous séparaient du sommet.

Ce que nous avons vu ne ressemblait à rien de ce que j'avais imaginé. Tout d'abord, on aurait dit que la surface n'avait pas trop souffert de l'explosion. Pas de trou, pas de volcan. C'était bon signe. Peut-être que les conduits d'aération avaient bel et bien dispersé le souffle de l'explosion.

Néanmoins, tout avait changé. Apparemment, la violence de l'explosion avait fait ses pires ravages sous terre, et à la surface le résultat évoquait plutôt les conséquences d'un tremblement de terre. Ce qui avait été une plaine relativement plate ressemblait désormais à de vraies montagnes russes, tout en creux et en bosses. La prairie où les Milagos et les Bedoowans s'étaient affrontés avait été déchirée comme du papier de soie. D'énormes rochers avaient été projetés vers la surface et, partout, d'immenses trous s'étaient ouverts. L'explosion du tak avait ravagé le terrain et changé à jamais sa topographie.

— Nous devrions nous rendre au village des Milagos, ai-je dit.

Nous avons emprunté le chemin qui, nous le savions, nous mènerait au village le plus rapidement possible. Outre le terrain ravagé, autre chose m'a frappé : les gens. Ils étaient des centaines à errer sans but, l'air hagard. Tandis que nous nous dirigions vers le village, nous avons croisé des Bedoowans, des Novans, des chevaliers et des mineurs. Tous semblaient dériver comme des somnambules en arborant la même expression choquée. D'ailleurs, personne ne semblait se préoccuper de son ennemi. Les chevaliers et les mineurs se croisaient sans même se regarder. Personne ne parlait, personne ne luttait, personne n'avait peur. Tout le monde était... sous le choc.

Et il y avait des cadavres, aussi. Je ne savais pas s'ils étaient tombés à cause de l'explosion ou au combat. On les évacuait du champ de bataille pour les allonger côte à côte. Peu importait qu'ils soient Bedoowans ou Milagos, ils reposaient ensemble. Aussi horrible que soit cette idée, j'avais craint que les pertes ne soient plus nombreuses. Entre la bataille et l'explosion, je m'attendais à trouver une nécropole jonchée de morts. Mais il semblait que la majorité des belligérants avaient survécu. Seules quelques victimes malchanceuses gisaient côte à côte.

Tout en marchant vers le village, Loor et moi avons regardé en silence cet étrange spectacle. Nous avons cherché le sentier qui sinuait entre les arbres, mais il avait disparu. Et d'ailleurs, la forêt ne valait pas mieux. Des centaines d'arbres abattus s'entassaient comme des brindilles. Il ne serait pas facile de retrouver notre chemin dans ce labyrinthe.

Puis j'ai aperçu quelque chose qui m'a poussé à m'arrêter. Un mineur blessé était assis près de la souche d'un arbre abattu. Il saignait de la tête et devait s'adosser au tronc pour ne pas tomber. Une femme se tenait agenouillée à ses côtés et pansait ses blessures. Elle était munie d'un seau d'eau et de quelques chiffons. Elle a plongé un chiffon dans l'eau et, avec des gestes doux, a lavé ses plaies en prenant bien soin de ne pas lui faire mal. On aurait dit une mère et son enfant. Vu tout ce qui s'était passé, on aurait pu en conclure que cette scène n'avait rien d'extraordinaire, et pourtant si. Parce que cette femme occupée à soigner un mineur milago était une Bedoowan.

– Je ne comprends pas, a dit Loor. Ils se détestent !

– Peut-être se sont-ils découvert un ennemi commun, ai-je répondu.

Nous nous sommes frayés un chemin à travers la forêt abattue et avons fini par trouver le village milago. Celui-ci n'était pas beau à voir. Quelques huttes étaient encore debout, mais la plupart d'entre elles étaient endommagées. Certaines n'étaient plus que ruines. La rue qui menait au centre du village était désormais encombrée de pierres, de débris et de crevasses. J'ai regardé au centre du village et la plate-forme où avaient lieu les cérémonies du transfert. Tout était détruit. La grande fondation de pierre était toujours là, mais elle était entièrement noircie par les flammes. La plate-forme s'était effondrée. J'allais suggérer de nous lancer à la recherche d'Alder et l'oncle Press lorsque nous avons entendu une voix familière :

– Loor ! Pendragon !

C'était Alder. Il était en vie ! Ce grand chevalier maladroit a couru vers nous comme un chiot surexcité. Dans son enthousiasme, il a trébuché sur une pierre et titubé. Nous l'avons rattrapé juste avant qu'il ne tombe la tête la première. Nous en avons profité pour nous serrer dans les bras.

– Je vous croyais morts, tous les deux ! s'est-il exclamé. Comment vous êtes-vous échappés du palais ?

– C'est une longue histoire, ai-je répondu. Que s'est-il passé là-haut ?

– C'était incroyable ! s'est-il écrié, complètement électrisé. Il y a eu une grande bataille. Les Milagos ont cherché à défaire les Bedoowans à l'aide du tak, mais ils ont fini par en manquer, alors ils ont chargé et les deux factions se sont rentrées dedans et… et… c'est alors que c'est arrivé !

– Qu'est-ce qui est arrivé ? a demandé Loor, même si elle avait une idée de la réponse.

– Le sol s'est soulevé ! La terre s'est mise à onduler comme la surface de l'océan ! Les Milagos et les Bedoowans ont cessé de lutter et ont cherché à fuir, mais ils n'avaient nulle part où aller !

Les arbres se sont abattus, les huttes se sont effondrées, et le bruit… Le fracas du tonnerre, mais venant de sous la terre. Puis les flammes…

Il a désigné les restes noircis de la plate-forme au centre du village.

— D'immenses colonnes de feu ont jailli des ouvertures donnant sur la mine ! On aurait dit des geysers de flammes montant vers le ciel. Et soudain… ça s'est arrêté.

Alder s'est tu afin que nous puissions digérer ce qu'il venait de nous raconter. Au bout d'un moment, il a dit :

— Et où étiez-vous pendant tout ce temps ?

J'ai regardé Loor, qui a haussé les épaules. Ce qui voulait dire qu'elle me laissait répondre.

— Eh bien, ai-je dit, nous avons fait sauter la mine de tak. Ça doit avoir un certain rapport avec tout ce qui s'est passé ici.

Alder nous a fixés, la bouche bée, sans oser y croire. Il avait du mal à avaler cette information.

— Ferme la bouche, ai-je dit. Où est l'oncle Press ?

— Ahhh, Press, a-t-il dit, revenant à la réalité. Oui. Suivez-moi.

Il s'est éloigné d'un pas mal assuré et nous a fait traverser ce qui restait du village milago. Alors que nous approchions une hutte restée à peu près intacte, il nous a fait un geste signifiant « chut ! ». Quoi que nous allions voir, il ne voulait pas que nous l'interrompions. Il est resté collé au mur et a regardé de l'autre côté. Loor et moi l'avons rejoint et avons fait de même.

À quelques mètres de là se trouvait la hutte qui avait été celle de Rellin. Je m'en souvenais parce que c'était là qu'il m'avait demandé de lui apporter d'autres piles. Mais les cloisons de la hutte avaient disparu. C'était bizarre. Il y avait des gens qui se comportaient comme s'ils étaient à l'intérieur alors qu'ils étaient dehors et… et… Bon, vous avez compris le topo. Trois personnes semblaient engagées dans une discussion fort animée. Parmi le trio, j'ai eu le plaisir de reconnaître l'oncle Press. Il était bien vivant et avait l'air indemne. Ma première idée a été de l'appeler, mais ils avaient l'air de débattre de quelque chose de si important que j'ai préféré tenir ma langue.

La deuxième personne était Rellin. Il avait l'air de revenir de la guerre, ce qui était le cas d'ailleurs. Ses vêtements de cuir étaient lacérés et son bras bandé était maculé de sang coagulé, mais il était bien vivant. C'est lorsque j'ai posé les yeux sur la troisième personne que j'ai reçu un choc.

C'était la reine Kagan. Elle était assise par terre, entourant ses genoux repliés de ses bras, en larmes. Je vous assure, elle pleurait comme une gamine. Je n'ai pas pu entendre ce qu'ils se disaient, mais il m'a semblé que Rellin lui parlait tout doucement, comme un père s'adressant à un enfant triste. L'oncle Press gardait le silence. J'imagine qu'il jouait le rôle d'intermédiaire neutre.

C'est alors que l'oncle Press nous a vus et nous a fait un grand sourire. Il s'est excusé et a couru vers nous. Il a écarté les bras et m'a étreint de toutes ses forces en riant. Je crois même qu'il pleurait de soulagement, enfin, un peu. À vrai dire, moi aussi je me suis mis à rire et pleurer en même temps. Vous parlez d'une brochette de Voyageurs endurcis ! Il nous a entraînés de l'autre côté de la hutte afin de ne pas déranger les pourparlers, puis a étreint Loor à son tour. Je ne l'avais pas vu réagir ainsi depuis des éternités. Pour la première fois depuis le début de cette aventure, j'avais retrouvé l'oncle Press que je connaissais depuis toujours. C'était bien agréable. Il a fini par reculer et nous a jeté un regard dur.

– Qu'est-ce qu'il y a ? ai-je demandé.

– C'est toi ? a-t-il répondu. Je veux dire, es-tu la cause de tout ça ?

Il a tendu le bras pour désigner le village dévasté. Je voyais très bien ce qu'il voulait dire. Je me suis tourné vers Loor, qui a haussé les épaules. Ça devenait son signal pour dire qu'elle préférait que je parle pour nous deux.

– Eh bien... oui.

L'oncle Press a éclaté de rire.

– Je t'avais dit de nous débarrasser de la bombe, pas de la faire exploser dans la mine !

– Ce n'est pas tout à fait ça.

Je lui ai raconté ce qui s'était produit depuis qu'il nous avait laissés dans l'arène bedoowan. J'étais bien placé pour savoir que tout était vrai, et pourtant, même à moi, ces événements semblaient bien fantastiques. Je pense que le plus extraordinaire, c'est qu'à l'origine de cette dévastation il y a ce simple geste de jeter à terre une boule de tak de la taille d'un petit pois. Une pichenette pour faire tomber le premier domino. Impressionnant.

L'oncle Press m'a écouté attentivement. Tout comme Alder. Je ne pensais pas que ce soit possible, mais je crois que notre aventure dans la mine a choqué mon oncle. En tout cas, Alder n'en revenait pas ; il est resté bouche bée tout au long de mon récit.

– Et Saint Dane ? a demandé l'oncle Press.

– Il s'est échappé. Il a sauté dans le flume. Nous l'aurions bien suivi, mais il nous a envoyé un requin monstrueux pour nous en empêcher. Et ça a marché.

– Un requin monstrueux ? Ça veut dire qu'il est sur Cloral, a dit l'oncle Press, pensif.

– C'est ça ! me suis-je exclamé. Comment le sais-tu ?

– Parce que sur Cloral, ces requins géants jouent le rôle des quigs, a-t-il répondu.

Bien sûr ! J'aurais dû m'en douter ! Les quigs de la Seconde Terre sont des chiens monstrueux, ceux de Denduron une espèce d'ours et ceux de Cloral des requins. C'était tellement simple. Tout le monde le savait ! Pense-bête : rester le plus loin possible de Cloral.

– Qu'est-ce qui se passe ici ? ai-je demandé.

Je parlais de la rencontre entre la reine Kagan et Rellin, bien sûr. J'en avais assez de penser aux quigs, quelle que soit la forme qu'ils adoptent.

Nous nous sommes tournés vers les deux chefs tribaux, toujours en plein débat.

– Tu as devant toi des gens morts de frayeur, a-t-il expliqué. Tous deux ont eu un aperçu de l'apocalypse. Rellin a failli perdre tous les Milagos jusqu'au dernier et la reine Kagan a vu son palais s'abîmer dans les flots. Il ne leur reste plus rien, sinon leur peuple.

– De quoi parlent-ils ?

– De bien des choses. Mais, en résumé, ils cherchent la meilleure façon de survivre, ensemble.

Il y avait quelques heures à peine, l'idée de voir Milagos et Bedoowans cohabiter pacifiquement et s'entraider n'était qu'une plaisanterie. Ils avaient des siècles de rancœur derrière eux. On ne peut oublier un tel passif en une après-midi. Mais j'ai repensé au mineur milago et à la femme bedoowan qui pansait ses plaies. Après tout, c'était encore des êtres humains. Et comme le palais avait été détruit, ils se retrouvaient dans le même bain. S'ils voulaient survivre, ils devaient s'entraider. C'était beaucoup demander d'anciens ennemis mortels, mais j'imagine qu'un cataclysme qui a bien failli détruire votre monde peut vous faire changer de priorités.

– Ils ont beaucoup à offrir les uns aux autres, a ajouté l'oncle Press. Les Bedoowans ont des compétences en ingénierie et en chimie. Ils pourront aider les Milagos à sortir de l'âge de pierre. Quant à eux, ce sont des fermiers et des bâtisseurs. Maintenant, ils peuvent enfin recevoir le fruit de leur travail.

– Et les mines ? a demandé Alder.

– Elles n'existent plus, a répondu l'oncle Press. Elles se sont effondrées juste après l'explosion. Il faudrait des dizaines d'années pour les creuser à nouveau. Ça n'en vaut pas la peine. Les Milagos ne seront plus jamais mineurs.

– Donc, fini l'azur, ai-je ajouté.

– Oui, il n'y en aura plus. Les Bedoowans l'utilisaient pour commercer avec d'autres tribus. Maintenant, ils devront apprendre à ne dépendre que d'eux-mêmes.

– Et les Novans ? Que vont-ils devenir ?

– Ils pourront rejoindre leur propre tribu. Ou rester et contribuer à la reconstruction. C'est à eux de décider, mais je pense qu'ils vont rester.

– Et si les Milagos tentent encore d'employer le tak ? a demandé Alder. C'est ce que voulait Saint Dane, non ?

– Le stock de tak a volé en éclats, ai-je affirmé avec autorité. Même s'il le voulait, Rellin ne pourrait plus en trouver.

– Rellin est un brave homme, a renchéri l'oncle Press. Il s'est laissé aveugler par son désir d'améliorer les conditions d'existence des siens. Maintenant, il peut employer sa force de caractère de façon plus positive. Il fera un bon chef. Mais avec la reine Kagan, il ne va pas s'amuser tous les jours. Elle est incroyable.

Comme s'il avait deviné que nous parlions de lui, Rellin a levé les yeux vers nous. Nos regards se sont croisés et il a souri. Ce simple geste était éloquent. Il avait perdu toute velléité guerrière et, bien qu'il ait l'air épuisé, il semblait en paix. Il y avait beaucoup à faire, mais il était tout à fait capable d'affronter les difficultés à venir.

– Rien ne garantit que ce nouveau monde va fonctionner, a dit l'oncle Press. Ces gens vont devoir surmonter des siècles de haine et de méfiance. Mais au moins, maintenant, ils ont l'occasion de bâtir une société dont tout le monde pourra profiter. Et il n'est pas donné à tout le monde d'avoir une chance de repartir à zéro.

En regardant le village ravagé, j'avais du mal à admettre que la quasi-destruction de leur monde était ce qui pouvait arriver de mieux à ces gens. Mais l'oncle Press avait peut-être raison. Peut-être valait-il mieux tout effacer et repartir à zéro. Il ne restait plus qu'à espérer qu'ils en tirent le meilleur parti.

– J'ai faim ! a annoncé l'oncle Press. Loor, Alder, pouvez-vous vous rendre à la hutte-hôpital ? Ils y ont installé une cantine d'urgence.

Alder et Loor se sont empressés d'aller chercher à manger, mais je ne pense pas que ce soit ce que désirait vraiment l'oncle Press. Il voulait me parler seul à seul.

– Marchons un peu, a-t-il dit.

Nous avons laissé Rellin et la reine Kagan poursuivre leur discussion pour nous enfoncer dans le village milago.

– Comment te sens-tu, Bobby ? m'a-t-il demandé.

C'était une question aussi simple que la réponse était complexe. Comment me sentais-je ? Tiraillé dans des millions de directions. J'étais crevé. J'avais encore mal partout, après notre évasion avec Loor et notre plongeon dans l'océan. Mais j'étais relativement fier d'avoir gardé mon sang-froid alors que tout s'effondrait autour de moi.

J'avais également l'impression d'avoir appris une ou deux petites choses. Par exemple, que parfois on a le droit de penser comme un trouillard du moment que ça ne transparaît pas dans ses actes – du moins pas tout le temps. J'avais appris qu'on avait le droit d'avoir tort, du moment qu'on le reconnaissait et qu'on voulait bien écouter ceux qui étaient plus avisés.

Je me sentais triste, aussi. Triste pour Osa, la mère de Loor, cette femme d'exception. J'aurais bien voulu la connaître un peu mieux. Et triste pour Loor elle-même, qui avait perdu sa mère. Et pour tous ceux dont les vies avaient été gâchées. Ces derniers jours, j'avais vécu bien des bouleversements, et pas toujours heureux. J'avais vu comment certains pouvaient maltraiter leurs contemporains. C'était peut-être ça le pire. J'avais été confronté à l'avidité, à la colère, au meurtre et à un mépris total pour la vie des autres. Là, sur Denduron, j'avais contemplé ce qu'il y a de plus noir dans l'âme humaine, et ça m'attristait de savoir tout ce qui pouvait y grouiller.

Comment me sentais-je ? D'un côté, j'avais peur de Saint Dane. Non pas que je croie qu'il puisse chercher à se venger, non. J'avais peur de ce dont était capable un seul homme. Il avait utilisé des gens, les avait manipulés pour leur faire commettre des atrocités. Son pouvoir avait failli provoquer la destruction de tout un monde. Je redoutais qu'il ne fasse une autre tentative ailleurs, sur un autre univers. J'espérais qu'en contrecarrant ses plans maléfiques sur Denduron, je l'aurais empêché de poursuivre sa croisade. Et surtout, j'avais peur d'être un Voyageur. C'était une responsabilité dont je ne voulais pas. Enfin, après tout, je ne suis qu'un gamin. S'il y a bien une chose qui me terrifie, c'est mon propre avenir.

Comment me sentais-je ? D'un autre côté, je me sentais presque heureux. Heureux que le peuple de Denduron ait une chance de bâtir un monde meilleur. J'étais fier de l'oncle Press. Je ne savais pas trop ce qu'il avait à y gagner, mais il avait assez de compassion pour provoquer la résurrection d'une société qui courait à la ruine. J'étais aussi heureux d'avoir rencontré tous ces gens. Alder avait bon cœur, et je le considèrerais toujours comme un ami. Rellin s'était peut-être trompé, mais s'il avait agi ainsi, c'était uniquement pour le bien de son peuple, et il n'y avait rien de plus respectable. À présent, il avait l'occasion de les aider d'une meilleure façon. J'étais heureux d'avoir rencontré Osa. Je n'oublierai jamais sa sagesse tranquille, et j'espère qu'elle déteindra sur moi. J'étais heureux d'avoir des amis comme vous, Mark et Courtney. Vous m'avez aidé quand j'en avais le plus besoin, et je resterai votre débiteur.

Mais je pense que, plus que tout, je suis heureux d'avoir connu Loor. Elle était d'une loyauté inflexible et n'hésitait pas à risquer sa vie pour ce en quoi elle croyait. Elle était courageuse, passionnée, intelligente et belle à se damner. Mais en plus, il y avait en elle quelque chose d'infiniment précieux. Lorsque cette aventure finira par s'effacer de ma mémoire, ce qui arrivera bien un jour, je lui serai éternellement reconnaissant de m'avoir forcé à regarder au-delà des limites de mon petit univers et à prendre conscience de mes forces.

Alors, comment me sentais-je ? Une question aussi complexe que sa réponse était simple.

– Oncle Press, ai-je dit, j'ai envie de rentrer chez moi.

Il allait répondre, mais je l'ai coupé :

– Non. Quand tu m'as demandé de venir avec toi, tu m'as dit qu'il y avait des gens qui avaient besoin de notre aide. J'ai fait tout ce que tu m'as demandé. Maintenant, je veux rentrer chez moi.

Il n'a même pas cherché à discuter. Il n'y avait rien d'autre à ajouter.

– Très bien, Bobby. Tu as raison. Tu ne peux pas imaginer à quel point je suis fier de toi. Demain, je te reconduirai chez toi.

Voilà ce que je voulais entendre ! Et c'est comme ça que j'en suis arrivé là, à rédiger ce journal. Nous allons passer la nuit dans la hutte-hôpital. Demain, nous allons entamer la longue ascension à flanc de montagne qui nous mènera au flume. Malheureusement, l'entrée de la mine est désormais enfouie sous des millions de tonnes de roche. L'oncle Press m'a assuré que le voyage ne serait pas si difficile. Nous allons emprunter des chevaux aux Bedoowans et emporter quelques sifflets au cas où nous tomberions sur des quigs en maraude.

Alder et Loor sont là, à côté de moi, et eux aussi rédigent leur journal. Alder m'a raconté tout ce qui s'était passé pendant la bataille : comme ça, j'ai pu rédiger son récit. Je ne vais pas employer l'anneau pour vous faire parvenir ce journal. Je compte vous le donner en mains propres. J'ai hâte de voir vos têtes en me voyant débarquer.

J'ai aussi hâte de retrouver ma famille. Je ne sais pas ce que je vais leur raconter, mais je trouverai bien quelque chose. Je me demande si je manque à Marley. En tout cas, elle me manque.

Eh bien, les gars, c'est la dernière fois que je vous écris. Merci de m'avoir lu jusqu'au bout. Merci d'être mes amis. Demain, je quitte Denduron pour de bon. Comme j'ai hâte d'être chez moi !

Fin du quatrième journal

SECONDE TERRE

Mark finit sa lecture avant Courtney, mais attendit qu'elle-même relève la tête. Tous deux regardèrent Bobby, allongé sur le lit de Mark. Ils avaient tant de choses à lui dire, mais ne voulaient pas le réveiller : il avait bien besoin de repos. C'était une drôle de sensation. Bobby était leur ami ; ils le connaissaient depuis l'enfance. Mais désormais, tout était différent. C'était toujours leur Bobby, et pourtant ce n'était pas le même Bobby qui avait embrassé Courtney quelques jours plus tôt. Pouvaient-ils revenir en arrière ?

— Je suis réveillé, dit doucement Bobby.

Mark et Courtney bondirent pour le rejoindre. Courtney s'assit au bord du lit pendant que Mark faisait les cent pas.

— J'en conclus que tu as réussi à escalader la montagne et atteindre le flume, fit-elle.

Bobby se redressa, à grand mal. De toute évidence, s'il n'était pas blessé, tout son corps était douloureux.

— Oui, les Bedoowans nous ont donné des chevaux et nous ont fait parcourir une bonne partie du chemin.

— Et les quigs ? demanda Mark.

— Pas vu la queue d'un, mais je pense que c'était surtout à cause de cette tempête de neige. (Il désigna les petites égratignures sur son visage.) Le vent soufflait fort. J'avais l'impression de recevoir une pluie d'aiguilles en pleine figure. Ce n'était pas une partie de plaisir. Désolé, j'ai sali tes oreillers.

— Ce n'est rien, dit Mark avec sincérité.

— Qui est revenu avec toi ? a demandé Courtney. L'oncle Press ?

— Oui. Et tu sais le plus drôle ? Quand on est arrivés à la station de métro, sa moto nous attendait à l'endroit même où nous l'avions laissée. Même les casques étaient là. C'est bizarre, non ?

Oh, oui. D'autant plus bizarre que, lorsque Mark et Courtney s'étaient rendus à cette même station, la moto n'était pas là. Quelqu'un devait s'en être occupé en attendant le retour de l'oncle Press.

– Ouais, c'est drôle, dit Mark. (Il leva le dernier journal de Bobby et ajouta :) Mais tu veux que je te dise quelque chose d'encore plus bizarre ?

Ils fixèrent tous la liasse de parchemins… avant d'éclater de rire. Mark avait raison. Comparé à tout ce que Bobby avait vécu sur Denduron, une moto qui disparaît et réapparaît mystérieusement semblait presque banale.

Pour Bobby, c'était bon de rire et de retrouver ses amis, et pourtant il ressentait la même gêne que Courtney et Mark. De l'eau avait coulé sous les ponts. Il n'était plus le même qu'à son départ. Pouvait-il reprendre le cours de sa vie là où il l'avait laissée ?

– Et Loor ? demanda Courtney. Elle est restée sur Denduron ?

Mark crut déceler une pointe de jalousie dans sa voix, mais préféra ne pas faire de commentaire.

Bobby cessa de rire. Elle avait touché un point sensible.

– Elle est montée avec nous en haut de la montagne, répondit-il. Mais quand on est arrivés dans la caverne, elle ne s'est pas arrêtée. Elle a sauté dans le flume, comme ça, sans même un au revoir, sans dire « à bientôt ». Non, pas un mot. Bon, on n'était pas devenus de vrais amis, mais on avait traversé pas mal d'épreuves ensemble. J'aurais bien voulu pouvoir lui dire ce que j'avais sur le cœur.

Apparemment, ce départ précipité l'avait blessé. Il avait fini par s'attacher à Loor, mais apparemment, elle ne ressentait pas la même chose. Elle se fichait pas mal de lui. Il y eut un long silence gêné. Puis Mark aborda le sujet crucial, celui qui les hantait tous :

– Bobby, dit-il d'un ton hésitant, il y a quand même des trucs incroyables dans tes journaux. Cette querelle entre les Milagos et les Bedoowans n'en est qu'une partie. Il y a aussi cette histoire de Voyageurs, et de flumes qui te propulsent à travers l'espace et le temps, et ces gens qui vivent sur des territoires dispersés dans l'univers. Et ce Halla ? Qu'est-ce que c'est ? Comment chaque *espace*, chaque *temps* et chaque *chose* peuvent-ils coexister en même temps ? Et qui est ce Saint Dane ? Est-ce qu'il va apparaître tout à coup dans notre monde pour le mettre sens dessus dessous, comme il l'a fait sur Denduron ? Ce que tu as écrit pulvérise tout ce que nous croyions savoir sur le fonctionnement de l'univers, et ça me fiche la frousse.

– J'aimerais pouvoir te rassurer, répondit Bobby, mais je ne suis pas plus avancé. Et moi aussi, ça me rend dingue. Je n'en sais pas plus que ce que j'ai écrit dans ces journaux. J'aimerais pouvoir remonter le temps jusqu'à l'autre soir et dire à l'oncle Press de se trouver quelqu'un d'autre. Mais c'est impossible. Et je suis en partie d'accord avec ça. J'ai appris quelques petites choses pas désagréables sur moi-même. J'ai aussi découvert ce que je dois changer, et c'est très bien aussi. Mais pour cette histoire de Voyageurs… Eh bien, je ne sais rien de plus.

– Alors, que vas-tu faire ? demanda Courtney.

Il passa ses jambes de l'autre côté du lit et se leva. Ses jambes tremblaient encore un peu, mais autrement, il semblait en forme.

– Je vais essayer de reprendre une vie normale, affirma-t-il. Si l'oncle Press a de nouveau besoin de moi, il pourra aller chercher ailleurs. Vous voulez bien m'accompagner jusque chez moi ? Ce sera plus facile.

C'était le moment que Mark et Courtney redoutaient le plus. Comment pouvaient-ils lui annoncer que sa famille avait disparu ? Après tout ce qu'il avait vécu, il ne méritait pas ça. Et pourtant, il fallait qu'il sache.

– B-B-Bobby, dit Mark, nous avons quelque chose à t-te…

Courtney l'interrompit :

– Nous allons avec toi, Bobby. Nous voulons être là pour toi.

Mark jeta un drôle de regard à Courtney, mais elle ne se dégonfla pas. Elle sentait qu'il n'y avait qu'une seule façon pour lui de découvrir ce qui s'était passé, et c'était de le constater par lui-même. S'ils lui disaient que sa maison avait disparu, il voudrait aller voir sur place de toute façon, Autant qu'il sache tout en même temps.

La maison de Bobby à Linden Place n'était pas loin. Alors qu'ils marchaient sur les trottoirs familiers de Stony Brook, Bobby ne cessait de regarder autour de lui en souriant. Il avait déjà parcouru des milliers de fois ces mêmes rues, mais maintenant, il les appréciait plus que jamais. Il s'imprégnait de chaque lieu, de chaque odeur, de chaque sensation avec une intensité maximale. Il s'enveloppait dans ce décor comme dans un drap bien confortable. Il était à nouveau lui-même. Il se sentait si bien qu'il se dit qu'après tout sa vie pourrait peut-être reprendre son cours normal.

Mark et Courtney pouvaient pressentir le cours de ses pensées. Mais son retour triomphal ne durerait pas, et cette idée leur brisait le cœur. Puis, au moment même où ils allaient aborder le dernier tournant avant le 2, Linden Place et le terrain vague où se dressait auparavant la maison de Bobby, Courtney le prit par le bras pour l'arrêter. Elle posa ses mains sur ses épaules et le regarda droit dans les yeux :

– Bobby, il y a quelque chose que tu dois savoir, dit-elle sincèrement. Nous sommes là.

– Je sais bien, Courtney, répondit-il.

Elle ne lâcha pas. Elle savait que, dès qu'elle retirerait ses mains, il tournerait le coin de la rue pour constater que cette existence qu'il voulait tant retrouver avait cessé d'exister.

– Hé, ça va ? lui demanda-t-il avec curiosité.

Elle acquiesça et retira ses mains. Bobby regarda Mark, cherchant à comprendre l'étrange comportement de Courtney, mais son ami était tout aussi décomposé qu'elle. Il comprit tout de suite qu'il y avait un gros, gros problème. Il tourna les talons et se mit à courir vers le tournant. Mark et Courtney échangèrent un regard nerveux et le suivirent.

Lorsqu'ils passèrent le tournant, ils virent Bobby planté sur le trottoir, tout seul, à fixer l'emplacement vide où se tenait sa maison. Il ne fit pas un geste, ne dit pas un mot. Il n'avait même pas l'air de respirer. Il restait là, le regard fixe. Mark et Courtney gardèrent le silence, eux aussi. Ils devaient lui laisser le temps d'assimiler ce qu'il voyait. Ou plutôt ce qu'il ne voyait pas. Il s'avança pour se tenir à l'endroit où se trouvait son jardin, là où il jouait depuis qu'il n'était qu'un bébé. C'est dans ce même jardin qu'il s'amusait avec Marley. Et un peu plus loin se trouvait l'endroit que, depuis treize ans, il appelait « chez moi ». Et il n'y avait plus rien de tout ça.

– Salut, fit une voix familière dans leur dos.

Tous se retournèrent pour voir l'oncle Press qui se tenait là, sur le trottoir. Il portait à nouveau un jean et son long manteau de cuir. Derrière lui était garée la petite voiture de sport qui l'avait conduit jusqu'ici. Une Porsche. L'oncle Press savait choisir ses moyens de transport.

– Tout va bien, Bobby, dit-il d'une voix douce. Tu peux respirer.

Mark et Courtney s'éloignèrent de quelques pas. Ce qui allait suivre ne regardait que Bobby et l'oncle Press. Ils virent que Bobby avait les yeux rougis. Il s'était mis à pleurer. Mais en voyant son oncle, son visage triste prit une expression furieuse.

– Où sont-ils ? siffla-t-il entre ses dents serrées. Et ne me dis pas que c'était écrit, parce que je ne m'en contenterai pas.

– Ils vont bien, répondit l'oncle Press d'une voix rassurante. Tous sont sains et saufs.

Bobby fit quelques pas en direction de l'oncle Press. Il était furieux, triste, effrayé, déboussolé. Mais par-dessus tout, il voulait une réponse à ses questions.

– Alors pourquoi ne sont-ils pas là ?

– C'est ça le plus dur à avaler, convint Press. Moi-même, j'ai eu du mal à l'accepter, tout comme Alder et Loor. Mais nous avons tous dû en passer par là. Je te l'aurais bien dit sur Denduron, mais il valait mieux que tu le constates par toi-même.

– Quoi ? insista Bobby. Que s'est-il passé ?

Courtney prit la main de Mark pour y trouver un peu de réconfort. Il ne lui résista pas.

– Bobby, expliqua l'oncle Press, ta famille a disparu parce qu'il était temps pour toi de partir. Ils t'ont élevé pour que tu sois celui que tu es aujourd'hui, mais il est temps de passer à autre chose.

Bobby fit quelques pas en arrière comme si l'oncle Press l'avait physiquement frappé. Qu'est-ce qu'il racontait ? Était-il destiné depuis sa naissance à partir sur Denduron ? Sa famille l'avait-elle su durant tout ce temps ? Comment était-ce possible ? Sa vie était si… normale. C'est alors qu'il eut une illumination.

– Tu n'est pas mon oncle, n'est-ce pas ?

– Non, pas au sens traditionnel, répondit Press. Mais j'ai toujours veillé sur toi et je le ferai toujours.

Bobby se détourna et courut au centre du terrain vague. Il voulait trouver une écharde de bois, un bout de verre, peut-être une vieille balle. N'importe quoi qui puisse prouver qu'il était bien passé par ici. En vain. Il ne trouva rien. Mais une surprise de taille l'attendait.

– Tout ira bien, Pendragon, dit une autre voix familière.

Bobby se retourna d'un bond. Loor se tenait juste à côté de la voiture. Elle était vêtue d'une salopette en jean et d'une chemise rose sans manche qui dévoilait ses puissants bras et ses épaules. Elle portait même des bottes Doc Marten's noires. Ses longs cheveux noirs étaient noués en une tresse qui descendait dans son dos, et elle arborait un collier de petits coquillages. Elle serait passée inaperçue au milieu des étudiants de Stony Brook High. Personne n'aurait jamais pu se douter qu'elle était une guerrière en provenance d'un autre monde lointain.

Courtney toisa Loor de la tête aux pieds. Mark le remarqua et se promit, plus tard, de l'asticoter à propos de sa jalousie. Mais qui pouvait lui en vouloir ? De l'avis de Mark, Loor était encore plus belle que la description que Bobby en avait fait. Elle était peut-être vêtue comme n'importe quelle citadine, mais elle conservait la présence imposante de la guerrière qu'elle était. Courtney Chetwynde avait enfin trouvé une rivale.

Bobby se dirigea vers Loor. Si quelqu'un pouvait lui dire la vérité, c'était bien elle.

– Tout ça te semble parfaitement logique ? demanda-t-il.

– Je commence à comprendre, répondit-elle.

– Et qu'en est-il d'Osa ? Était-elle vraiment ta mère ?

– Non, répondit Loor. Elle m'a dit la vérité avant que nous ne partions pour Denduron. Osa m'a élevée et m'a appris tout ce que je sais. Elle était ma mère dans tous les sens du terme, même si elle ne m'avait pas enfantée. Cela ne m'empêchait pas de l'aimer.

Bobby baissa les yeux, le temps de digérer l'information.

– Sur la montagne, continua Loor, si je ne t'ai pas fait mes adieux, c'est parce que j'avais l'esprit ailleurs. Le corps d'Osa était déjà reparti pour Zadaa. Je devais repartir pour assister à la cérémonie des funérailles. Pour moi, c'était un moment pénible. J'espère ne pas t'avoir offensé.

Bobby secoua la tête. Il ne comprenait que trop bien. Maintenant, il savait ce que c'était de perdre sa mère. Il regarda Press.

– C'est donc ça ? demanda-t-il. Les Voyageurs n'ont pas de famille ? Pas d'existence propre ? Ils se contentent de sillonner l'univers et de chercher les ennuis ?

Press sourit une fois de plus.

– Tu me fais toujours confiance, n'est-ce pas, Bobby ?

– Je crois, répondit ce dernier d'un air sceptique. Mais je commence à perdre la foi.

– Tu as tort, s'empressa-t-il de répondre. Crois-moi, au fil du temps, tout finira par te sembler limpide. Et je vais te faire une promesse. Tu reverras ta famille. Ton père, ta mère, même ta sœur Shannon.

– Et Marley ? ajouta Bobby.

– Tu pourras encore t'amuser avec elle. Mais pas aujourd'hui.

– Quand alors ?

Press y réfléchit. Il avait réponse à bien des questions, mais pas celle-ci.

– Ça, je ne peux pas te le dire.

Bobby regarda Loor qui hocha la tête pour l'encourager, puis il se tourna de nouveau vers le terrain vague. Il resta longtemps silencieux, à rassembler ses idées. Finalement, il déclara :

– Tu m'as déjà demandé comment je me sentais. Tu veux toujours le savoir ?

– Oui ?

– Comme si je venais d'apprendre que le Père Noël n'existe pas. Et ce n'est pas très agréable.

– Tu t'y feras, affirma Press.

– Et maintenant, que se passe-t-il ? demanda Bobby.

– Tu viens avec nous, répondit l'oncle Press.

Bobby s'est dirigé vers Mark et Courtney. En regardant ses deux amis, tous ses souvenirs de sa vie à Stony Brook le submergèrent. Il aurait tout donné pour se retourner et voir sa maison à sa place, et que tout redevienne comme avant. Mais cela ne risquait pas d'arriver.

– Je… je crois que je dois y aller, dit-il.

– On sera toujours là pour toi, répondit Courtney, et ses yeux s'emplirent de larmes.

Il les serra tous les deux contre son cœur. Il fit de son mieux pour ne pas pleurer. Il ne voulait pas s'écrouler devant Loor. Mais il ne voulait pas non plus abandonner ses amis, parce que lorsqu'il les aurait quittés, il laisserait derrière lui son existence ici, sur la Terre. La Seconde Terre.

– Il est temps de partir, Bobby, dit gentiment l'oncle Press.

Bobby se dégagea de l'étreinte de ses deux meilleurs amis et les regarda droit dans les yeux. Tout en essuyant une larme, Mark sourit.

– Hé, n'oublie pas de nous écrire !

Tous trois éclatèrent de rire. Ça allait de soi.

– Tu es sûr ? demanda Bobby. Est-ce que tu garderas mes journaux ?

– Si tu les envoies à quelqu'un d'autre, je serai vraiment furax, répondit Mark.

Il leva la main pour lui montrer l'anneau qu'Osa lui avait donné.

Bobby sourit, lutta pour contenir ses larmes et dit :

– À bientôt, alors.

– Au revoir, Bobby, répondit Courtney. Bonne chance.

Il hocha la tête, puis tourna les talons et se dirigea vers la voiture. Il s'arrêta devant Loor et dévisagea la guerrière qui devait être sa partenaire.

– Je sais que tu n'aimes pas que je dise ça, Pendragon, déclara-t-elle. Mais c'était écrit.

– Oui, eh bien, on verra, répondit-il d'un ton peu convaincu.

Il jeta un dernier regard au terrain vague où s'était dressée sa maison, puis se glissa sur la banquette arrière de la Porsche. Loor regarda Mark et Courtney. Cette dernière se redressa de toute sa taille. Loor eut un petit rire, puis monta à son tour dans la voiture.

– Gardez précieusement ses journaux, dit Press aux deux jeunes gens. Il pourra en avoir besoin un jour.

Mark et Courtney acquiescèrent. Press contourna la voiture à petites foulées et sauta derrière le volant. Dans un vrombissement de moteur, la petite voiture de sport s'éloigna du trottoir et fila dans la rue, en route vers... Dieu sait quoi.

Mark et Courtney la regardèrent disparaître dans le lointain. Le bruit du moteur s'affadit. Ils restèrent longtemps plantés là, sans savoir que faire. Enfin, Mark dit :

– Le Père Noël n'existe pas ?

Tous deux éclatèrent de rire. C'était agréable, même s'ils se cachaient leurs véritables sentiments.

– Appelle-moi si…, commença Courtney.

– Dès qu'il m'enverra le prochain épisode, promit Mark.

Puis ils s'en allèrent loin du terrain vague et se séparèrent pour rentrer dans leurs demeures respectives. Mark monta tout droit dans sa chambre pour attendre un nouvel envoi de Bobby. Les précédents étaient arrivés avec régularité et il s'attendait à ce que l'anneau se mette à vibrer d'un instant à l'autre. Mais en vain. Il resta éveillé une bonne partie de la nuit, à fixer l'anneau, comme s'il pouvait le faire bouger par la simple force de sa volonté.

Toujours rien.

Courtney l'appelait deux fois par jour pour savoir si Bobby leur avait écrit, mais il lui donnait toujours la même réponse : « Pas encore. » À chaque fois qu'ils se retrouvaient dans les couloirs de l'école, elle croisait son regard de façon insistante, comme pour demander : « Alors ? » Mais Mark ne pouvait que hausser les épaules et secouer la tête.

Le temps passa. Les jours devinrent semaines, les semaines des mois, et toujours pas de nouvelles de Bobby. Mark et Courtney finirent par comprendre qu'ils ne pouvaient passer leurs vies dans l'attente d'un nouveau message de Bobby. Du coup, ils s'éloignè- rent peu à peu. En dehors de leur amitié avec Bobby, ils n'avaient pas grand-chose en commun. Courtney retourna jouer au volley- ball et mena l'équipe de Stony Brooks jusqu'à la finale du comté. L'équipe masculine, bien sûr.

Mark redevint Mark. Il continua de manger trop de carottes et de passer la majeure partie de son temps à la bibliothèque, le nez dans un livre. Par contre, il y avait un grand changement dans sa vie. Andy Mitchell avait cessé de le harceler. Courtney ne le savait pas, mais elle était devenue l'ange gardien de Mark... du moins en ce qui concernait cette brute épaisse.

L'enquête visant à retrouver les Pendragon suivit son cours, mais sans le moindre résultat. Parfois, le sergent D'Angelo ou le capitaine Hirsch appelaient Mark ou Courtney pour leur demander s'ils avaient du nouveau, mais la réponse était toujours la même. Non. Même s'ils avaient voulu lui dire la vérité, ils n'auraient pas su par où commencer.

Ils n'oublièrent pas Bobby pour autant. Il faisait irruption dans leurs pensées au moins une fois par jour. Mais plus le temps passait, moins il était présent dans leurs esprits. C'était normal. Ils avaient une vie à vivre.

En général, chaque fois qu'ils se souvenaient de Bobby, c'était quand ils voyaient quelque chose qui leur rappelait leur ami. Mark jouait à Nintendo Football et se souvenait de toute les fois où Bobby l'avait battu à plate couture à ce même jeu. Courtney entendait un comique raconter une histoire qui la faisait rire parce qu'elle savait que Bobby l'aurait appréciée. Un jour, en cours de gym, Mark avait regardé les autres jouer au basket et avait pensé à Bobby, qui excellait à ce jeu.

Et c'est à ce moment-là que cela arriva. L'anneau se mit à vibrer.

Tout d'abord, Mark ne comprit pas ce qui se passait. Mais en baissant les yeux, il vit l'anneau commencer à luire. D'excitation, Mark faillit en faire dans son pantalon. Il quitta les stands et traversa carrément le terrain. Peu lui importait de perturber la partie en cours et de se faire insulter par les joueurs. Il devait filer d'ici le plus vite possible.

Il trouva Courtney dans la salle d'à côté, le gymnase des filles. Elle suivait des cours de sports de combat, de judo en l'occurrence, et était en plein affrontement. Sans effort apparent, elle souleva son adversaire et la fit tomber sur le dos avec un craquement de mauvais aloi. Puis, alors qu'elle aidait sa victime à se relever, Mark fit irruption dans la salle en braillant :

– Courtney !

Tout le monde tourna la tête pour voir qui était ce cinglé. Courtney comprit aussitôt ce qu'il en était. Elle s'empressa de saluer son adversaire et se précipita vers lui. Ils n'échangèrent pas un mot : c'était inutile. Ils savaient ce qu'ils avaient à faire. Tous deux se précipitèrent vers la forteresse de solitude de Mark : les toilettes des garçons au troisième étage. Courtney n'était pas timide : elle y fit irruption en premier, avant lui. À peine étaient-ils sur place que Mark retira son anneau et le posa à terre. L'anneau tressauta, les lumières jaillirent et le processus familier se déroula. Le petit anneau grandit et, après un ultime éclair éblouissant, tout fut terminé.

Une liasse de papiers se trouvait bien sur le sol, mais ceux-ci étaient différents des autres. Ce n'étaient pas des pages de parchemins jaunis : celles-ci étaient vertes. Il y avait bien une corde autour du rouleau, mais plutôt qu'un lacet de cuir brun, on aurait dit un matériau vert évoquant la tige d'une plante. Mark la dénoua et déroula soigneusement les feuilles. Elles étaient approximativement de la même taille que les parchemins, mais avaient une drôle de forme. Elles n'avaient pas d'angles. Il caressa le matériau – qui ne ressemblait nullement à du papier. Il s'agissait d'une sorte de grande feuille séchée vaguement caoutchouteuse… et imperméable.

– Tu es prêt ? demanda Courtney.

– J'ai les mains qui tremblent, répondit Mark.

Et tous deux se penchèrent sur le nouveau journal de Bobby.

Journal n° 5

CLORAL

Salut, les gars. Je dois m'excuser d'être resté si longtemps sans donner de nouvelles. Il s'est passé tellement de choses depuis que je vous ai quittés que je sais plus trop par où commencer. Pour commencer, il y a au moins un mystère de résolu. Vous vous souvenez de ce requin géant qui a bien failli me bouffer dans cette mine sur Denduron ? Eh bien maintenant, je sais d'où il venait. Le territoire où je me trouve actuellement s'appelle Cloral... et il est entièrement aquatique. Non, je ne plaisante pas. C'est un monde submergé. Sur Cloral, les quigs ont l'apparence d'énormes requins mangeurs d'hommes. Sympathique, non ?

Et croyez-moi, je me suis encore fourré dans un joli pétrin. Il faut que je vous raconte ça...

À PARAÎTRE EN 2004

Pendragon n° 2 : *La Cité perdue de Faar*

SALUT !
C'EST BOBBY !

N'oublie pas de
m'appeler au

08 92 69 09 59

0,34 euros / min

pour gagner mon
téléphone portable
SAGEM
et connaître
mon arrivée sur Cloral.

Impression réalisée sur CAMERON
par BRODARD ET TAUPIN
La Flèche
en septembre 2003

Imprimé en France
Dépôt légal : septembre 2003
N° d'impression : 20306